21世纪中国纪实文学大系

2005卷

顾问：钱谷融
主编：桂国强

民生问题

文匯出版社

总序

21 世纪是一个非同寻常的世纪。尽管这个世纪至今仅仅走过了十多年的历程，但在与人类朝夕相处的地球上，却已经发生了诸多惊天地、泣鬼神的重大事件，令世界格局发生了错综复杂的变化，给全世界留下了难以泯灭的记忆。

对于正在不断崛起的中国而言，21 世纪无疑是一个机遇与挑战并存、成就和困难共现的世纪——这已在中国社会的各个层面展现出来。

在刚刚过去的十多年里，中国正式加入 WTO，成功举办 2008 年北京奥运会和 2010 年上海世博会，国际地位显著提高；中国全面实施西部大开发战略，青藏铁路顺利开通，“西气东输”工程全线推进，高速铁路亦成功运行，国家建设硕果累累；中国高度重视科学发展，包括航天科技、农业科技、石油勘探等在内的科学技术取得了举世瞩目的辉煌成就；中国的新农村建设卓有成效，农业税费制度改革进一步推进，农村义务教育经费保障机制有力推行，农民的生活不断改善；中国的两岸关系有所突破，厦门金门实现直航，两岸春节包机适时通航，大陆居民赴台旅游更加便捷，两岸“大三通”已然实现……勤劳而智慧的中国人准确把握机遇，用自己的行动赢得了世界的尊重。

当然，在新世纪已经过去的十数年里，中国也面临着诸多挑战，遭遇了不少困难。譬如：2003 年的“非典”，2004 年的“禽流感”，2008 年的四川汶川大地震及这一年全球金融危机给中国带来的负面影响，2010 年的青海玉树地震，2011 年湖北、湖南、江西等地出现的大面积干旱……此外，还有环境污染、食品造假、海峡那边陈水扁的“台独”闹剧等等，凡此种种，都给中国的前进之路带来了挑战。

成就也好，挑战也罢，时至今日，都已在新世纪所发生的重要事件中显现出来。这些事件，有些已经成为历史，有些却还在延续。历史是一面镜子，对于后人，可以起到“以史为鉴”的作用；现实是当下的存在，研究它可以积累经验，帮助我们寻找到人类发展的正确路径——基于此，我们有必要将这些已经过去的或仍在延续的事件以及与这些事件有着密切关联的人物——用一种最为世人接受的文字形式记录下来，为今天和明天留下一份可供借鉴与启迪的珍贵资料。

我们之所以选择纪实文学作为承担“记录”重任的文字形式，是因为这种文体乃涉猎文学和新闻两大领域的一种独特的艺术样式，是兼具新闻真实和历史真实品格的艺术真实，它在很多方面弥补了现实新闻报道无法反映的空白，达到了相当的深度和广度——正是由于它能比一般的新闻报道更深地切入现实、切入人心、全景式地反映变革过程中某些本质的东西，因而，随着时间的推移，也就更能凸显其无可争辩的文献史料价值和文学欣赏价值。

新世纪以来，中国的纪实文学蓬勃发展。国家综合实力的提升，国际多边交往的频繁，国民生活水平的提高……都为纪实文学提供了丰富的创作素材，激发了纪实文学作家和各类媒体记者的创作热情，从而创作出一批又一批展示波澜壮阔历史画面、描绘跌宕起伏现实场景的精品力作，为反映中国的现实、记录中国的历史、繁荣中国的文学立下了不朽的功勋。

现在，呈现在读者面前的就是新世纪以来（自2000年开始）中国优秀纪实文学的精选、精编本。入选的文章中，有的获得中国报告文学奖，有的获得鲁迅文学奖，有的则荣获了各种类别的年度新闻奖……由于诸多事件的发生、发展都会经历一定的时间，有些还会延续几年甚至更长；从创作规律来说，一篇成功纪实文学作品的采访、创作和发表也需要相当的时间，很难保证当年的文章能与当年的事件完全同步。因此，在对文章的选择中，我们首先考虑的是能够反映该年度的重要事件及其相关人物，至于其具体的发表时间，则应当服从于事件和人物。

我们计划一年精编一本，每本都能比较客观、全面、及时地反映该年度中国所发生的重要事件及与之相关的重要人物，从而能凸显其独特的史料价值；我们同时又希望，书中所精选的纪实文学作品能给予读者朋友有益的启迪和思考，充分享受阅读的愉悦，从而真正领略纪实文学的艺术魅力。

迈着稳健而充满活力的步伐，向着明确而富有挑战的目标，中国依然在前进，中国的大地上依然在发生着历史性的深刻变化。因此，用文字记录中国、展示中国，依然是我们今后相当一段时期内义不容辞的重要任务。我们将不辱使命，勤奋工作，努力选编好一年一度的《21世纪中国纪实文学大系》，为广大读者奉献上兼具史料和文学双重价值的精神产品。

（主　编）

2005年纪实文学概述

重要的事件往往会催生优秀的纪实文学作品，优秀的纪实文学作品也会紧跟时代的脉搏并与之交相辉映，产生共鸣。在良好的创作氛围里，2005年的中国纪实文学界产生了众多兼具时效性与文学可读性的优秀作品。

一

2005年是“十五计划”的最后一年。这一年，中国共产党第十六届中央委员会第五次全体会议通过了《中共中央关于制定国民经济和社会发展第十一个五年规划的建议》，提出要按“生产发展、生活宽裕、乡风文明、村容整洁、管理民主”的要求，扎实推进社会主义新农村建设。孙晶岩的《中国新农村启示录》用相当的篇幅记录了她眼中的新农村建设。自2000年起，我国开始了以减轻农民负担为中心、以改革农业税为主要内容的农村税费改革。党中央与国务院切实关注“三农”问题，力图让广大农民享受到改革开放带来的实际利益。2005年12月29日，十届全国人大常委会第十九次会议高票通过决定：自2006年1月1日起，废止《中华人民共和国农业税条例》。在中国延续了2 600多年的“皇粮国税”，正式退出了历史舞台。对此重要事件，各大媒体纷纷进行了报道与解读。在诸多报道中，陈栋宇的《前无古人——全国各地先后免除农业税》便是其中的佳作，其特点在于深度解读的同时又包含了很多关于当今农村生活的信息。

2005年，我国的大型建设项目蓬勃发展。5月25日，长达32.5公里的东海大桥全线贯通。东海大桥起始于上海南汇区芦潮港，北与沪芦高速公路相连，南跨杭州湾北部海域，直达浙江嵊泗县小洋山岛。东海大桥是上海国际航运中心深水港工程的一个组成部分，被上海市政府列为“一号工程”。上海作家彭瑞高深入生活，创作出《洋山深水港巨变》，细致描绘了包括这座“世界之桥”建设在内的洋山深水港建设项目。10 月 12 日上午 9 时，“神舟六号”载人飞船在酒泉卫星发射中心顺利升空，它是中国第二艘搭载航天员的飞船，也是中国第一艘执行“多人多天”任务的载人飞船。我国正一步步朝着航天强国的目标迈进，这极大地激发了人们的民族自豪感与爱国热情。彭继超创作的《“神六”飞天的五个日夜》正是一篇详细记录这激动人心、催人奋进的历史时刻的优秀纪实文学作品。

二

2005 年是中国医疗行业备受关注的一年。卫生部确定 2005 年为“医院管理年”，主题是“以病人为中心，以医疗质量为核心”。但是，“医务人员收受红包”、“拒治无钱患者”、“天价医疗费”等一系列负面新闻层出不穷，使得本已紧张的医患关系再次升级。司雪创作的《医患之间的战争》，是一部探讨医患关系、反映医疗现实的优秀作品。

2005 年春晚最受欢迎的节目是由 21 名聋哑演员表演的舞蹈《千手观音》。詹晓南的《“千手观音”台前幕后的故事》打开了观众心中的疑惑。而 2005 年中国收视率最高的电视节目，可能要数湖南卫视的“超级女声”了。李宇春、张靓颖、周笔畅……这一个个原本陌生的名字，如今更像是梦想与现实的衔接。“超级女声”远不止是一项选秀活动，更像是一场盛大的全民狂欢。吕辉的《超女！超女！》展示了这场异乎寻常的选秀活动是如何一步步在国内掀起意想不到的热浪的。

如果说选秀节目谋求的是精神的短暂快感的话，那么，那些在外谋生的打工族遇到的问题，就显得非常实际。出行难一直是困扰中国打工族的实际问题。每逢节假日、春运等特殊时段，一票难求已成为常事。也正因为车票是稀缺资源，一些人便成了职业购票人。这些职业购票人，俗称黄牛党，也就是票贩子。张西、涂骏的《票贩子有话说》，以第一手数据，重新审视了买票难这一社会现象。

2005 年，还是郑和下西洋 600 周年。《非洲踏寻郑和路》的作者李新烽历尽艰险，足迹遍及非洲十多个国家，以独特的视角和第一手资料阐释了郑和船队七下西洋的意义所在。

三

社会突发事件，是纪实文学关注的热点。2005 年，以社会民生事件为题材的优秀纪实作品，有齐光瑞创作的《2005，松花江在呻吟》。作品详细记录了造成哈尔滨市全市停水四天的松花江重大污染事件。2005 年 1 月初，北部湾海域发生武装抢劫案。我海警官兵不畏艰险，斗智斗勇，终于使横行北部湾多年的海盗低下了头。汪泉的《南海卫士》用充满现场感的语言还原了这一事件。

2005 年，台海局势发生了新变化。4 月，时任中国国民党主席的连战首次访问大陆。这是国共关系史上的大事，媒体称之为“破冰之旅”。对应这些事件，产生的纪实作品有刘卫兵写的《随访连战的日子》，客观生动地记录了连战一行来访大陆的各项活动。连战回到台湾不久，卸任国民党主席，马英九成为新一任国民党主席。刊登于《中国新闻周刊》的《国民党进入“马英九时代”》，记录下了这一历史转折的关键点。

掩卷遐思，2005 年已成历史，匆忙的生活，常常让人无暇顾及那些流逝的东西。好在有那么多的纪实文学作品，它们就像是生活中的“小贴士”，不经意间，你会留意它们的存在和价值。

（撰稿人：杨扬、王旭松）

目录

中国新农村启示录

2005年10月8日至11日，中国共产党第十六届中央委员会第五次全体会议在北京举行。会议通过了《中共中央关于制定国民经济和社会发展第十一个五年规划的建议》，提出要按照“生产发展、生活宽裕、乡风文明、村容整洁、管理民主”的要求，扎实推进社会主义新农村建设。

贫困问题是全球关注的焦点，也是中国新农村建设的难点和重点。中国的问题，说到底是农民的问题；中国的真正富强，关键在于人口众多的农村是否能够尽快摆脱贫困、走向富裕。

中国至今（本文写作时）还有2 300万绝对贫困人口。绝对贫困人口的标准线是年人均收入683元以下。如果按照联合国制定的年人均收入100美元的贫困线标准，我国现在还有1亿多的绝对贫困人口，这就意味着每13个中国人中就有1个穷人。

中国的农村到底该如何真正摆脱贫困？中国的农民到底怎样才能成为新型农民？中国的新农村建设到底该如何进行？

我9岁时第一次走进北京的人民大会堂，感受到的就是庄严和神圣。在我的心目中，这里似乎应该永远和歌声、掌声、欢笑声联系在一起。可是在刚刚结束的第七次全国作家代表大会上，在人民大会堂的主会场，我却深切地感到了酸楚。那天，温家宝总理亲切地同我们这些作家艺术家谈心，他忧心如焚地提出了中国还有2 300万绝对贫困人口的问题。这个话题也许别人不感兴趣，可我心灵深处的那根弦却在激烈地颤动。“八七扶贫攻坚计划”中曾提出要在上世纪末基本解决我国贫困人口的温饱问题，可时至今日，我们还没有完成任务。作为一个有社会责任感的作家，我感到揪心啊！

共和国总理的忧虑使我回忆起十多年前的往事

共和国总理的忧虑深深地触动了我的心，我不由想起了十多年前的往事：

上世纪90年代初期，我的父亲担任中国扶贫基金会常务副会长。受父亲影响，十多年前我就开始关注扶贫，并利用寒暑假自费到中国的贫困县采访，撰写了一部全景式展现扶贫工作的长篇报告文学《山脊——中国扶贫行动》。

我走南闯北跑遍了中国，亲眼看到了西部的贫穷落后。我曾经五下贵州，一到那里，我的心情就像浓云密布的天空，总是飘洒着阴郁的细雨。这不是因为天无三日晴的气候，而是因为贵州经济总是排在全国末尾的现实。

15年前，我曾经在冬天乘汽车翻越昆仑山到西藏。当时，我觉得青藏线的路是世界上最难走的路，可几年之后，当我走在乌蒙山的山间小路上时，才晓得青藏线的路在这里真是小巫见大巫了。这哪里是什么公路，到处是泥泞，到处是翻浆，路面高低不平的幅度在一尺以上。汽车走在上面，就像一只小船在狂风巨浪中颠簸。人坐在汽车里，就像坐在弹簧上，忽而被弹上车顶，忽而被摔向座椅。不仅颠簸，而且险峻，路面狭窄，旁边就是万丈深渊。碰上阴天下雨，路面泥泞不堪，稍不留意就会发生交通事故。当时，从贵阳到毕节只有一条公路，等级低、路况差、坡陡弯急，堵车就像家常便饭。虽然从贵阳到毕节只有248公里的路程，我却整整走了九个钟头。

正当我深一脚浅一脚在毕节贫困山乡采访时，温家宝同志恰巧也在那里视察。他乘坐的汽车在乌蒙山的小路上两次发生车祸，可他仍然坚持到农民家访贫问苦。那时候他还不是总理，可他的亲民形象却深深地刻在了我的脑海里。

十多年过去了，当我坐在庄严的人民大会堂里聆听温家宝总理讲2 300万绝对贫困人口时，他低沉的声音一下子就勾出了我的眼泪。我的乡村情结苏醒了，祖国一个个贫困乡村在我记忆的荧光屏前闪现：

中国有四分之一的贫困人口在贵州，而贵州又有四分之一的贫困人口在毕节。毕节像一面镜子，折射出贵州贫困的现状。贵州经济落后有其深刻的历史背景。贵州省建制于明朝永乐十一年，是当时明王朝13个行省中最穷的一个。到了清朝，贵州又是18个省份中最穷的一个。从建省到清王朝灭亡的五百多年间，贵州财政从来没有自给过。

建国几十年来，贵州长期处在工业化初期。毕节地处川滇黔三省交汇处，是一个典型的内陆“三不沿两不靠”连片贫困落后的山区。所谓三不沿，就是不沿海、不沿江、不沿边；所谓两不靠，就是不靠大城市、不靠大平原。境内山高坡陡、峰峦叠嶂、沟壑纵横、河谷深切、地形破碎、岩石裸露、土壤贫瘠，是水土流失严重的岩溶裸石深山区。山地、丘陵面积占土地总面积的97%，贫困人口占总人数的80%以上。

毕节地区的赫章县灾多是出了名的。我在毕节采访期间，四月天就热得出奇。白天烈日当头，晚上暴雨倾盆。一场特大冰雹砸毁了农民的庄稼和烟苗，经济损失达1亿元。

在毕节威宁县龙场镇的一个苗族兄弟家，全家七口人住在一间用泥巴砌成的窝棚里。窝棚呈直角三角形，上面用松树枝搭顶，棚里只有八平方米的空间。里面没有床，一堆干茅草就是全家人睡觉的地方。茅草上放着一床旧棉被，就是御寒的家什了。棚子的一角放着一个打了三分之一的破砂锅，锅旁仅有的两个碗还有一个是残缺不全的。家里没有筷子，几根树枝用来当筷子。五个娃娃中两个大点的有衣服穿，下面的三个小娃娃全都赤身裸体。男主人和女主人在忙活农活，把几个光腚娃娃放在锅灰里，塞几把炒玉米花就算打发了。由于交通不便，信息不灵，猕猴桃在大山里五分钱一斤都卖不出去。

在四川大巴山的皱褶里，有一些“三子乡”——没有广播变成聋子，没有电变成瞎子，没有公路变成瘸子。生活在那里的农民，仿佛生活在刀耕火种的远古时代。一户农民早晨杀了一口猪，父子俩欢天喜地用竹竿抬到县城里卖。由于天气炎热，山高坡陡，90里的山路，爷儿俩足足走了大半天。赶到县城已经是下午3点，猪肉已经变了颜色。父子俩左吆喝右求情，没有一个人愿意用一粒汗珠摔八瓣赚来的钱买这种不新鲜的猪肉。最后好说歹说，才把两个猪耳朵割下卖了。眼看着夕阳爬上山梁，父子俩不舍得扔掉变了味儿的猪肉，只好垂头丧气地把没有耳朵的猪又抬了回去，煮了一大锅臭肉汤。一年的辛苦就换回两个猪耳朵钱。

在云南西畴县，水源奇缺，吃水要到几公里之外的渗水沟去挑水。水要一水五用，洗脸水可以洗碗，洗碗水可以洗手，洗手水再洗衣服，洗衣水再洗脚，直到剩下黑泥汤了，才舍得倒掉。

看到中国农民赤裸裸的贫穷，我心疼得掉眼泪。我把兜里的钱刨除路费后全都掏给了农民，回到北京又翻箱倒柜找出家里的衣服，用像麻袋那么大的包裹袋足足往农村寄了五袋衣物。

近年来采访西气东输工程，我再次看到了西部的贫穷。在山西蒲县，我见到一个10岁的男孩儿二蛋。他的亲生父亲遭遇车祸死了，母亲怀着他嫁给了当地一个二流子。继父经常打骂他，母亲只好把他送回娘家让姥姥带他。由于家境贫寒，他10岁了还是睁眼瞎。在村里干西气东输工程的石油人凑钱把他送进昕水河小学。这所学校只有一间教室、八个学生。学校仅有的一个老师在一间教室里教三个年级的孩子，这种复式教学法就是老师在给一年级的学生讲课时，二三年级的学生做作业、玩耍。在这样的环境下，孩子们怎么可能认真听讲？

触景生情，我的老毛病又犯了，今天给这个穷孩子学费，明天给那个苦乡亲资助。看了我写的长篇报告文学《山脊》和《中国女子监狱调查手记》，有的读者甚至从外省千里迢迢步行到北京向我求救。

人常说："只要心诚，石头也会感动得落泪。"为了扶贫，我自费跑了中国很多穷乡僻壤；为了扶贫，我在农村被恶狗咬伤。我扶贫的心不能说不诚，可我究竟看到什么了呢？在中国贫困的山乡，我亲眼看到你今天给农民发了扶贫款，他明天就去打酒喝了。你给农民发了化肥，他把化肥扔在山坳，摇晃着化肥口袋说："要那些白面面子干啥，还是这白袋袋子有用。"

在云南西畴县，一个农民把18岁的儿子送到广东打工。儿子吃不了苦，打电话向爹娘求救。老两口硬是把家里唯一值钱的牛卖了600元钱，寄给儿子当回乡的路费。

在陕北子长县，西气东输工程征地拆了农民的窑洞。拿到赔款后，小伙子年纪轻轻地攥着钱成天蹲在塬上晒太阳。我问他为什么不出去打工。他说怕城里人欺负他。我说人家小姑娘都敢出去闯，你一个男子汉大丈夫为什么就不敢。他说反正窑洞也赔了钱，再加上退耕还林，赔他的钱够花一阵子了。

我一阵愕然，心揪得紧紧的。死守一方故土，不愿意出去闯荡，身强力壮的西北汉子岂不成了东方懦夫？吃不了苦，家长宁肯倾家荡产卖牛也不舍得让孩子在外面摔打，娇生惯养的孩子岂不成了精神残废？如果任其发展，整个中华民族就会贫血，整个炎黄子孙就会患软骨病。

文化的贫困是造成经济贫困的重要原因，经济的贫困又加剧了文化教育的贫困。

在科技飞速发展的今天，苏联人制造了世界上第一颗人造地球卫星，伏尔加河的后代加加林驾驶着“东方号”在太空飞行108分钟，绕地球一周后胜利返回地面，创造了人类征服太空的先例。

美国人发明了世界上第一枚液体火箭，密西西比河的子孙驾驶着阿波罗宇宙飞船，完成了世界上第一次载人登月飞行的创举。

还有空中遥感技术、核能技术、深海钻探技术……

世界地球科学的突破点主要在深海研究。中国有辽阔的海域，却缺少深海大洋的研究力量。深海大洋不仅是人类了解地球的空白，也是国家资源和安全保障之所在。人类对深海海底的了解，不仅赶不上月球，甚至赶不上火星。地球已经飞进21世纪，中国人不能总是说“我们有万里长城，我们有四大发明……”

“我是一个执拗的女孩子，我不相信黄河的儿子比密西西比河的后代矮小；我是一个任性的女孩子，我不相信阿尔卑斯山的骑士挥舞着宝刀，而喜马拉雅山的汉子还在襁褓里睡觉。于是，一双旅游鞋裹住了我轻盈的双脚，我要踏遍大江南北去寻找、寻找！”

这是我在20年前写下的诗句，当时有人指责我断言中国缺少血性汉子太悲观。我何尝不希望我的祖国多一些硬汉？我何尝不希望我的同胞中多一些哥伦布、麦哲伦、拿破仑、丘吉尔？我是恨铁不成钢啊！

20多年过去了，中国没解决温饱的贫困人口从2.5亿减少到2 365万人。穷人减少了，但剩下来的都是难啃的硬骨头。贫困地区最要命的不是穷山恶水，而是缺少自强不息的奋斗精神，缺乏先进的人文观念。我意识到我的那种杯水车薪式的救济不能从根本上改变农村的贫穷，我究竟应该怎样做呢？

聪明的温州人开始第一个吃螃蟹

农村怎样才能走出贫困？首先要改变农民的观念。不转变观念，农村永远摆脱不了贫穷。富裕的农村究竟是怎样旧貌变新颜的呢？

丙戌暮春，我来到浙江农村谛听改革开放春潮的涌动。永康“七山一水二分田”，呈现丘陵盆地地貌。周围的义乌、东阳等地也和温州一样山多地少，人均二分地。刨土疙瘩养不活人，于是聪明的浙江人就在发展小商品、小五金、影视城上做文章。

温州永嘉县的桥头镇有5 000多户人家，2.5万人，人均耕地二分多，如果都去务农，有七八成的剩余劳动力。历史上，桥头的老百姓解决人多地少问题的办法是外出经商。所谓“桥头生意郎，挑担走四方”说的就是这里。改革开放以来，桥头镇开始出现小商品市场，经营表带、手套、发卡、塑料花等物品。1979年，一个外出弹棉花的手艺人从江西买回一批处理纽扣，在镇上卖，结果卖得挺火。浙江人干事情喜欢扎堆，于是众人仿效，纽扣摊子一年里发展到100多家。永嘉县政府因势利导，有意识地把桥头镇发展成纽扣专业市场。全国300多家纽扣厂生产的1 000多个品种的纽扣在桥头镇安家落户，逐步在温州形成了全国最大的纽扣交易中心。纽扣市场的兴旺刺激了家庭工业的出现。桥头人寻思，纽扣也不是啥高精尖的玩意儿，何必舍近求远呢？于是，他们用经商积累起来的资金开办小工厂，自己生产纽扣。

从农村调查归来，我喜欢把弄不明白的问题向著名社会学家费孝通先生请教。上世纪80年代中期，费孝通先生来温州搞调研，走访了温州的金乡、塘下、柳市、虹桥等镇的专业市场和家庭工厂，亲眼看到金乡生产的粘贴式塑料商标竟然贴在了人民大会堂，不由得为温州小商品市场的兴盛而兴奋。他在《温州行》一文中写道:“在塘下、柳市和虹桥，我分别走访了几户家庭，并看到他们生产的松紧带、小电器。我们一再询问他们的生产是谁在组织，又是谁在帮助推销。我之所以提出这些问题，是因为我看到了当前我国经济中一个极为重要的大市场。这个市场不仅包括在各镇上街巷里看得见的数以万计的店面或摊子，而且还包括撒在全国各地十多万名每天在火车、轮船上运转，甚至深入到偏僻地区活动的商贩大军；各家各户的生产者就是靠同千千万万零售商店和摊子，甚至同无数消费者个人之间建立起了一个生动活泼而又似乎无形的流通网络。这个力量已冲出省界，在全国，甚至已越出‘国境’，在国营商业渠道触及不到的领域里发挥着促进商品流通的作用。这是一件极有意义的新生事物，不仅为理论工作者提供了新的研究园地，而且是当前体制改革必须重视的民间自发的流通网络。”

当国人还在讨论温州之路姓“社”姓“资”时，费孝通就以超前的思维、惊人的胆识写出了《温州行》。《温州行》的发表，对温州人和所有正在探索市场经济之路的人是一个很大的鼓舞。特立独行的个性和渊博的学识使费孝通成为名副其实的先行者。

浙江人的特点是勇于走出去，于是，北京的裁缝被江浙人取代了，北京的木匠被江浙人夺了霸主的位子。北京兴起了“浙江村”，那里的服装价廉物美。温州人不仅走遍中国，而且还五把刀子闹革命，凭着剃头刀、剪刀、菜刀、皮鞋刀、螺丝刀，把中国的理发业、服装业、餐饮业、制鞋业、五金业打向了世界。于是，在法国巴黎的“温州街”，新浙商把素以擅长经商闻名的犹太人的生意挤掉了；在意大利米兰的“温州街”，华侨们用中国餐馆、皮包店、食品店、理发店和点心店，赢得了意大利人的青睐；在美国纽约、洛杉矶、旧金山，温州人经营的皮革业、餐饮业和小百货，抢了很多蓝眼睛的生意。

都搞小商品，一家一户分散进行的小规模生产经营面临的市场压力越来越大，推动温州的家庭工厂走向以股份合作为主要形式的联合经营。温州正泰集团总经理南存辉是从修鞋起家的，温州均瑶集团总经理王均瑶是从弹棉花起家的……浙江商人就是这样历尽千辛万苦，说尽千言万语，用尽千方百计，踏遍千山万水，走进千家万户，从小事情做起，不甘心落后，敢为天下先，冲破旧框框，闯出新路子，终于从家庭作坊、摆摊叫卖、沿街推销、设店开厂发展成股份合作、企业集团、资产经营、网络贸易，从家庭作坊式的企业发展成现代化的大企业。

五年前的一个晚上，王均瑶拎着笔记本电脑风尘仆仆地来到我家，兴致勃勃地向我讲述他的创业史。他是浙江苍南县龙港镇人，小时候家里很穷，从弹棉花起家赚了点小钱，就壮着胆子创办了天龙包机公司，开通了长沙至温州的第一条私营包机航线，成为中国私人承包飞机第一人。他打开随身携带的笔记本电脑，屏幕上出现了一幢漂亮的大楼。他说：“这是我打算在宜昌建设的新项目，我还在上海的徐家汇收购了九万平方米的楼，要建一个均瑶广场。”

他的神情异常兴奋，眸子里迸发着火星。望着神采飞扬的均瑶，我不敢相信这个长着一副清秀脸庞的总经理怎么会有这么多奇思异想。我们聊得正欢，我突然想起正在紧张备考的儿子，就到厨房给儿子热了一杯牛奶端到他的面前。儿子跟我顶牛，高低不肯喝奶。我无奈地对均瑶说：“孩子不爱喝牛奶，真愁人。”

他说：“你往牛奶里搀上果汁，孩子就爱喝了。”

我的心怦然一动，这么简单的一件事情，北京的牛奶制造商怎么就想不到呢？王均瑶、南存辉都是农民的儿子，没有背景，没有资本，可这些新浙商特别能吃苦，脑袋瓜特别灵，他们肯干别人不屑干的事情，脚踏实地，诚信可靠，一步一个脚印，终于闯出了一条康庄大道。

温州民谣说温州人的头发是空心的，里面藏的都是智慧。这句话形象地刻画了温州人的特点。第一个吃螃蟹的人，会被蟹钳夹破舌头，夹住嘴唇，会因为生食蟹肉得肠胃炎，但温州人凭着自己的智慧和百折不挠的精神，取得了中国第一批个体工商执照，建立了中国第一家实行利率改革的农村信用社，建成了中国第一座农民城，培育了中国第一批农村专业市场，出现了中国第一个股份合作制的城市信用社，诞生了中国第一个股份合作制企业，设立了中国第一家典当行，兴办了中国第一个私人跨国农业公司，创办了中国第一个私人包机公司……

四面出击，八仙过海，聪明的温州人探索出一条以农民家庭工业为主体的农村商品经济发展道路，使温州经济日新月异，给神州大地带来了巨大的温州冲击波。

浙江新农民身上难道没有越王勾践的影子吗？

温州人闯开了新路，永康、义乌、东阳等邻居也纷纷仿效。农民的住房可以做厂房，手边的闲钱，传统的手艺，空闲的时间，过剩的劳力，都成了生产的本钱。前店后厂，引进先进的生产设备，从小做起。浙江形成了中国最早的小商品开发市场。

永康五金行业源远流长。据说五千多年前，中华民族的祖先黄帝为了寻找冶炼兵器的矿源，曾经来到这里，在永康石城山一带炼铜铸鼎，留下了黄帝铸鼎的传说。后来，黄帝的一支部落在此生息繁衍，冶铜工艺世代相传。这就是永康五金的前身。

“五金工匠走四方，府府县县不离康。”永康，以源远流长的五金文化饮誉天下，以迅猛发展的五金产业闻名遐迩。这里区域特色经济特别明显，民营企业经济格外活跃。全市的五金企业就有一万多家，五金产品有一万多种，其中有十多种产品产量居全国之最，百种产品在全国销售量位居第三。永康的产品行销一百多个国家和地区，永康的工业形成了汽摩配、防盗门、电动工具、不锈钢制品、金属冶炼压延、衡器、小家电、电动海外版滑板车等几个大的支柱行业，2004年，名列全国百强县第 47 位。永康曾经成功举办过九届五金博览会，成为继美国芝加哥、德国科隆之后的世界第三大五金城。五金博览会的水准为世界第三、中国第一。

现在，永康发展成为中国最大的五金出口供货基地、中国最大的电动工具生产基地、中国最大的滑板车生产基地、中国最大的保温杯生产基地。在中国科技五金城，各式各样的五金产品琳琅满目，令人目不暇接，保温杯、防盗门、滑板车、刀具、健身器械、折叠椅、摩托车、小家电……应有尽有。

我被这些精美的五金产品深深地吸引了。女人对柴米油盐之类的东西很敏感，我从 10 岁就开始做饭，平时在家里弹奏锅碗瓢勺交响曲总觉得家什儿不够使。刮鱼鳞的时候渴望有个鱼鳞刀，拍蒜泥的时候盼望有个捣蒜器，切松花蛋的时候希望有个切蛋器，吃螃蟹的时候寻思有个螃蟹钳，吃核桃的时候幻想有个核桃夹。可我长期生活在北京，北京人偏偏不屑于生产这些劳什子。北京人觉得自己是皇城根儿下的大爷，是有身份的人。死要面子活受罪，大事做不来，小事又不做。下岗工人宁肯在胡同里甩牌下棋扯闲篇，也不去做修鞋、修伞、补锅这些营生。你的拉链坏了，花半天时间能踅摸着个修拉链的人就算烧了高香了。老百姓伞坏了只好扔掉，小家电坏了只好闲置，就连鞋子坏了想找个鞋摊修补一下都不是一件容易的事。可浙江人不同，他们不拒绝做小事情，肯吃别人吃不来的苦。也许只有能做好小事情的人才有可能做好大事情。

浙江的经济是块状经济，温州的柳市有正泰和德力西两大企业，这里以做低压电器为主。温州的制鞋业和眼镜行业很发达，义乌是中国最大的小商品批发市场，永康是中国最大的五金市场，东阳的横店影视城成为全国著名的影视拍摄基地，嵊州主要做领带……温州正泰集团从小电器开关做起，现在与美国通用公司合作，销售额直线上升。永康人从补锅、做刀具开始，把家乡打造成中国最大的五金之都。千金散尽还复来，信誉不能丢。不拒绝做小事情，踏踏实实地做好小事情，才能成大器。不仅要做好小商品、小五金，而且要讲究信誉，质量上乘。浙商正是凭着务实精神得到了世人的认可。

我们又参观了永康的民营企业众泰控股集团。这是一家生产汽车的企业，主打汽车是众泰牌汽车。我坐在驾驶室里握着方向盘，调整着汽车的挡位，发现这种汽车不仅外观漂亮，而且底盘很高，手挡灵活，价格便宜，在中国五万多元的价位里是性价比最高的一种汽车，很适合年轻人购买。我问厂方这种汽车主要销往哪里。

董事长助理李建华先生告诉我：主要销往广东、四川成都、重庆和西部一些城市。

这又是浙商的高明之处，不囿于浙江一席之地，把眼光瞄向全国的大市场。在中高档汽车一统天下的今天，从低价位汽车出拳，可能就是一条生路。浙江早期经济是依托全国的大市场发展起来的，现在浙江的民营企业资金大量往外投资，正经历一个商品销售的过程往资本输出的更高阶段。浙江只有通过全国市场才能发展，浙江的外向型经济已经融入全球化经济的轨道，与全球经济同步。

女人总是忘不了购物。参观五金城时，我对永康的厨用五金特别感兴趣。我问主人有没有卖核桃夹子、捣蒜器、刮鱼鳞的刀，主人说："只要生活中需要的，我们永康就一定有生产的。"

我看好了一把帆布折叠椅。前些日子在广州拍摄电视剧，每当野外拍摄时我就特别想有一把折叠椅，可以放水杯和剧本，但我在广州和北京始终没有寻到。如今在永康，我看什么都好，想买些厨用小零碎，想买个保温杯，还想买把折叠椅。我还看好了一个鞋套机。家里来了客人，让人家脱鞋太麻烦，不让人脱鞋我就要反复拖地。如今这个鞋套机特别实惠，把脚往机器前一伸，机器就会自动把塑料鞋套套在客人的鞋子上，既方便又踩不脏地板。我带着这些小零碎满载而归，每当我看到家里实用的小五金，就会想起永康，心里就会涌出感动。

永康农民的富裕不是天上掉馅饼，而是人家自己干出来的。现在，永康经济开发区里有 1 000 家企业，上规模的五金企业有 560 多家，成为经济发展的新平台。其中，民营企业占 95% 以上，从业人员达 30 万人。永康的电动工具总产量占全国的四分之一，销售量占全国的三分之一。永康的防盗门生产占全国的 70% 以上。永康的五金业从刀具、刨具、厨具向保温杯、滑板车、摩托车、防盗门、汽车制造业发展，五金开发的春潮一浪高过一浪。机械五金、装潢五金、工具五金、日用五金、电动五金等八大支柱产业蒸蒸日上，传统的小五金向现代化的大五金发展。有着 1 760 多年历史的永康立足国内，瞄准世界，勤劳的永康人民用自己的科技与智慧，弘扬灿烂的五金文明，在浙中大地谱写了英雄的篇章。

浙江人是越人的后裔，古代越王勾践被吴王夫差打败后，退守在会稽山上，十年生聚，十年教训，卧薪尝胆，休养生息，安抚百姓，操练军队，终于灭掉了吴国。当今的世界仍然是吴王金戈越王剑，中国比世界发达国家落后几十年。中国要想强盛，太需要韬光养晦，体恤民情，养精蓄锐，自强不息。永康庞大的五金队伍中，浙江人大多干的是技术活儿，而力气活儿大多用的是外地人。永康人均年收入4 000多元，主要劳动力有80% ~ 90%的人从农村转向企业，从事制造、工艺等工作，10%从事农业，10%从事其他第三产业。2005年，永康创税21亿元。

永康的农民富了，更加难能可贵的是，富裕的永康人热爱文化、尊重知识。在永康的大山里，我们十位作家一道参观了作家兼画家鲁光的“五峰山居”，这也许是中国作家最漂亮的书斋。书斋的优雅温馨固然令人感动，但更令我感动的是永康的父老乡亲，他们非常重视文化建设，爱护文化人才。永康的父母官不仅批地皮给鲁光，而且支持他从事文学创作和绘画。500多平方米的书斋建好后，派出所义务为其做安全保卫工作。永康人还热情邀请中国著名作家到家乡参观、讲课、座谈，培养年轻人。

浙江农村不仅经济有了飞速发展，而且形成了独特的文化氛围。只有重视文化才能更新观念，而更新了观念的农民才是中国农村的希望。如果中国人都像永康人这样脚踏实地，不尚空谈，勤劳致富，我们的祖国就会像当年的越国那样成为一个强国。中国人太需要向勾践学习了，而浙江新农民的身上难道没有勾践的影子吗?

黄县的房，栖霞的粮，蓬莱的裳

温州模式的诞生是中国农村现代化的一个奇迹，是中国农村脱贫致富的成功模式，永康农村的致富之路走的是温州模式。在中国的北方，还有没有其他的道路可走呢?

丙戌岁末，我来到胶东龙口市，探寻建设社会主义新农村的脚步。龙口就是原来的黄县，地处胶东半岛西北部。胶东人都晓得蓬黄掖的说法，蓬就是蓬莱，黄就是黄县（龙口），掖就是掖县（莱州），蓬黄掖都是隶属于烟台地区的县。

黄县是中国最早的县制单位之一，1986年撤县改市名为龙口。黄县东江镇前宋家村第三生产小队改革开放前有260户人家，800多口人，地域偏僻、土壤贫瘠、资源匮乏，年人均收入百元左右，是个远近闻名的穷山村。改革开放之初，东江镇的放映员依照惯例每个月给村民放一场电影，每场电影收费40元。左邻右舍都放得起，唯独第三小队穷得叮当响，连电影都放不起。人穷狗都嫌，方圆百里的姑娘没人愿意嫁到这个村。

改革开放之初，农村搞联产承包责任制，第三生产小队分到5 000元钱。究竟是把这些钱分到各家各户，还是集中起来滚动发展？小队长宋作文有自己的一套谋划。农民们看他头脑活络，有经商意识，就推举他为前宋家村的党支书，让他领着大伙儿往前奔。这个村支书的全部心思就是让全村260户庄稼人过上好日子。在胶东半岛，流传着“黄县的房，栖霞的粮，蓬莱的裳”这样一句民谣。所谓“黄县的房”，是说黄县人盖的房子质量好；“栖霞的粮”，是说栖霞的粮食数量多，成色好；“蓬莱的裳”，是说蓬莱的人做的衣裳好，男女老少穿戴整齐干净。民国《黄县志》曰：“黄之房舍，向多瓦房，草房与土屋甚少。整齐美观，为各县所无。”

党的十一届三中全会以后，黄县农民的日子咂摸出了滋味儿，房屋造型更加美观，布局与结构日趋多样化。在用料方面，砖墙上部用钢筋水泥打圈梁，将房屋四周墙壁联结为整体，提高了防震能力。黄县人自古善谋生计，逐利四方，不安于赚家门口的钱。宋作文这个商业之都长大的汉子深谙祖先经商的门道，看到当时建筑业走俏，他就用这5 000元做资金，带领三小队村民从糊水泥袋、制石棉瓦等手工活干起，逐步发展了玻璃纤维、棉纺、毛纺等工业项目。毛纺厂生产的毛巾主打薄利多销的牌，一条毛巾只赚一角钱。

毛巾是大路货，全国生产毛巾的厂家海了去了。在无商不奸的现代社会，前宋家村却在激烈的市场竞争中站稳了脚跟。胶东人的淳朴是闻名遐迩的，文明的农民、淳朴的民风给人一种信任感，上乘的质量、低廉的价格使他们赢得了良好的信誉，而良好的信誉就是最大的商机。“南山人”成了一个让客户信赖的品牌，他们一年生产7 000万条毛巾，一个小小的村办企业居然拿了全国70%的毛巾市场份额，仅这一项每年就获利1亿元。

1987年年底，三小队的固定资产从5 000元发展到5 500万元。全队56户人家，户户存款过百万，家家住进了统一建设的166平方米的别墅式小楼。此时，前宋家村的其他小队还在受穷，他们认定三小队走的是康庄大道，一致要求共同富裕。

这颗花生称得上是香喷喷的鲁花吗？

宋作文寻思，如果三小队是肥得流油的花生米，而其他小队是穷得叮当响的花生壳，那么前宋家村这颗花生称得上是香喷喷的鲁花吗？一花独秀不是春，万紫千红春满园。三小队的主心骨从集体资产中拿出20万元替前宋家村的其他小队还清了外债，团结带领全村人，以三小队为基础开始了艰难的创业。

宋作文脑袋瓜转得快，看到当时建筑业铝合金门窗走俏，就打起了发展铝业的算盘。龙口不产铝，他就派人到东北找铝矿，大量买进矿石铝锭运回家乡，对铝的半成品进行电解氧化。铝质地软，加上碳素等原料挤压成型后变得非常坚硬。他紧紧抓住了邓小平南方讲话之后难得的商机，大规模投资数十亿元，相继兴建了精纺、热电、电解铝、葡萄酒、电子软件、建材、旅游等产业项目，主要产品达几十个门类，上千个品种，企业快速膨胀发展。他们控制分配、增加积累、滚动发展、共同致富，先后兼并了周围11个村庄，投资一亿多元，为他们建起了同样的别墅，人人安排了工作，彻底改变了这些村的落后面貌，行政域名统一叫作南山村。一个小小的队办企业逐步发展为以股份制为主体的国家级大型企业集团——南山集团，跻身于全国五百强企业之列。

在经济发展过程中，南山集团机制创新、技术创新、管理创新，全面推行了以标准化、专业化、系统化、数据化为主要内容的精细化管理模式，形成了内部挖潜、银行信贷、吸引外资、资本运作等多元化融资格局，培养人才，使企业处于良性发展轨道。新世纪以来，南山人抓住中国人入世的机遇，加快与国际市场接轨的步伐。龙口市实施北部滨海经济开发，他们集中力量招商引资，先后与德国西马克、澳大利亚克尔马克、法国普及等国际大公司建立合作关系，从英国、德国、法国、意大利等国家引进了先进技术和一流设备，培育并发展了旅游、教育、文化、房地产等现代服务业。胡锦涛曾经两次来龙口参观视察。

现在，南山集团有200亿元资产，40 000名职工，除了村里的6 000人外，还有34 000名外来人口，这34 000个外来人一年要从南山拿走3亿元的工资。南山集团年销售收入100多亿元，在全国五百家最大乡镇企业经济实力排行榜中名列前茅。

我来到南山村的一个庄户人家，只见黑色的门楣上伸出两个圆形椽子，上面写着橘红色的“福”字。打开大门，一个画着蓬莱仙境的迎门照壁横陈在眼前。高山大海红日白帆绿树黄亭，富有浓郁的胶东特色，显得喜气洋洋。走进院子，迎面是一栋豆沙色的二层小楼，楼前有一个藤萝架，平台上晒着粮食。我四面巡睃，生怕冷不丁冲上来一只狗。男主人老宋笑眯眯地对我说：“别怕，我们这儿的狗都拴着。”

他满面春风地把我迎进家门。一进门是一个大客厅，迎面的墙上挂着一面大镜子和一幅天蓝色为基调的贝雕画。画面上又是红日蓝海帆船，看来胶东人的画总是离不开大海。屋里窗明几净，空调、电视、沙发、饮水机应有尽有，墙上挂着鲜花，桌子上的花瓶里插着绢花，还有一个硕大的鱼缸，几条金鱼在鱼缸里潇洒地游来游去。

我走进厨房，发现一点都不比城里人的整体厨房逊色。墙壁是白色瓷砖，台面是黑色大理石，抽油烟机、燃气灶配置齐全。厨房里，日光灯做顶灯，一个玻璃罩里放着做好的饭菜，收拾得一尘不染。老宋告诉我：以前，村里烧柴火做饭，家家冒烟，村村污染；90年代初期，村民做饭用液化气；现在，全都用上了天然气。到2005年年底，南山村做到五通：一是通自来水；二是通柏油路；三是通公交车；四是通科普，每个村里都有科普宣传栏，定期更换科普内容，让老百姓了解信息；五是通有线电视。光缆拉到村里，村里再把光缆接到村民的房檐下，村民可以根据自己的需要决定是否看有线电视。如果想看就接上线，每户每年交96元钱即可收看。

走出老宋家，我们驱车向市政府大楼驶去。环顾四周，一座座别墅井然有序，一条条道路一尘不染，看不到鸡屎牛粪。村里绿树成荫，鸟语花香，呈现出一派宁静温馨的气象。我问村民村庄为什么这么干净。他们告诉我："俺们村100多个垃圾箱两天冲刷一遍，喷药一次。"

汽车在柏油路上风驰电掣，我突然看到一排整齐的楼宇，上面写着"老年公寓"的字样。我急忙下车，来到公寓前。这是一座高标准的老年公寓，建筑面积达1.2万平方米，有124个宾馆式标准房间，可以容纳248位老人居住。公寓里餐饮、娱乐、健身、医疗等现代化设施一应俱全。全村65岁以上的老人每人每天只需交6元钱，就可以在这里安度晚年。

为了丰富群众的文化生活，南山村投资100多万元，相继建起了藏书58万册的图书馆，村民可以免费借阅图书；建起了能容纳1 100多名观众的影剧院，每年定期放映300多场电影；建起了功能齐全的体育场，不仅能容纳2万多名观众观看体育比赛，而且还是开展群众性文体活动的场所。

现在，南山村林地面积为13平方公里，人均绿地面积3 300平方米。住宅楼房化，环境园林化，生活现代化，1 800多户南山人都住上了166平方米、独门独院的两层别墅楼，人均面积55平方米，楼内水、电、暖等生活设施一应俱全。家风正，村风清，南山村的老年人老有所养，老有所乐。南山的腾飞靠的是一批有文化、懂技术、会经营的新型农民，而培养新型农民，才是建设社会主义新农村最本质、最核心的内容。

北京来的作家怎么这么土老帽儿?

南山村是金光灿烂了，但龙口如果只有一个南山，还不足以说明问题。社会主义新农村绝不仅仅是一个点，而应是一个面。龙口其他的村又是什么样呢？我决定住下来，出其不意杀到几个村庄，摸一摸龙口新农村建设的脉搏。

第二天早上，我来到东江镇芦头村。龙口的村庄喜欢在村口建一个大大的牌楼，白色的门楣上写着“芦头村”三个金色的隶书。左边的柱子上写着：人民安康；右边的柱子上写着：国家兴旺。

村委会主任王功先热情地接待了我。他身穿黑色缎面棉袄，梳着小平头，显得很干练。我用胶东话和他拉呱。他惊喜地问我：“你怎么会说俺家乡话?”我说：“俺是胶东人，俺刚在北京人民大会堂听温家宝总理谈中国农村还有2 300万贫困人口的问题，听得俺直掉泪。俺想真实地了解新农村，俺俩是老乡，您得对俺说实话。”他说：“对老乡俺不掺假，你想看啥就看啥，想问啥就问啥。”我说：“这个村为啥叫芦头?”他说：“据王氏谱记载，这个村的祖先是姓王的一对兄弟，康熙六十一年冬从太原来到这里，居住在黄县城西。此地有一座山叫做芦山，林木掩映，东邻颍门河(泳汶河)，西接麻姑里，风景优美。王氏兄弟住在芦山都北头，系芦山真脉，故取名芦头。后来哥俩儿成家立业繁衍后代，哥哥所住的村叫做南芦，弟弟所住的村叫做北芦。芦头村由南芦、北芦两个自然村组成，有村民611户，1 886人，耕地900亩，村办企业3处。”我说：“俺想知道你这个地场以前农民的日子怎么样。”他说：“俺这个地场过去穷啊，1948年土改划成分，最阔的地主家连个小元宝都没有。1990年之前大多数农民家没有彩电、冰箱，全村欠外债1 000万元。”我说：“俺自小就听电匣子里说老黄县有个下丁家镇，是农业学大寨的典型。你们芦头学大寨吗?”他说：“俺芦头是远学大寨，近学下丁家，但俺们是高产穷队，人均三分多地。俺村的村支书孙化臣管经济，俺管行政。俺们走过弯路，开始村里建了乡镇企业，像造纸厂、塑料厂，搞大包干承包给个人，让这些厂长给村里赚效益。结果，富了一部分厂长，村民没得什么实惠，到 1993 年俺们村还负债累累呢。随着市场经济逐步开放，俺们开始建染线厂、毛纺厂、针织厂，收回管理权，不再承包给个人。管理模式四统一——统一结算、统一投资、统一分配、统一管理。俺们还搞旧村改造，两村合一。现在年轻人不喜欢土炕，结婚都要盖新房，还要宽敞明亮。俺芦头地少啊，宅基地矛盾就突出了。俺们就想到盖楼。盖楼节约空间啊，新楼房建好后，旧房的东西一拉走就拆房，一下子省出了 300 亩土地。俺们就把旧宅基地深翻变良田，扩大农耕地。有的农民搬了新房不想拆旧房，吃着碗里的占着锅里的，为了鼓励农民拆房，俺们给拆房的农民每户补助两万两千元。”

我说:“俺想知道你们村是怎么规划的。”他把我领到沙盘前，指着模型自豪地说:“俺们是三区建设，就是文化区、娱乐区、居住区。孙作家，你见过比俺们这儿更好的农村吗?”我说:“俺去过北京的韩村河，天津的大邱庄，陕西渭南的五里铺，也去过江浙的农村，那儿的农民都很富，也住小楼。你们的沙盘制作得很漂亮，但俺想实实在在地看看农民的家到底是啥样。”他问我想看什么档次的，我说看中档和低档。

王功先带我走进一个村民的院子，女主人把我迎进门。客厅的装饰墙是用原木做的，充满了乡土气息。装饰墙上面挂着一个硕大的中国结，红艳艳格外醒目。土黄色的电视柜上放着一台精美的电视机，咖啡色的真皮沙发流露出一种异国情调。白色的立式空调上放着一盆绿色的吊兰，墙角的花架上摆着一盆龟背竹，使宽敞的客厅显得绿意葱茏。

我来到卧室，一眼就看到了久违的胶东土炕。用手一摸，热乎乎的，心里觉得特别亲切。这种炕不是以往在农村见到的那种黑黢黢的炕，而是洁净得像宾馆卧房的床似的炕。我掀开褥子，炕面上竟然摸不到一丝灰尘。

我走进厨房，女主人正在包包子。那天恰巧是冬至，龙口人管冬至叫“过冬”，古人视冬至为“亚岁”，民间有“冬至大似年”的说法。按照当地风俗，冬至的晌午吃包子，晚上吃饺子，冬至这天要像过年一样沐浴更衣，燃放鞭炮，焚纸烧香，祭祀祖先。女主人包的是典型的山东大包子，像人的手掌那么大，呈树叶状，上面捏满了褶儿。

在龙口乡间，到了冬至就闻到过年的味道了。我庆幸自己能够在乡村过年。主人想请我吃海鲜宴，我说俺最喜欢吃片片就虾。胶东话片片指的是玉米面贴饼子，虾不是对虾，而是胶东的蠓子虾酱。陪同我采访的龙口市委宣传部的人用诧异的目光望着我，直纳闷我这个北京来的作家怎么这么土老帽儿。其实谁不知道鲍鱼、对虾好吃，龙口又是鲍鱼、对虾的产地，可我想给他们省钱。为了让主人心安理得地少花钱，把我当成土老帽就土老帽吧。万万没有想到，龙口农民的日子过好了，我提出的土得掉渣的农家饭人家没有。我很高兴这种缺失，这说明农民真的富裕了。我那天是突然袭击，所到的农民家却一尘不染。我欣赏这种一尘不染，这说明龙口的农民已经习惯了讲究卫生，这是最令人欣喜的观念的变化。村民的文明习惯，是在潜移默化中养成的。当文明成了习惯，陋习就失去了市场。

我仔细打量这栋小楼，发现居住面积有160平方米。我问女主人多少钱买的房。她说花了83 000元，因为拆了旧房，村里补助了22 000元，自己掏了61 000元。

出了门，我说俺想看看村庄面貌。王功先领我在村里转悠，周围是清一色的二层小楼，清一色的白墙红瓦铝合金门窗，清一色的太阳能热水器。每一排小楼有10户人家，每户都有一个小院，院里有平台，居住面积是160至190平方米。

如今，芦头村建了80 000平方米的新房，有400户农民喜迁新居，占全村总户数的80%。村里设施配套，环境优美。盖房子的钱是群众出资、集体补助、统一规划建设。每拆一栋旧房，村里补助20 000元，鼓励村民弃旧图新。村民可以按照成本价购买一套96平方米的单元楼或一栋160平方米的别墅楼。没有旧房的村民购楼，村里每套单元楼补助12 000元。过去，外面的姑娘不愿意嫁到芦头村受穷；现在，芦头村的女孩儿不愿意嫁到外村，想方设法待在家里招个上门女婿。

新农办主任的诉说

建设“生产发展、生活宽裕、乡风文明、村容整洁、管理民主”的社会主义新农村，是党的十六届五中全会提出的重大发展战略。这项政策在2005年4月出台时，没有提出具体的着手点。龙口市政府认为，新农村建设，立足点应该放在农村；执政为民，优惠政策要向农村倾斜。他们首先成立了龙口市新农村建设办公室，制定了五年建设规划，号召农民搞“双建”，就是建设绿色家园，建设卫生家园。

新农办主任仲华是龙口市委副秘书长、龙口市委办公室主任、龙口市档案局局长。这样一位身兼几个重任的干部当新农办主任，可见龙口市领导对新农村建设的重视。这个38岁的男子汉是龙口市北马镇人，博学多才，精明干练。他和龙口市的很多干部一样生于斯长于斯，对家乡的父老乡亲充满了感情。他们觉得，这些年我们对农民是欠了债的，搞新农村建设就要抱着还债的心态，全力以赴，让农民多得实惠，要从农民最关注的问题抓起。而农民最关注的问题就是提高生活水平、提高政治地位，最大的愿望是致富。

2005年4月，龙口市政府在山区的七甲镇和平原的新嘉街道搞试点，取得成功经验后，紧接着在全市13个镇、区、街道全面铺开，拉开了龙口市新农村建设的序幕。

新农村建设要积极而为，量力而行。所谓积极而为，就是充分发挥政府的主导作用，做好新农村建设规划，将政策和资金向农村倾斜。所谓量力而行，就是要尊重农民的意愿，不能搞集资摊派增加农民负担。龙口市政府拿出180万元为农民办实事，实行“一线工作法”，就是把干部“赶”到农村第一线去。市、镇两级的机关干部和村干部早晨5点半来到村里，帮助农民安装电灯，栽树种花，打扫大街，清理垃圾。8点钟的钟声敲响了，市里的干部马不停蹄地赶到办公室，扔下铁锨，拿起笔头。镇里的干部每人都要承包村庄，白天到你承包的村庄上班。村干部则坚守岗位，一把铁锨闹革命。市直属机关承包了90多个村庄，市政府对包村干部实行“双考一评”，年终既考核分管业务情况，又定期组织村民对包村干部进行民主评议。市里和乡镇干部上了火线，以身作则，白天干不完，晚上接着干。村干部自然心服口服不甘落后。星期天，所有的干部不休息，统统来到农村，带头平整土地，绿化家园。

榜样的力量是无穷的，在干部的带动下，农民们甩开膀子大干，昔日的垃圾场变成了文化广场，昔日的泥土路变成了绿色长廊。过去，农民们垃圾四处倒，脏水随便泼。现在，各家各户自觉把垃圾装在塑料袋里。每天早晨，有专人将垃圾车推到村民家门口，村民们可以在两个钟头内把垃圾袋扔到垃圾车里。全村上下干干净净，没有一处垃圾。住上小楼后，脏水走地下管道，街头巷尾见不到一滴污水。过去，村里人做饭喜欢烧玉米秸子，妇女闲暇时坐在家门口剥玉米秆，家家尘土飞扬，户户烟熏火燎。现在，农民们把玉米秆经过处理，60%的麦秸、玉米秸还田作为肥料，剩下的用于养殖业。少数村民保留着烧炕的习俗，村里就划出专门的堆放场，将柴草集中堆放在那里。过去，左邻右舍鸡鸣狗跳，现在，村民不喜欢养鸡养猪，嫌这些畜生脏，少数村民养狗是为了护家。农民吃菜自己种，吃肉自己买。反正村里三天一个集，大多数人家都有冰箱，想吃啥现买多带劲。

温家宝总理在第七次全国作代会上说：疾病控制中心很重要，要扩建全国的卫生院，满足农民的治病需求。搞合作医疗，给农民制定账号，每个农民每年50元医药费，政府出40元，农民自己出10元。看病的费用记在农民的身上，谁有大病先用集体资金。随着国家财政的增长，逐渐加大政府的投入。

如今，龙口人实现了这一宏伟蓝图。为了解决农民有病不就医问题，自2004年开始，龙口市留出几十万元的公共积累，统一药价、统一药品，采购尽量降低医疗费用，少花钱多办事。全市有141家农村社医卫生服务站，平均五六个村有一个，服务半径不超过两公里，服务人口达2 000人。41万村民参加了新型农村合作医疗。烟台市每年给每个农民拨14元的医疗费用，龙口市每年给每个农民拨30元的医疗费用，每个农民自己再出6元，这一年50元的医疗费用就找到主儿了。大病统筹是20 000元，农民可以报销25%的医药费。

如今，龙口每百户农民拥有电冰箱85台、洗衣机84台、摩托车55部、彩电105台、移动电话40部、电脑3台、照相机11台，真是鲤鱼跳龙门啊！

文化局副局长的“三字经”

农民们解决温饱后，就需要精神产品。文化知识落后导致观念落后。在农村，科学文化不去占领阵地，愚昧落后陈旧的东西就会去占领。

自2004年，龙口市开始在各乡镇建立农村文化大院，对有经济实力的村庄，建立图书馆、阅览室、健身房、学习室、娱乐室。我走进芦头村的文化大院，迎面是一幅由黑色和咖啡色大理石组成的照壁墙，黑色的大理石横梁上贴着“游乐园”三个烫金大字。下面是一幅山水画，画面前有一个咖啡色的圆坛，圆坛上，绿色的荷叶托着一朵盛开的粉红色的荷花。荷花上顶着一个银球，两条红色的鲤鱼一左一右在戏弄银球。

游乐园规划30 000平方米，现在已经完成了16 000平方米，建成了露天舞池、观赏塔、戏楼、广场、露天健身场等等。右前方是一栋豆沙色的三层小楼，上面写着“芦头镇文化娱乐活动中心”的字样。

走进小楼，一个巨大的沙盘映入眼帘，上面布满了芦头镇建设规划模型。王功先兴致勃勃地向我讲述着芦头村的规划蓝图，脸上洋溢着幸福的微笑。

我们来到了电子图书阅览室。三面墙前的桌子上摆满了电脑，农民们坐在电脑前看电子图书。中间的桌子上摆满了书报杂志，足足有两个乒乓球案那么大。小青年喜欢翻阅图书杂志，上了岁数的农民看书困难，想学习科学种田科学养殖的知识，只要坐在电脑前一按鼠标看光盘就可以了。不会使用电脑怕啥？这里有专门的服务员教你摆弄。电子图书阅览室旁边是图书室，各种书籍琳琅满目。

二楼是活动场所。走进大厅，房梁上悬挂着很多大红灯笼。左手的一面墙前是一排几十米长的明晃晃的镜子，像舞蹈演员的练功房。镜子上面挂着一个红色的横幅，上面写着：“创建平安和睦、团结友善的家庭环境，创建安定有序、诚信友爱的社会环境。”

墙上挂着石英钟和音箱，随着音箱里传来的优美音乐，一群中年妇女在跳健身球操。她们跳得富有韵律，从熟练程度看，应该是这里的常客了。

右手的一面墙上悬挂着一幅巨大的山水画，画面春意盎然。大厅里有乒乓球案、台球案和羽毛球场。农民们有的在打乒乓球，有的在打台球，有的在打羽毛球。宽敞的健身房里，80多套健身器械各展风姿，跑步机、划船机、健胸机、哑铃应有尽有，不但满足了本村群众的健身需求，而且还免费对外村开放，辐射带动了周边十个村的文体活动。

龙口市文化局副局长王永胜是土生土长的龙口人，早先在东江镇当放映员，亲眼目睹了前宋家村连40元一场的电影都放不起的窘境。他大学毕业回到家乡，80年代末期就在龙口扶贫，深深感到农村由输血扶贫转变为造血扶贫非常困难。他在龙口市买了楼房，屋里有暖气、自来水，家用电器一应俱全。他是个大孝子，想把八十来岁的老娘接来同住，可老娘宁肯烧柴火睡土炕高低不肯离开老屋。而他的丈母娘就很开通，习惯城里的生活。为什么两个农村老太太会有截然不同的生活观念呢？原来，他的丈母娘读过五年书，而他的母亲斗大的字不识一升。由此可见文化教育是多么重要，不解决愚昧落后的观念，科学发展观从何而来？

农民愚昧落后导致农村工作难以落实，法律在农村无能为力。王永胜当过农村基层干部，他的体会是，做农村工作要“一手拿枪，一手拿香，身后还要背个粪筐”。所谓一手拿枪，是说对付那些好逸恶劳的二流子就要厉害，敢于放枪讨伐。所谓一手拿香，是说对待那些善良的农民要满面春风。农民交不出农业税你不能着急，必须烧香磕头。所谓身后背个粪筐，是说做农村基层工作没有不挨骂的，你去抓计划生育让人家做结扎，人家想不通骂你断子绝孙你只能听着，把骂装进粪筐里。枪、香、筐是王永胜的三字经。给钱给物不如给一个好支部，搞好农村工作，关键要有一个好的党支部。

王永胜是中国美术家协会会员、中国当代花鸟画家、中国百名优秀中青年画家、烟台市美术家协会副主席。我在画廊里看到了他风格独特的花鸟画。龙口人非常喜欢字画，盛世字画乱世金嘛。当上文化局领导后，王永胜整天琢磨着送戏下乡、送文化下乡、送卫生下乡。他主编出版了《第四届中国美术家协会理事画册（国画卷）》，组织了十个书法家、画家到村里给村民写对联，画画，还组织艺术家下乡巡回演出。

随着文化教育的普及，面朝黄土背朝天的农民也开始吃文化这碗饭。龙口市奥汇装潢艺术中心总经理姚大鹏就是这样一个新型农民。他觉得刨土疙瘩刨不出名堂来，就毅然进城，在龙口市黄城文莱街扎下营盘。他的公司搞室内外装饰装修、室内外效果图表现、园林绿化设计施工，在贤内助的辅佐下，生意做得红红火火。我在龙口采访期间，姚大鹏听说我想上网查资料，马上为我提供了便利，陪着我查到深夜。

离开龙口那天，我在等车时突然看到墙上挂着黄县的老照片。我被黄县老县城的文化韵味深深吸引了，立刻利用等车的间隙拿出笔记本摘抄照片下的解说词。王永胜看到后说:“孙老师你别抄了，回头我给你寄一本材料。”我以为他只是随便说说，没想到我刚回到北京，他就用特快专递给我寄来两本《老黄县》。这就是胶东人的实在和淳朴，让你打心窝子里往外热。

孔孟之乡的文化气息扑面而来

人各有才，有的人能在土地上绣出花来。昔日，龙口的土地是逐人逐户承包；如今，龙口的土地让一部分有农耕天赋的能人承包租种，科学种田、机械化收割，希望的田野上麦浪滚滚。

千百年来，种地纳税天经地义；近年来，党中央实行了一系列惠农政策，农村免征农业税，减轻了农民1 200亿元的经济负担，创2 600年中国历史之最，同时减免农村中小学生学费，为农村的穷孩子带来福音。

我漫步在芦头村，发现超市、饭馆、修理站、豆腐坊一应俱全，不仅农民喝的净化水是免费供给的，而且电视费、自来水费、农村医疗保险金也不用个人掏腰包。60岁以下的村民每人每年享受840元的生活补贴，60岁以上的村民每人每年享受1 700元的生活补贴，村里每年还拿出20万元补助生活困难、有重大疾病的村民。以往下农村，第一感觉就是人多，村口场院到处是晒老阳看热闹扯闲篇的闲人，芦头村怎么人这么少呢？原来，除了60岁以上的老年人，所有的村民都有学可上，有活可干。日进斗金，干一个钟头都是滚滚财源，人家哪有闲心晒老阳穷唠嗑？

放学了，孩子们一窝蜂涌出现代化的校舍，学校门口人头攒动，叽叽喳喳，好不热闹。孩子们的欢笑声使我嗅到了春的气息，这是芦头村的未来和希望。

我来到圆璧张家村。在村口，一座汉白玉基座、墨绿色琉璃瓦的牌楼映入眼帘。牌楼有三个门洞，主门洞的横梁上刻着四个金黄色的大隶书字：圆璧张家。四个字的左角镌刻着两个小隶书字：八宝；右角镌刻着两个小隶书字：吉祥。牌楼的柱子上镌刻着一副金色隶书对联，上联是：礼为道路义为门，下联是：德作根基仁作宅。 横梁的墨绿色琉璃瓦上雕刻着两条汉白玉蛟龙，是传统的二龙戏珠造型。龙口人认为家乡海岸线的一处景观颇似龙口，是龙嘴所在地，所以，龙的造型在龙口比比皆是。

村口有一块豆沙色花岗岩石碑，正面镌刻着“圆璧张家”四个楷书，反面镌刻着如下文字：明初，张姓由山西大水泊迁来居住，取名张家，后改为圆璧张家。

徜徉在乡间小路上，孔孟之乡的文化气息扑面而来。一个小小的村牌上都有着文化积淀，提醒人们不要数典忘祖，要时刻牢记自己的祖宗。

我来到村里的老年公寓。这是一幢米黄色的二层小楼，房顶上是“圆璧张老年公寓”七个红色的大字。公寓门口的东边是一大排照壁，上面画着山水画，色调艳丽；正中是一个双层的红色八角亭，墨绿色和黄色相间的琉璃瓦顶，上面雕龙刻凤，东西两侧是汉白玉的台阶。亭子上的栏杆可供人们落座休息。亭子的西边有假山、水池。椭圆形的水池里养着鱼，上面有一座白色的小桥。绿树成荫芳草满园，园林式的建筑别具一格。公寓一楼有餐厅，饭菜非常可口，给生活在这里的老年人带来了方便。

在龙口，政府和企业先后投资2 000多万元，扩建改建了14所敬老院，农村“五保户”老人集中供养率达60%。19万农民参加了农村社会养老保险，5 200名农民开始领取养老金。

我来到村民住宅区，只见街道宽敞整洁，绿树环绕，一排排豆沙色四层小楼在灿烂的阳光下矗立着。小楼的单元门洞前有一个“人”字形的门楼，造型别具一格。楼前停着轿车，楼后是一排车库。置身其间，使人想起城里的中档社区。

走出圆壁张家村，我又来到王格庄。只见一栋黄蓝相间的三层小楼映入眼帘，房顶上悬挂着“文化活动中心”六个红色的大字。小楼前是一堵白色的围墙，围墙顶是波涛起伏的青瓦，中间有一个圆形的月亮门。穿过月亮门，是一个红色的小亭子，亭子旁有一座假山，假山和亭子被苍翠的柏树环绕，柏树旁有一些装饰灯和石凳，景致颇像城里的街心花园。我端详着农民的住宅，都是淡粉色的二层别墅楼，“人”字形楼顶，楼顶有烟囱，外墙是竖道的波浪花纹，明暗相间，煞是好看。

对南山村、芦头村、圆壁张家村和王格庄的匆匆一瞥，我切切实实感受到“黄县的房”的魅力，确实名不虚传。

光房子盖得漂亮说明不了问题，更重要的是清洁舒适的环境。以往下农村调研，踩上鸡屎牛粪司空见惯，洗不上热水澡不足为奇，被突如其来蹿出的恶狗咬伤在所难免。龙口人究竟是怎样跨越了脏乱差的现实呢？村民们告诉我：仅仅在一年前，这里还是粪堆、土堆、草堆、石头堆当道，垃圾遍地，臭气熏天。党中央提出建设社会主义新农村后，农民们认识到贫穷不是社会主义，脏乱差也不是社会主义。机关干部身先士卒，两万多名农村党员干部冲锋陷阵。诸由观镇尚家村党员尚作壮，被村民选为村委会主任。由于村里没有公共积累，他就把自己的六万元积蓄拿出来为村里平整道路、浆砌花坛、安装路灯。东江镇崖头村党员战寿员，将自己勒紧裤腰带攒的六万元奉献给集体，修整村里的道路，硬化村里的排水沟。兰高镇的一些村干部自愿承诺两年内不拿工资，为建设绿色村庄、卫生村庄义务作贡献。

讲究卫生是一个民族整体文化素质的写照。中国是个农业国，13亿人口中一大半都是农民。提高农民的素质，让农民像爱护自己的眼珠那样爱护乡村，才可能有崭新的家园。不少国人有随地吐痰的陋习，但龙口的农民却从不往自己家的地上吐痰，关键在于把家园当成了自己家。正因为提高了素质，龙口农民把乡村田野当成自己家的炕头来爱护。为了使“卫生村庄”名副其实，村里还聘请了专门的环境保洁员，对村容村貌进行监督。

南山村、芦头村、圆甓张家村和王格庄只是龙口新农村的一个缩影，现在，龙口633个村，村村都鸟枪换炮，旧貌变新颜。

新农村建设说到底是新农民建设，而不仅仅是新村建设。在我国4.9亿农村劳动力中，初中以下文化程度的占83%，农村劳动力平均受教育时间短，整体素质低。为什么贫困地区的农民会拿着刚领到的扶贫款打酒赌博？为什么贫困地区的农民不晓得化肥的用途？还不是因为愚昧吗？治穷先治愚，只有把农民变成了“有文化、懂技术、会经营”的新型农民，建设社会主义新农村才可能实现。先换环境再换脑筋。南山村投资十多亿元，创办幼儿园、小学、中学、职业中专、职业学院，成立民办本科大学，投巨资建图书馆，给村民配书柜，鼓励村民买书看书，争取使全村人都达到高中以上文化程度。

龙口这个“西瓜”可以切成北部沿海、中部平原、南部山区三大块。现在，北部沿海的渔民充分利用家乡64.8公里的海岸线，养殖大菱鲆、海参、扇贝、鲍鱼等海产品，少数人靠打鱼为生；中部平原地区一是靠村办企业致富，二是靠种植经济作物和粮食为生；南部山区以种植果树和蔬菜为主。龙口成为“全国创建无公害农产品（水果）生产示范基地县”、“国家级无规定动物疫病区示范区”、“山东省生态农业示范县”、“农药无残留、放心果示范县”。

建设新农村以来，龙口农村灯亮了，道平了，水净了，屋洁了，路通了，社会平安了，邻里和睦了。2005年，龙口农民人均收入6 180元。就在我采访期间，第六届全国县域经济百强县市评选揭晓，龙口市位居全国百强县市第14名。

穷地方要打好旅游的牌

猫有猫道，狗有狗道。新农村建设要根据自己的实际情况因地制宜，不能一窝蜂模仿。龙口的崛起是新农村建设的样板，也许有人会说，龙口是沿海县市，占地利之便，我们没法学。的确，中国大多数贫困县在山区，他们怎样才能摆脱贫困呢？

穷地方要学会打旅游的牌。比如，在贫困地区的风景点建设一批乡村酒店，带动当地政府和贫困老百姓开发旅游资源和旅游产品，发展相关的产业，实在是着好棋。乡村酒店的最大好处是能够安排农民子女就业。山区人多地少，女娃子没田可种，当宾馆服务员总可以吧？这样既可以有固定工作，也可以孝敬父母，一举两得。农村中老年妇女没有工作，刺绣、编竹篮总可以吧？让她们用自己的巧手扎染、蜡染、绣荷包、刻傩面具，创造的价值一点不比男人少。陕西临潼兵马俑旁的农村妇女可以用英语叫卖自己亲手做的工艺品，云南、贵州、四川的农村妇女为什么不能叫卖自己做的蜡染、扎染和民族服装？有了乡村酒店，火了乡村旅游，云南的过桥米线、傣家竹筒饭，贵州的肠旺面、家乡鹅，四川的水煮鱼、麻辣火锅一定会红透半边天。

我曾在冬天住过井冈山的宾馆，淡季时，一个标准间一天收费600多元，这哪里是平民百姓能承受的价位？我在江西省婺源县见过农民开的家庭旅店，一个房间一天收费20元。婺源县号称中国最美的乡村，晓起、李坑、江湾……各有特色，但是景点分散，要想玩好一个点就需要一天时间。到乡村旅游，住大酒店太贵，住价廉物美的家庭旅店非常对旅游者的胃口。但是，家庭旅店必须是在社会治安好、民风淳朴的地方才令人放心。婺源的家庭旅馆之所以行得通，一是因为那里民风淳朴，社会治安好；二是因为那里的环境像田园诗一般优美，保留了很多原汁原味的徽州民居，吸引了大量的客源。

上帝是公平的，给了中国东部优良的地貌、优美的环境，就让你资源匮乏；给了中国西部恶劣的环境、糟糕的地貌，就给你富庶的资源。中国的石油天然气哪儿偏僻荒凉往哪儿钻，绝对不会长在北京王府井和上海南京路。中国的贫困地区也是如此。贵州、西藏是中国著名的穷省区，可那里的旅游资源却得天独厚。穷地方大多是风景美丽的地方，这似乎是一个悖论，但又是不争的事实。

穷地方的人就应该打好旅游的牌。贵州的标志性景观是黄果树瀑布，黄果树瀑布和龙宫都在安顺地区。从贵阳到安顺的路上，有一个叫做天龙村的地方，是600年前朱元璋调北征南、屯田戍边的屯堡村寨。村民80%来自南京，至今仍保留着明朝时江南地区的生活习俗。这个屯堡村寨本来很穷，垃圾堆如山，污水遍地流，石屋随意拆，人多地少，90%以上的劳动力从事农业，大家打破脑袋在一个窝里刨食吃，越刨越穷，眼看着屯堡文化就要濒于灭绝。贵州平坝天龙旅游开发投资有限公司的有识之士慧眼识珠，敏锐地发现这里潜在的旅游商机，便投入大量资金和人力，对其进行产业调整，开发天龙村的乡村旅游，促进新农村建设。他们和村民一道恢复了12座石桥，13座门楼，98栋房屋，4个陈列室，19个茶站、作坊和食坊，修复了11 600平方米的石头路面，有效地保护了屯堡文化资源。他们从贵州省民族学院艺术学院请来老师给村民培训屯堡木刻版画技艺，使这一濒于失传的民间艺术焕发了青春。他们还开展“天龙屯堡大型民间庙会”、“黄果树瀑布节·天龙屯堡傩文化活动周”等活动，吸引了众多旅游者，农民年人均纯收入达到2 980元，被评为全国农业旅游示范点，屯堡文化也被列入中国非物质文化遗产。

再穷的地方也有特产，宁夏虽穷，可宁夏的枸杞硬是打到了海外市场。国家级贫困县多在山区，山区有山区的优势，山区适合种植中草药。发展当地的特色产业，由民营企业投资建设一批中药材种植基地，带动农民参与进来，使当地的生物植物资源得到有效的开发利用，既能帮助贫困农民脱贫，又能让企业得到实惠，真是一举两得。

给一条鱼不如给一根钓鱼竿

朋友，你可能从来没有见过鄂尔多斯这块土地，可你一定听说过鄂尔多斯羊绒衫。是啊，有羊绒衫就必定有羊，鄂尔多斯盆地是一片辽阔无垠牛羊成群的土地，是我国第二大沉积盆地，是我国最早发现石油并进行石油勘探开发的福地，是闻名遐迩的长庆大气田的发祥地，是中国名牌鄂尔多斯羊绒衫的产地，也是著名歌星腾格尔的诞生地。

腾格尔的歌声深沉而苍凉，可鄂尔多斯并不都像歌里唱的那样是蓝蓝的天空，青青的草地。达拉特旗就在内蒙古鄂尔多斯地区，是国家级贫困县，所属的黑庆壕、大纳林、公乌素三个村地处沙区，传统主产业是畜牧业。这里草原荒漠化非常严重，为了保护生态防止进一步沙化，中央制定了退耕还林退耕还草的政策。这三个村在实行退耕还林退耕还草后，一直找不到新的生路。农牧民靠政府发的微薄的退耕退牧补贴填不饱肚皮，禁牧就成了一句空话。牲畜是牧民的命根子，您不能给我足够的粮食，我去偷牧就对不起了您呐。越贫穷农牧民越偷牧，越偷牧草原越沙漠化，越沙漠化农牧民越没好日子过，恶性循环，这三个村的生态越来越恶化，农牧民的穷日子就像那梅雨天的雨丝绵延不绝。

看到家乡的父老乡亲愁眉不展，东达蒙古王集团董事长赵永亮忧心如焚。他苦苦琢磨：要想改变草原荒漠化，一是要禁牧，二是要种植防风植物。偷牧屡禁不绝是因为贫穷，我就是再有能耐一天 24 小时不睡觉把眼睛睁得像探照灯似的也盯不住。如果我能出钱收购这种防风植物，农牧民才会踊跃地种植，这样才有可能挖断穷根。究竟种什么植物好呢？望着一望无际的原野，他的眼前突然一亮，对，种沙柳啊！

1998 年，东达蒙古王集团收购了破产倒闭的达拉特旗造纸厂。这个厂倒闭的主要原因是使用麦秸作为造纸原料一直不能解决废水污染问题。东达蒙古王集团接手纸厂后，进行了技术改造，用沙柳代替麦秸做造纸原料。

沙柳是一种抗风沙、耐干旱、固沙能力极强的灌木，以往主要用来烧火和编筐。这劳什子没啥油水，农牧民也不待见它。久而久之，沙柳就像后娘养的孩子长得瘦骨嶙峋。没妈的孩子像根草，有妈的孩子像块宝。东达蒙古王集团开始规模化种植沙柳。他们摸索出一套“平茬复壮”的科学管理方法，就是从沙地的表面齐根砍掉沙柳，来刺激它的生长。野火烧不尽，春风吹又生。不屈不挠的沙柳单株生长范围竟然比平茬前增加了八倍，生态效益使其他沙生植物望尘莫及。他们还在沙柳的行间空地种植紫花苜蓿、沙打旺、苦豆子等草类植物，把这些东西和沙柳细枝嫩条混合，制造成圈养牲口的饲料，真是一箭双雕，既解决了抗风沙问题，又把农牧民的家养牲口喂得滚瓜溜圆。有了赵永亮这个“亲娘”的厚爱，沙柳这个“灰姑娘”一夜之间焕发了青春，她穿上水晶鞋，在辽阔的草原上跳着欢快的舞蹈。

建设者用一双双巧手，在杭锦旗、达拉特旗、准格尔旗黄河流域沿线播种出沙柳林地。一株株沙柳挽起臂膀，组成一道道抵抗风沙的铜墙铁壁，有效地缓解了风沙肆虐，控制了水土流失。沙柳林、青草、黄沙是一组生态链，当沙柳林长成了身强力壮的大汉，青草变成了一块绿油油的地毯时，黄沙就变成了一蹶不振的缩头乌龟。沙柳林的大面积种植和产业化利用，使被动的治理沙漠变成了主动的利用沙漠。当治沙变成一种生态产业，一种科学的发展机制便应运而生。这是一种长效的发展机制，这机制赋予荒漠心的萌动，春的苏醒。

如果故事到此为止，那就不是他赵永亮了。什么叫能人？能人就是特立独行的人，能人就是火花迸发的人，能人就是高瞻远瞩的人，能人就是敢于创新的人。本来，黑庆壕、大纳林、公乌素三个村的 120 万亩沙地是个祸害，谁摊上谁倒霉，可赵永亮却把这个混世魔王玩得滴溜溜乱转。他突发奇想：我们的造纸厂造纸要用沙柳做原料，120 万亩沙地不正是沙柳的温床吗？这 120 万亩沙地是上苍赐给我的宝地啊！天这么高，地这么宽，上哪儿去找 120 万亩的大舞台啊？这个天地不是太大了而是太小了。沙地不适合人类生存，可沙柳待见它，如果我能另选一块风水宝地，建设一个移民新村，把这三个村的农牧民搬迁到那里去，这 120 万亩沙地不就可以成为我们东达集团的沙柳种植基地了吗？到时候，我在这 120 万亩的大舞台上可着劲儿地打滚儿，那叫一个爽啊！

游牧民族是马背上的民族，骑着马四海为家，在辽阔的草原上找一块安身之地不困难，困难的是让扎下营盘的农牧民有填饱肚子的物质基础。赵永亮眉头一皱，计上心来：我们东达集团不是打算繁育饲养 300 万只獭兔吗？这三个村的父老乡亲退耕还林后，正愁寻觅不到新的产业呢，咱内蒙古人跟动物有着天然的亲情，何不动员他们在移民新村里养殖獭兔呢？

给一根钓鱼竿还要教会农民怎样钓鱼

2005 年初，东达蒙古王集团开始实施生态移民开发扶贫新农村建设项目。昔日农牧民之所以摆脱不了贫穷，一个重要原因就是住的窝儿太穷了，根本不适合人类生存。移民不是甩包袱，只要以人为本，创新农村经营体制，引导农牧民加入到东达蒙古王集团的生态产业链中，让他们生活在一个美好的家园里，人人得到实惠，就可能甩掉穷帽子。

于是，他们投资 10 亿元，规划占地 4 平方公里，在当地政府的支持下，选址修建移民村。然而，选择一个安置4万名移民的场所谈何容易？在960万平方公里的土地上，凡是地肥水美的地方，早就被人捷足先登了；凡是人烟稀少的荒原，一定有被人遗弃的理由。在鄂尔多斯草原，有一个叫做风干圪梁的沙梁子。听听风干圪梁这个地名吧，使出吃奶的力气也休想攥出一滴水来！可就是这个穷得掉渣的沙梁，却长在了一个吉祥的地理位置上，被内蒙古紫榆、德敖、羊巴、呼马四条省县级公路和109国道紧紧地夹在一起，最大的优点就是交通方便。农村人都知道，要想富，先修路。沙梁子周围的路是现成的，天上掉下个大馅饼。新村安在这里，汽车轮子一转就可以流通物资。靠山吃山，靠海吃海，靠路吃路，这里既方便交通运输，又可以发展为交通运输服务的第三产业，离都市包头才60多公里，可这样一块宝地怎么会长期无人问津呢？原来，这里缺少水源。大活人能让尿憋死？5公里之外就是哈什拉川河，可以截流引水来解燃眉之急嘛。一锤定音，移民新村就是它风干圪梁了！

建设新村不仅要考虑到改善移民的生活条件，而且还要考虑到有利于移民的生产经营活动。新村住宅根据移民从事的不同经营活动来规划设计和建设。人各有所长，有人擅长养殖，有人擅长驾驶，有人擅长烹饪。比如，以繁育饲养獭兔为生的农牧民，村里就给每户一个两亩地的小院。院里建一栋两室一厅带卫生间的80多平方米的砖瓦房，还有一排200平方米的饲养舍，配备自动饮水机等繁育饲养设备，可以饲养2 000只獭兔。此外，院里建了沼气池，兔子的粪便可以制造沼气，变废为宝。还有一片空地，可以用来种植瓜果。

建一个这样的小院需要投资15.8万元，农牧民穷得叮当响，上哪儿去找这么多钱？东达集团就自己掏腰包盖房，请农牧民入住。他们向饲养獭兔的农牧民提供种苗，无偿进行饲养技术培训和防疫治病。每只獭兔收3元钱的租金，你想养1 000只獭兔，我收你3 000元的租金，其余的一律免费。如果你连3 000元也拿不出，那么你可以赊账，反正獭兔长大后全部由东达集团收购。白色的獭兔虽然外形类似家兔，但皮毛非常珍贵。养獭兔是个来钱的营生，长大后每只能卖30元，1 000只獭兔就是30 000元，从你的总收入中扣除租金就行。

房子农牧民住，产权是东达集团的，农牧民可以根据自己的意愿临时或长期居住。如果你养獭兔尝到了甜头想长期居住，你可以把房子买下来。15.8万元的房子我只收你10万元，其余的5.8万元东达集团贴了。獭兔专业户年人均收入可达1.5

万元，每户平均收入 4 万元，几年就把房子赚回来了。

任何好的项目都是有血本的，养殖獭兔也不例外。每户农牧民需要手里攥着 7.5 万元钱，才可能启动。房子再不要钱，兔饲料总得你自己买吧？面对一贫如洗的乡亲，东达集团无偿资助每个养殖专业户 3 万元，地方政府补贴每户 1.5 万元，剩下的 3 万元由东达集团负责协调银行，由移民向银行申请贷款解决。

除了养殖獭兔专业户外，还有爱开车的、爱修车的、爱烹饪的……对于那些跑长途、开饭馆、修汽车等从事交通运输服务业的移民，东达集团也都拿出钱来，帮助他们妥善安家。

现在，东达蒙古王集团已经投资了 6 800 多万元，平整了 5 000 亩土地，完成了哈什拉川到新村的 5 公里输水管道截流工程，以及水、电、路配套工程，建好了 28 户高标准的生活、养殖场地化一体的獭兔养殖专业户示范房舍，建好了 9 家 1 300 平方米的餐饮店铺。已经有 60 多户农牧民住进了新村。春节期间，东达蒙古王集团与新村周边的农牧民共同举办了“新农村闹新春大型集会”，农牧民对新农村建设赞不绝口。

移民新村是一个幸运之村、吉祥之村，住进这个村的贫困农牧民，不仅居者有其屋，食者有其鱼，而且还有了生财的法宝。真是给你一条鱼又给你一根钓鱼竿，还教会你如何钓鱼，岂有不富之理？移民新村使得黑庆壕、大纳林、公乌素三个村的穷棒子彻底翻了身，做善事的东达集团也得到了 120 万亩沙柳种植基地，拥有了发展獭兔产业的繁育场所。共同富裕，利益兼顾，一举三得。只有做到双赢，新农村建设才具有生命力。

让每一个细胞活得滋润

中国的问题说到底是农民的问题，中国农村大趋势就是中国命运大趋势。我们要把建设社会主义新农村提到战略的高度，因为新农村建设关系到中国今后的发展和前途。发展农村经济，是解决中国经济可持续发展、减少贫富不均、缩小城乡差别、改革农村体制的关键所在。

走南闯北跑了很多国家级贫困县，总得看看家门口的农村长得啥模样。我最近到密云县采访，第一个感觉是密云水库变小了。20 年前我曾经来过这里，记忆中的密云水库水面辽阔，水质清亮，无愧于北京市水源地的光荣称号。可如今见到的密云水库只有小小的一池水，白河的源头也只是一条浅浅的河流，令我忧心如焚。

水资源令我担忧，密云农村的环境却令我刮目相看。在密云县石城镇石塘路村，我欣喜地看到：晨曦朝晖中，小村与水库天光一色；傍晚霞光里，耕牛与农夫相伴而归；蓝天旭日下，远山和长城相依相偎；黄土沃野间，歌声和炊烟余音袅袅；乡间小路上，古门楼与太阳能灯和谐相处，诉说着远古与现实的沧桑巨变；农家小院里，吊炕与窗花相映成趣，展示着民俗的别具一格。这里民风淳朴，人们夜不闭户，路不拾遗，连狗见了人都羞答答地讲究礼貌。农民的饭桌上，小米粥、玉米粥、贴饼子、年糕、杏核油饼馋得人垂涎三尺；农民的小院里，一串串红彤彤的辣椒挂在屋檐下，一排排黄澄澄的南瓜摆在窗台下。农民的家里，砌了吊炕既环保又节能，为了防尘，连炕面都用花布糊了一层。

村委会孙主任告诉我："我自小生长在这个村。我们村是明代万历年间根据一艘船的造型规划设计的。钟鼓楼是船放桨的位置。东庙、西庙、观景台；枣林、马营、大磨坊。这里既是昔日皇帝去木兰围场狩猎的必经之地，也是古代屯兵之地。我们村有 192 户人家，460 口人，112 户从事民俗旅游接待。我们把村里的年轻妇女培训好，专程到北京北火车站迎接客人。今年搞新农村建设，我们这儿村里搞规划，庭院搞规划，家家有电视，户户有电脑。我们在网上做广告，客人可以上网预约。城里人来了，我们拉着他们骑马上山看密云水库全景，带他们到垂钓园钓鱼，到蔬菜园采摘。每年有 4 万人来旅游，光接待一年就收入 480 万元。这里不准搞重工业，空气特别新鲜。"

我环顾四周，只见一群姑娘在益民书屋学习电脑，一群小伙子在民兵之家看书学习，一条小路上挂着"文明生态一条街"的牌子，村里的标语赫然醒目：美化身边环境，参与生态建设。打民俗旅游的牌，石塘路从一个穷村变成了人均收入 7 500 元的民俗旅游村，跻身于北京市生态文明村的行列。

密云县历史悠久，人杰地灵，奔流不息的潮白河滋润着大地，养育着两岸的父老乡亲。蔡家洼村五位老民间艺人的"五音大鼓"，诉说着岁月的沧桑；河南寨提辖庄村的花会绣装，散发着浓郁的乡土气息；上金山村花会古朴的虎头刀具，凝聚着民间艺人的智慧；瑶亭村关帝庙正殿的雅墨五彩画，弹奏着思古之幽情；西驼古关帝庙的门楼，西康各庄村的元代石虎，河南寨平头村的明代石雕像，石城镇马营城堡关帝庙的石狮，新城子吉家营老宅的佛手、莲藕纹、葡萄、石榴纹砖雕，印证着远古的痕迹；古北口的娘娘庙、财神庙、令公庙、柳林营关楼、戏楼东侧的四柱牌楼、民居的迎门照壁、潮河关瘟神庙的壁画至今保存完好，栩栩如生，以无可辩驳的事实证实昔日这条古道的文脉昌盛，人声鼎沸。燕山文化的源远流长，体现了密云人民的勤劳聪慧；长城文化的博大精深，折射出密云县非物质文化遗产的灿烂光芒。

晚上，我和几个朋友漫步在密云街头，一幢幢欧式建筑星罗棋布，一座座大型雕塑映入眼帘，街心公园风景秀丽，清清湖水碧波荡漾，新鲜空气沁人心脾，霓虹闪烁歌声悦耳。真是微风吹得游人醉，错把密云当欧洲。我不由想起了上世纪60年代。那时，密云是北京有名的穷山区，甚至还有“拉帮套”的婚俗，就是一个农村妇女因为生活所迫，委身于两个男人。她嫁的那个男人是正式的丈夫，另一个相好是非正式的男人，这个男人和她的丈夫双方达成默契，彼此心照不宣。这个女人不是因为爱情，而是因为经济原因作出的无奈选择。也就是说，男人无钱娶媳妇，两个男人共享一个女人。这种畸形的婚姻状况是贫穷造成的。几十年过去了，密云县发生了翻天覆地的变化，农民们的日子芝麻开花节节高。至于水资源的问题，好在有南水北调工程，会缓解密云水库的压力。

现在，北京人周末喜欢到远郊游览度假。从北京城驱车向郊外驶去，越走绿色越浓。北京市的山区占全市总面积的62%，经过多年的造林绿化，山区的森林资源迅速增加。养眼的绿化带像一串绿色的翡翠手镯环绕着北京，令人心旷神怡。清凌凌的田野风光吸引着北京人的眼球，香喷喷的农家土菜诱惑着北京人的味蕾。北京京郊游的升温体现出乡村家园的魅力，折射出新农村建设的硕果。

当前，贫困问题是全球关注的焦点，也是新农村建设的难点和重点。消除贫困是新农村建设的前提和基础，也是中国社会发展面临的重大课题。随着传统农业向现代农业的转变，昔日以粮食生产为主的乡村，正以新的姿态全面加快社会主义新农村的建设，肥沃的土地、清秀的山峦到处焕发着勃勃生机。

中国是一个农业大国，社会最基础的细胞是乡村，只有每个细胞都活得滋润，中国这只东方醒狮才能以健全的肌体屹立于世界民族之林。新农村不仅是农民兄弟的，也是你的、我的、大家的。只有每个中国人都爱我乡村，爱我家园，才可能做到爱我中华。

美哉，我的乡村家园！

（选自2007年第9期《北京文学》，有删节，作者：孙晶岩）

农业税走进中国历史

2005年12月29日，十届全国人大常委会第十九次会议决定，自2006年1月1日起废止《中华人民共和国农业税条例》。全面取消农业税，标志着在我国延续了2 600年的农业税从此退出历史舞台，是具有划时代意义的一件大事，是惠及亿万农民的一大德政，具有重大的现实意义和深远的历史意义。

全国取消农业税

2005年12月29日15时04分，在人民大会堂，出席十届全国人大常委会第十九次会议的全国人大常委会组成人员郑重地按下了自己桌上的表决器。

赞成162票，弃权1票，反对0票。

通过！

全国人大常委会委员长吴邦国宣布，关于废止《中华人民共和国农业税条例》的决定获得通过。

在这次会议上，中国最高立法机关审议全国人大财政经济委员会提出的一项重要议案，并以高票通过一个决定：

第一届全国人民代表大会常务委员会第九十六次会议于1958年6月3日通过的《中华人民共和国农业税条例》自2006年1月1日起废止。

这是一个牵动亿万人心弦的时刻，新中国实施了近50年的农业税条例被依法废止，成为历史档案。

这意味着，9亿中国农民从2006年1月1日开始，将依法彻底告别延续了2 600年的“皇粮国税”。

公元前594年鲁宣公开始征收的初税亩，是中国历史上记载最早的农业税，也是中国最早的税种。到2006年彻底废止农业税，整整2 600年。在2 600年间，农业在中国始终占主体经济地位，农业税是国库的最主要来源。

新中国成立后，1958年6月3日，第一届全国人民代表大会常务委员会第九十六次会议通过《中华人民共和国农业税条例》。我国政府依照有关规定，在广大农村地区征收农业税。

农业税条例的施行，在贯彻国家的农村政策、正确处理国家与农民的分配关系、发展农业生产、保证国家掌握必要的粮源、保证基层政权运转等方面，发挥了重要的积极作用。但是，农业税条例实施已近50年，我国经济社会状况已经发生了重大变化。在建立起比较完整的工业体系的同时，农业与工业、农村与城市的差距逐步扩大，“三农”问题严重制约着我国经济和社会的发展。

为推进以工补农、以城带乡，适时调整国民收入分配格局，取消农业税是必要的。废止农业税条例也会为实行城乡统一税制创造条件。我国目前已经具备了取消农业税的良好基础。

2005年12月29日，中国最高立法机关全国人大常务委员会表决通过取消农业税的决定，把免征农业税的惠农政策上升为国家法律。

2005年12月30日，在十届全国人大常委会第十九次会议通过了废止农业税条例的决定草案后，针对取消农业税的有关问题，记者采访了财政部部长金人庆。

问：金部长，农业税乃“皇粮国税，天经地义”，本届政府为什么要下决心予以取消？

答：农业税作为一种在农村征收、来源于农业并由农民直接承担的赋税，已在中国存续了2 600年之久，期间共经历了五次大的调整和变化。总的看来，历史上农业税制变化的趋势是由繁到简，但无论形式多变、名称多变，却未改变农业税作为国家主要税种和收入来源的地位与作用。“皇粮国税”一直是农民天经地义必须缴纳的。新中国成立后，为保证国家政权稳定和推进工业化建设，农业税在相当时期内一直是国家财政的重要来源。

新时期新阶段，党中央、国务院总揽全局，审时度势，果断作出了全面取消农业税的重大决策。这一德政之举，充分体现了以胡锦涛为总书记的新一届中央领导集体对广大农民的关爱、对农村繁荣的关心、对农业发展的关注。党中央、国务院之所以下大决心取消农业税，我的理解是确有这个必要，而且也具备承受的能力。

有必要，就是说，全面建设小康社会和构建社会主义和谐社会，难点和重点都在“三农”。当前农业和农村发展还处在艰难的爬坡阶段，农村基础设施薄弱、公共服务不足、农民收入增长困难等问题还很突出，农业、农村仍然是我国经济社会发展中最薄弱的环节。温家宝曾引用唐代诗人白居易的诗句“心中为念农桑苦，耳里如闻饥冻声”来表达他对“三农”的关切之情。我深受震撼，深为感动。在现阶段，只有实行统筹城乡经济社会发展的方略，才能切实优化经济结构和实现协调的、可持续的发展，才能使广大人民群众共享经济社会发展的成果，才能如期实现全面建设小康社会和现代化的宏伟目标。因此，取消农业税，绝不仅仅是为了农业、农村的发展和农民的富裕，而是关系到国家的长治久安和民族的伟大复兴。

有能力，就是说，目前我国总体上已进入了以工促农、以城带乡的发展阶段。近年来，我国经济持续快速发展，国家财力不断壮大，国家财政有能力、有实力承担取消农业税这个成本。尽管取消农业税会减少财政收入、增加财政支出，但从国家发展、民族复兴的大局看，这些财政的减收增支是为破解“三农”难题、从根本上改变二元经济结构对经济社会协调发展造成的瓶颈制约、造福广大农民所付出的代价，不仅是应该的、必要的，也是十分值得的。

问：全面取消农业税，对促进农业发展、农村繁荣和农民增收有何重大意义？

答：全面取消农业税，是中央统揽全局、着眼长远、与时俱进作出的重大战略性举措，充分体现了党中央、国务院加快解决“三农”问题的坚定决心，具有重大的政治、经济和社会意义。

一是全面建设小康社会的必然要求。取消农业税，完善和规范了国家与农民的利益关系，可以更好地维护9亿农民的根本利益，促进城乡居民共同富裕，实现更大范围、更高水平的小康。

二是贯彻落实科学发展观的重大举措。取消农业税，不仅能降低农业生产经营成本，提高农业效益和农产品市场竞争力，而且能够调动种粮农民的积极性，增强粮食综合生产能力，维护国家粮食安全，同时也将把农业农村发展纳入整个现代化进程，让亿万农民共享现代化成果。

三是扩大内需、保持国民经济持续快速发展的促进力量。农村是一个潜力巨大的消费市场，农村人口集中着我国数量最多、潜力最大的消费群体，是我国经济增长最可靠、最持久的动力源泉。增加农村需求是扩大内需的根本措施。取消农业税，增加农民收入，使亿万农民的潜在购买意愿转化为巨大的现实消费需求，将进一步提高农村消费水平，从而拉动整个经济的持续增长，盘活国民经济的全局。

四是构建和谐社会的具体表现。农业税征管工作量大，征管成本高，处理不当还会直接影响农村党群、干群关系。取消农业税，有利于统筹城乡发展，也可以有力地促进政府特别是基层政府转变职能，把更多的精力放到履行社会管理、提供更多更好的公共产品和公共服务上来，从而进一步改善和密切政府与农民的关系，维护社会稳定，促进构建和谐社会。

五是建设社会主义新农村的基础环节。十六届五中全会提出建设社会主义新农村，是一个关系全局的战略举措。全面取消农业税，实行工业反哺农业、城市支持农村和“多予、少取、放活”的方针，加大各级政府对农业和农村增加投入的力度，让公共财政阳光更大范围覆盖农村，能够充分调动广大农民的积极性，保证社会主义新农村建设始终有力有序有效地推进。

问：目前我国减免农业税政策的落实情况如何？迄今为止，农村税费改革政策共减轻了农民多少负担？为支持改革，中央财政共安排了多少资金？

答：到2005年，全国免征农业税的省份已有28个，河北、山东、云南三个省也有210个县、市免征了农业税，农民负担得到了大幅度减轻。2006年全面取消农业税后，与农村税费改革前的1999年相比，农民每年减负总额将超过1 000亿元，人均减负120元左右，9亿农民得到实惠，广大农民衷心拥护和支持这一政策。

为保证免征农业税后基层政权和农村义务教育正常运转，中央和地方财政为支持农村税费改革和取消农业税提供了坚实的财力保障。

截至2005年，中央财政累计已安排农村税费改革和取消农业税转移支付资金1 830亿元。从2006年起，财政每年将安排1 000亿元以上的资金用于支持农村税费改革的巩固完善，其中中央财政每年将通过转移支付补助地方财政780亿元。

问：中央提出今后“三农”工作将继续坚持“多予、少取、放活”的方针，特别是要在“多予”上做文章。请问中央财政对此将采取哪些支持措施？

答：明年农业税全面取消后，对农村还必须继续坚持“多予、少取、放活”的方针，尤其要在“多予”上下工夫。2006年，国家财政支农资金的增量要高于上年，国债和预算内建设资金用于农村建设的比重要高于上年，其中，直接用于改善农村生产生活条件的资金总量要高于上年。主要措施包括：

一是完善并加强对农民的“三补贴”政策。13个粮食主产省、区的粮食直补资金要在2005年的基础上再增加；进一步扩大农机具购置的资金补贴范围。

二是改革农村义务教育经费保障机制，将农村义务教育纳入公共财政保障范围。按照明确各级责任、中央地方共担、加大财政投入的原则要求，在2006年、2007年两年时间内，全部免除农村义务教育阶段学生学杂费。同时，逐步提高农村义务教育经费保障水平。

三是推进扩大新型农村合作医疗制度改革试点。将试点范围扩大到全国40%的县、区，中央和省级财政补助标准分别提高。

四是积极推进农村综合改革试点。积极稳妥地推进乡镇机构、农村义务教育管理体制、县乡财政管理体制改革，加大中央财政转移支付力度，加强农村基层政权建设，提高基层政权的执政能力，巩固农村税费改革成果，防止农民负担反弹。

五是积极支持农业综合生产能力建设。中央财政将加大用于农业和农村基础设施建设的投入力度，重点支持农村“六小”工程以及优质粮食产业工程、种子工程等项目建设。

六是全面促进农村事业发展。大力支持实施科技富民强县专项计划、农村公路建设工程和广播电视村村通工程。在全国范围内推广农村部分计划生育家庭奖励扶助制度，在西部农村地区实施计划生育“少生快富”工程等。

问：除了“少取”、“多予”外，“放活”也是破解“三农”问题的一项重要举措。请问财政在“放活”上有何思路？

答：“放活”，即搞活农村市场，促进农民增收。从财政来说，就是要为农业结构调整、农村建设和农民增收创造一个宽松的政策和体制环境。

一是支持国有农场、国有林场等单位改革，推动深化粮食、棉花等大宗农产品流通体制改革。

二是支持农民发展各类专业合作经济组织，提高农民进入市场的组织化、社会化程度。

三是推动深化农村土地制度改革和劳动力就业管理制度改革，支持农村金融体制改革，促进城乡统一要素市场的发育。

四是支持积极探索和发展多种形式并存的农业保险制度。

现在，让我们来回顾一下这些年农村税费制度改革走过的路程。

中国农村的第三次革命

1998 年 10 月，在北京召开的十五届三中全会上，农村税费制度改革被列为改革重点内容。

在十五届三中全会上，与会代表一致通过了《中共中央关于农业和农村工作若干重大问题的决定》，这次会议提出：农业、农村和农民问题是关系改革开放和现代化建设全局的重大问题。没有农村的稳定就没有全国的稳定，没有农民的小康就没有全国人民的小康，没有农业的现代化就没有整个国民经济的现代化。

原来，在 1978 年实行联产承包责任制之后的 10 年，是我国农村和农业的“黄金发展期”，但是，从 20 世纪 80 年代末开始，农产品供给出现了结构性和地区性过剩，农产品销售不畅，价格下跌，农民增收困难。

此外，各级政府自上而下层层下达各种经济社会发展任务，除了农业税之外，还有“三项提留、五项统筹”、各式名目的“集资收费”。农民负担的不断加重，激起农民的强烈不满。这些情况引起中央和部分地方政府对减轻农民负担工作的重视。

1990 年 2 月，国务院发出《关于切实减轻农民负担的通知》，指出：不少地方农民人均负担的增长，超过了人均纯收入的增长，超过了农民的承受能力，严重挫伤农民发展生产的积极性，损害党群、干群关系。如此发展下去，必将影响农村经济的发展和社会安全。

“通知”规范了农民负担的提取比例和提取办法，但其中的规章制度灵活性较大，文件中鼓励各地政府“要在调查研究的基础上，根据本通知的规定，制定减轻农民负担的具体办法”。

在这个鼓励减轻农民负担的政策出台的同期，部分地方政府和部分学者也已开始着手研究如何解决征粮征税难和减轻农民负担的问题。

1993年和1994年国务院连续召开两个与减轻农民负担有关的工作会议后，一些地区自发进行了税费改革创新试点，如河北正定县的“公粮制”、安徽太和县的“税费合一”、湖南武冈市的“费改税”等。这些各地自发进行的税费改革，明确了税费项目，简化了征管办法，因而提高了农民负担的透明度，比较有效地遏制了“三乱”，在一定程度上控减了农民负担，改善了农村干群关系。但是，由于县、乡、村三级财政和行政大环境尤其是相关法律文本没有变动，这些地区性的创新只能局限于推行新的农业税费征管办法，而不能从根本上减轻农民不合理的负担。

当时，中央认为这一时期影响农村稳定和发展的关键因素是农民负担问题，所以决定以农村税费改革为突破口。

在十五届三中全会后，国务院就成立了由财政部、农业部和中央农村工作领导小组办公室三个部门主要负责人组成的国务院农村税费改革工作小组，开始着手研究和制订新的改革方案，为减轻农民负担工作由治乱减负适时转向税费改革做准备。

2000年1月，国务院第五十七次总理办公会议原则通过了小组提出的关于农村税费改革试点工作若干问题的意见。

《关于农村税费改革有关重大政策问题的调研报告》和据此形成的政策性文件，基本上奠定了税费改革方案的雏形。

根据农村税费改革新方案，改革内容被概括为“三个取消，一个逐步取消，两个调整和一项改革”：

取消屠宰税，取消乡、镇统筹款，取消教育集资等专门面向农民征收的行政事业性收费和政府性基金；

用三年的时间，逐步减少直至全部取消统一规定的劳动积累工和义务工；

调整农业税政策，调整农业特产税征收办法，规定新农业税税率上限为7%；

改革村提留征收和使用办法，以农业税额的20%为上限，征收农业税附加，替代原来的村提留。

国务院税费改革工作小组组长项怀诚说：“这是对向农民乱收费根源的釜底抽薪。将‘乡统筹’等面向农民的各种政府收费和乱收费一律减掉，目的在于堵死乱收费的口子；按照新的税率提高农业税，在一定程度上可以弥补取消乡统筹费带来的缺口并规范征收；同时，改革村提留的征收使用办法，将村提留以农业税附加形式收取，意在带动村级组织的改革。”

改革的方向，在于借此建立一个以农业税、农业特产税及其附加以及村级“一事一议”筹资、筹劳为主要内容的农村税费制度框架。

农村税费改革是农村经济利益大调整的重大决策，目的在于通过对现行农业和农村领域的税费制度的改革和完善，规范农村分配制度，理顺国家、集体和农民之间的分配关系，真正实现“耕者有其利”。

农村税费改革，因为涉及面广，影响深远，也被称为1949年以来继土地革命、改革开放初期推行家庭承包经营制之后的“中国农村的第三次革命”。

农村税费改革试点及推广

2000年3月2日，党中央、国务院为了从根本上减轻农民负担，正式下发了《关于进行农村税费改革试点工作的通知》，并决定率先在安徽全省进行试点。“通知”规定：农业税的计税依据的常年产量以1998年前五年农作物的平均产量确定，并保持长期稳定；调整农业税税率，将原农业税附加并入新的农业税；新的农业税实行差别税率，最高不超过7%；农民上缴的用于村干部报酬、五保户供养、办公经费等方面的村提留，采用新的农业税附加方式统一收取，农业税附加比例最高不超过农业税正税的20%，具体附加比例由省级和省级以下政府逐级核定。

2000年4月，党中央、国务院发出通知，决定在安徽全省和由其他省、自治区、直辖市选择少数县、市进行农村税费改革试点，探索建立规范的农村税费制度和从根本上减轻农民负担的办法。

2000年4月23日，国务院批准了安徽的方案。改革随即在安徽全省85个县、市、区推开。一时间，安徽全省“沿街有横幅，墙上有标语，乡村有专栏，广播有声音，电视有图像，路有宣传车，疑难有解答”，全省上下一片改革之声。

2001年，根据农村税费改革的进展情况，国务院发出了《关于进一步做好农村税费改革试点工作的通知》。

2001年5月上旬，安徽省里开始审批县、市、区的实施方案；6月中旬，各地将农业税任务分解到乡、镇、村、户，开始按照新税制的要求征收。

具体实施中，安徽全省首先对1993年以来主要农作物产量、二轮承包土地面积、农业人口、农业税和乡统筹、村提留等86个指标进行了全面统计调查，逐步测算到乡、镇和村。

乡、镇征收机关根据县、区政府核定的农业税、农业特产税依率计征税额，编制到村、组、户的征收清册，报县、区征收机关审批后，各村将征收方案张榜公布并逐户向纳税人发出纳税通知书。

据统计，农村税费改革政策收效十分明显，绝大多数农民的负担水平都有下降。

同时，全省对各类涉农收费、集资等进行了清理，一次性取消各种收费、集资、政府性基金和达标项目50多种。

收入减了，基层财政也出现了困难。据安徽省测算，改革后，全省减收13.11亿元，平均每个县减收多达1 542万元。其中，乡、镇减收10.41亿元，村级减收2.7亿元。其他试点地区也分别遇到了类似的问题。

在中国行政体制链条上，县以下的行政本来就是薄弱环节，拖欠工资、债务沉重、财力虚空屡见不鲜。一旦新的收入缺口增大，问题接踵而来。改革前，乡、镇为建设农田水利设施等公益事业，早已寅吃卯粮，但尚能通过筹款等形式筹集偿债资金。改革后，集资的口子被政策堵死，债务更难消化。因为缺钱，有的基层干部已经是“说话无人听，走路有人跟，早晚有人等，亲友变仇人”，工作无法进行。税改试点加剧了安徽乡、镇财政的困难。

农村税费改革继续进行，乡、镇干部利益受到直接冲击。2001年2月26日，在安徽省委、省政府召开的全省农村税费改革工作会议上，部分地区的代表直截了当地说，基层财政困难将阻碍农村税费改革的推进。

基层的声音反映到了上层，中央财政向安徽提供了11亿元的专项转移支付。2001年，这个数字又增加到17亿元，比安徽最初上报的7亿元整整多出10亿。可以说，中央为推动安徽的试点支付了巨大的成本。

但是，“给钱”既非改革的初衷，亦非改革的目标。中央领导多次强调，方案的制订和执行必须从严，否则虽能解一时之困，却无法达到改革的目的。

农村税费改革必须进行配套改革。税费改革构想中，为配套改革提出的任务是乡、镇政府“减人、减事、减支”，而当时全国4.5万个乡、镇，财政供养人员1 280万人，此外还有380万名村干部，平均每40个农民就供养1名干部。

农村税费改革，必然牵涉更深刻、更广泛的改革，特别是基层政府体制和机构改革。这属于税费改革设计方案所说的“配套改革”，但显然比税费改革更复杂、更深刻，也更艰难。

2001 年年初，国务院本计划在全国迅速推开此项改革，但在数月后的 4 月 25 日，国务院办公厅印发的《关于 2001 年农村税费改革试点工作有关问题的通知》决定，暂缓扩大农村税费制度的改革试点。

税改之难可见一斑。

2002 年 3 月 27 日，国务院办公厅又发出了《关于做好 2002 年扩大农村税费改革试点工作的通知》，决定 2002 年进一步扩大农村税费改革试点范围。

《通知》说：根据中央经济工作会议和中央农村工作会议精神，按照中央提出的积极稳妥、量力而行、分步实施的原则，国务院决定 2002 年进一步扩大农村税费改革试点范围。

为了保证改革试点工作顺利进行，达到预期目的，2002 年中央财政增加了用于农村税费改革试点的转移支付资金。

按照适当照顾粮食主产区、民族地区和特殊困难地区的原则，中央财政用统一和规范的办法将转移支付资金分配给新增扩大改革试点的省，实行包干使用。对 2001 年经国务院批准的改革试点省及其试点县、市，中央财政按照既定的补助范围和数额继续给予转移支付补助。

《通知》还强调：要努力做到“三个确保”，即确保农民负担得到明显减轻、不反弹，确保乡、镇机构和村级组织正常运转，确保农村义务教育经费正常需要。要扎实推进各项配套改革。

政策一出，立即得到呼应。

全国 16 个新增试点省、自治区、直辖市，以及确定为自费改革的上海、浙江两地，都决定在所辖范围内推开改革，加上已经进行全省试点的安徽、江苏两省，全国总共有 20 个省、自治区、直辖市在推行农村税费改革。

2002 年 9 月初，国务院农村税费改革工作小组与国务院纠正行业不正之风办公室，为了确保农村税费改革扩大试点工作健康有序地进行，联合下发紧急通知，以确保农村税费改革扩大试点工作健康有序地进行。

有了中央、国务院的大力支持，地方改革的积极性被释放出来，农村税费改革试点得到全面推广。此时，农村税费改革已经真正走向全国。

“五年内取消农业税”

2002年年底，新一届党中央刚刚选举产生不久，为准备2003年年初的中央农村工作会议，新一届中央政治局和中央政治局常委会专门召开会议。

在中央政治局会议上，新一届中央政治局提出：要更加关注农村，关心农民，支持农业，要把“三农”问题作为全党工作的重中之重。

2003年3月27日，国务院又发布了《关于全面推进农村税费改革试点工作的意见》，决定2003年在进一步总结经验、完善政策的基础上，全面推进农村税费改革试点工作。这样，历经曲折的农村税费改革工作又在摸索中走向全国。

2003年4月3日，国务院在北京召开全国农村税费改革试点工作电视电话会议。中央政治局常委、国务院总理温家宝出席会议并作重要讲话，他说：中央决定，今年农村税费改革试点工作在全国范围推开，这是深化农村改革、促进农村发展的一项重大决策。全面推开农村税费改革试点工作，要以“三个代表”重要思想为指导，认真贯彻党的十六大精神，以彻底减轻农民负担、促进农民增收为目标，理顺国家、集体和农民的分配关系，推动农村上层建筑的变革，建立与社会主义市场经济要求相适应的农业管理体制和运行机制，进一步解放和发展农村生产力。

温家宝指出：农村税费改革试点工作取得明显成效，农民负担大幅减轻，农村税费制度得到规范，密切了干群关系，加强了农村基层政权建设，维护了农村社会稳定。实践证明，中央关于农村税费改革的决策是完全正确的，得到了亿万农民的衷心拥护。

在会上，温家宝布置了当时农村税费改革工作的重点：一是进一步减轻粮食主产区和种地农民的负担；二是取消农业特产税，少数地区一时取消不了的，也要缩小征收范围，降低税率，逐步取消；三是严格把握农业税及其附加不要超过国家规定的税率上限；四是继续精简乡、镇机构，切实转变政府职能。

2003年10月11日至14日，十六届三中全会在决定中提出：要深化农村税费改革，完善改革试点的各项政策，取消农业特产税。在完成试点工作的基础上，逐步降低农业税率，切实减轻农民负担。

按照党的十六大以及中央经济工作会议和中央农村工作会议精神，国务院决定，在全国全面推进农村税费改革试点工作。

2003年12月31日，党中央、国务院发布的《关于促进农民增加收入若干政策的意见》中提出：2004年农业税税率总体上降低一个百分点，同时取消除烟叶外的农业特产税。有条件的地方，可以进一步降低农业税税率或免征农业税。

2004年1月1日，党中央发布“1号文件”，提出逐步降低农业税税率，当年农业税税率总体上降低一个百分点，同时取消除烟叶外的农业特产税。

3月5日，温家宝在十届人大二次会议上作政府工作报告时宣布：“从今年起，中国逐步降低农业税税率，平均每年降低一个百分点以上，五年内取消农业税。”

3月23日，中央决定在黑龙江、吉林两省进行免征农业税改革试点，河北等11个粮食主产区的农业税税率降低三个百分点，其余省份农业税税率降低一个百分点。农业税附加随正税同步降低或取消。

6月23日，温家宝又主持召开国务院常务会议，研究部署深化农村税费改革试点工作。

7月，在全国农村税费改革试点工作会议上，又总结四年来农村税费改革试点工作经验，分析研究改革进程中的新形势、新情况、新问题，安排部署当年深化改革试点工作。

2004年，国家出台了一系列促进粮食增产和农民增收的政策措施，进一步加大了降低农业税税率力度，体现了党中央、国务院对农业、农村和农民的关心和支持。

“1号文件”

2004年2月8日，新华社全文播发了《中共中央、国务院关于促进农民增加收入若干政策的意见》，即中共中央“1号文件”。

《意见》共22条，分9部分，约9 000字。

对亿万农民而言，“1号文件”是一份亲切的文件，有着特殊意义。

1982年1月1日，党中央发出了第一个“1号文件”，肯定了“包产到户、包干到户”制，为“双包”制正了名，极大地调动了农民的积极性，开辟了农村经济体制改革的新局面。

此后，中央又连续发了四个“1号文件”：1983年，“1号文件”指出家庭联产承包责任制“是在党的领导下中国农民的伟大创造”；1984年，“1号文件”强调继续稳定和完善联产承包责任制，延长土地承包期，使农民吃上“长效定心丸”；1985年，“1号文件”取消30年来农副产品统购派购的制度，对粮、棉等少数重要产品采取国家计划合同收购的新政策；1986年，针对怀疑否定农村改革的种种倾向，“1号文件”肯定了必须贯彻执行农村改革的方针政策……

五个“1号文件”，反映了广大农民的愿望和心声，记载了中国农村改革的历史进程和前进步伐。几千年温饱不保的中国农民，在历史的瞬间，越过了贫困，从温饱逐步向小康迈进。

然而，在新的历史时期，“三农”问题再次面临一个新关口，与农村经济相伴随的是越来越突出的矛盾：农业发展缺乏动力，农村发展缺乏亮点，农民增收缺乏支撑。

自20世纪80年代中期农民收入增长放缓后，1997年以来，农民收入已连续七年低速增长，不及城镇居民收入增量的五分之一。粮食主产区和多数农户收入持续徘徊甚至减收，严重挫伤了农民种粮的积极性，影响粮食的供给，农民增收进入最严峻的时期。

农民增收困难，既是农业和农村经济结构性矛盾的现实反映，也是国民经济发展长期积累的深层次矛盾的集中体现。

2003年9月，主管农村工作的国务院副总理回良玉及有关部门经过深入调研，积极听取各方面意见，并在请示温家宝之后，提出要尽快制定一个促进农民增收的中央文件。

文件组总负责人由回良玉担任。起草班子分三个层次：一是领导班子，由各有关部门的部级领导同志组成，负责研究确定文件的重大问题；二是各有关部门的司局长，负责各部门之间的协调；三是工作班子。

在文件起草过程中，各种各样的协调不下二三十次。文件组各个层面都多次组织座谈会，仅回良玉亲自主持召开的就有三次：第一次，邀请农业和农村方面的专家，听取他们的意见和建议；第二次，邀请德高望重、长期从事农业工作的老领导，包括部长、书记、省长，听取他们的意见；第三次，召开部分省、区、市主管农业的副书记、副省长座谈会。

文件起草班子也多次进行调研，召开部分省、区、市的农业部门负责人座谈会，听取他们的意见。

11月15日，文件初稿形成后，中央农村工作领导小组进行了认真讨论，提出意见修改后，上报国务院常务会议和中央政治局常委会讨论。

从9月30日文件组成立，到12月30日文件通过，“1号文件”的出台前后历时整整三个月。

中央财经领导小组办公室副主任陈锡文说:“‘1号文件’重点解决农民增收问题，给农民平等的权利，给农村优先的地位，给农业更多的反哺，充分体现了科学发展观指导下的新‘重农’思想。”“‘1号文件’把增加农民收入的政策作为年度第一个文件，字里行间，让人深深感受到党和政府视‘三农’为重中之重的拳拳之心，充分体现了‘以人为本’的发展观。”

2004年，党中央、国务院为农民增收发出的这份被人们称为“高含金量”的“1号文件”，是在全面分析了农业新阶段的内涵和特征后，推动现代农业加快发展、实现历史性跨越的又一次政策创新。这是党中央、国务院送给9亿农民的一份温暖而厚重的新年大礼。

2004年3月中旬，为进一步促进农民增收，财政部、国家发改委、国家税务总局，依据党中央、国务院发出的“1号文件”，即《中共中央、国务院关于促进农民增加收入若干政策的意见》，相应出台了涉及农村税费的新优惠政策。

在农村税费改革的政策方面规定，按照中央“1号文件”精神，2004年，我国农业税税率总体上降低一个百分点，同时取消除烟叶外的农业特产税，有条件的地方，可以进一步降低农业税税率或免征农业税。

财政部、国家发改委公布了取消、免收和降低标准的全国性及中央部门涉农收费项目。

其中，取消的涉农收费有三项：国内植物检疫费中的检疫证书费，畜禽及畜禽产品防疫检疫费中的兽医卫生条件考核、发证和定期技术监测收费，户籍管理证件工本费中的寄住证工本费。

对农民免收的收费有八项：水土流失防治费，河道工程修建维护管理费，取水许可证费，涉及农村中农民生活用水和农业生产用水的水资源费，建设用地批准书工本费，对从事营业性运输的农用三轮车、农用拖拉机收取的公路运输管理费，对自产自销农副产品的农民收取的城乡集贸市场管理费，农村义务教育借读费。

降低标准的涉农收费有四项：畜禽及畜禽产品检疫费，农机监理费，渔业船舶检验费，海事调解费。

在“十五”期间，除法律、行政法规明确规定外，原则上不再审批出台新的涉及农民负担的行政事业性收费项目。

国家税务总局公布了五项涉农税收优惠政策：

一是农民从事种植业、养殖业、饲养业、捕捞业的所得，已缴纳农业税、牧业税的，不缴纳个人所得税。

二是取消农业特产税、减征或免征农业税或牧业税后，农民取得的农业特产所得和从事种植业、养殖业、饲养业、捕捞业的所得，仍暂不缴纳个人所得税。

三是取消农业特产税，减征、免征农业税或牧业税后，农民销售自产农产品的所得，仍暂不缴纳个人所得税。

四是农民销售水产品、畜牧产品、蔬菜、果品、粮食和其他农产品，月销售额不到 5 000 元或每日销售额不到 200 元的，不缴纳增值税。如果农民在销售上述农产品的同时还销售其他非农产品，其中农产品销售额占整个销售额一半以上的，月销售额不到 5 000 元或每日销售额不到 200 元的，也不缴纳增值税。

五是无固定生产经营场所的流动性农村小商小贩，不必办理税务登记。

国家税务总局要求各级税务机关严格执行上述政策，对进入各类市场销售自产农产品的农民的所得不征个人所得税。

同时强调，凡税务机关没有证据证明销售者不是“农民”和不是销售“自产农产品”的，就应按“农民销售自产农产品”的政策执行；要按规定将个体工商户和个人销售农产品的起征点迅速调整到位，销售额未达到起征点的，应一律免征增值税，不得以任何理由采取变通政策。

农业部有关负责人说：“降低农业税税率、取消农业特产税的政策的目的：一是为了巩固税费改革成果，减轻农民特别是种粮农民的负担，增加种粮农民收入，调动种粮农民积极性；二是为五年取消农业税打下基础，最终实现城乡统一的税制。”

税费改革后，农业正税税率为 7%，加上 20% 的附加即 1.4%，合计是 8.4%。

在 2004 年，国家又加大降低农业税税率力度，为实现五年取消农业税打下了坚实的基础。

试点免除农业税

2004 年 4 月，为进一步减轻农民负担，鼓励种粮农民积极性，保障粮食安全，经国务院批准，财政部等部委联合发出通知，决定在 2004 年降低农业税税率，并在部分粮食主产区进行免征农业税改革试点。

4 月 14 日，财政部、农业部、国家税务总局三部门联合下发《关于 2004 年降低农业税税率和在部分粮食主产区进行免征农业税改革试点有关问题的通知》。

2005 年 6 月 30 日，在河南省中牟县一个粮食储备库，农民正在忙碌着卸粮卖粮。河南省 2005 年全面取消农业税，农民们不再集中上交“公粮”。（岳月伟/摄，图片来源：新华社）

《通知》明确指出：2004 年，在吉林、黑龙江两个粮食主产省先行免征农业税改革试点。河北、内蒙古、辽宁、江苏、安徽、江西、山东、河南、湖北、湖南、四川 11 个粮食主产省、自治区降低农业税税率三个百分点，并主要用于鼓励粮食生产。其余地区总体上降低农业税税率一个百分点。沿海及其他有条件的地区也可视地方财力情况进行免征农业税试点。征收牧业税的地区，要按照农业税税率降低的幅度，将负担水平降下来。免征农业税改革试点和降低农、牧业税税率减少的地方财政收入，由中央财政给予补助。

《通知》要求：各地要确保转移支

付资金及时到位，专款专用，严禁截留挪用。各级农业税征收机关要认真做好免征农业税改革试点或降低农业税税率的相关基础工作。将降低农业税税率后的农业税及其附加征收任务落实到户，以村、组为单位张榜公示，公示时间不得少于 10 天。在得到农民认可后，再将农业税纳税通知书下达到农户。

同时，财政部公布消息说，征收牧业税的地区，要按照农业税税率降低的幅度，将负担水平降下来，免征农业税改革试点和降低农、牧业税税率减少的地方财政收入，由中央财政给予适当补助。

2004 年，牧业税和除烟叶外的农业特产税全部取消。

当年，国务院决定在黑龙江、吉林两省进行全部免征农业税改革试点，11 个粮

2005 年 2 月 20 日，黑龙江省绥化市农民乔云义在黑龙江省农机大市场选购了一台农用拖拉机。中央减轻农民负担的系列措施和取消农业税等支农政策，使黑龙江农民丰产增收的同时，极大地激发了投入农业生产的积极性。（崔峰 / 摄，图片来源：新华社）

食主产省农业税税率降低三个百分点，其他省份降低一个百分点。

至2004年9月，减免农业税政策基本落实到位。

黑龙江省免征农业税减轻农民负担28.2亿元，人均减负142元；吉林省减轻农民负担5亿多元，降幅为28.6%，实现了村村减负，户户受益。

在中央政策之外，各省自筹资金，加大减免农业税政策力度。2004年，全国农民税收负担平均减轻30%，农业税在全国财政收入中的比重已经不足1%。

温家宝考察农村税费改革情况

2005年6月4日，初夏，华北平原迎来了收获的季节，成片的麦田穗粒饱满，丰收在望。

一大早，温家宝从北京径直来到河北省藁城市，到田间地头了解夏收和农村税费改革等情况。

上午9时，温家宝来到系井村。他下车走进麦田，与正在干活的农民郑产子交谈起来。

"你看今年小麦收成如何？"

"只要这十来天没有热干风和灾害，每亩打个1 000多斤没啥问题。"

"这几天市场上小麦卖到多少钱？"

"优质麦每斤八毛五六左右。"

"粮价总体还会稳定。在农民卖粮时，政府会进行调控，国家粮库的粮食不急于出售，把市场让给农民。"

"太好了。国家为农民想得越来越周到了。拿种粮来说，过去每亩要交税110元，税费减免后只交60多元。每亩还有14元种粮补贴和10元良种补贴，买拖拉机也有补贴，现在种粮合算了。"

随同温家宝考察的农业部部长杜青林插话："农民种粮心气高了，今年小麦播种面积增加了1 500万亩。"

温家宝接着又问道："给庄稼浇水一亩地要多少钱？"

"七八块钱。"

"灌溉时还要注意节水。你们这一带缺水，井越打越深，水越用越少，要注意推广节水灌溉。既节约水资源，又可以少花钱。"

站在温家宝旁边的国家发展和改革委员会主任马凯说："还要提高肥效。现在化肥只有40%的利用率，我们正在想办法帮助农民降低种植成本。"

财政部部长金人庆接过了话头："今年国家将拿出两亿元搞测土和配方配肥，帮助农民科学施肥。"

郑产子一听咧嘴笑了："国家为农民种粮真使上劲儿了。"

下午3时，温家宝驱车走进九门村。这个村有6 600多人，农民主要从事种植业、养殖业，人均收入4 000多元。

几位农民看到温家宝来了，跑过来和温家宝握手，随后就你一言我一语地说开了："免了农业税，大伙心里踏实了，搞副业的积极性也高了。"

"我们村有500多辆车在跑运输，日子越过越好。"

看到农民们的笑脸，听着农民们兴奋的介绍，温家宝高兴地说："我算了一下，现在农民种小麦的净收益每亩可达到500元左右。收入高了，心情舒畅了，就会集中精力搞生产。"

"总理说得对。我们把减免税省下来的钱投入到养殖业上去，收入连年往上翻。"

九门村居住着回汉两族群众。温家宝问民族关系怎么样。村民们说，我们相处得很好。离开村子时，温家宝一边和围拢过来的村民一一握手，一边叮嘱："村里的卫生状况还不太好。大家要动起手来，打扫一下卫生，栽一点树。村里的环境好了，住起来也会舒畅一点。"

温家宝心中一直牵挂着农民的看病问题，每到一个村子，他都要详细询问村民的看病、费用情况。在顺中村，他与正在择韭菜的村民李傻小聊起来。

"看病难不难？"

"不算难，村里有三家卫生所，头疼脑热可以看。但生大病就要上县医院。"

在正定县蟠桃村卫生所，温家宝仔细翻看就诊记录，向所长刘建敏详细询问了医务人员数量、药价、医疗器械配备、经营体制等情况。刘建敏说："卫生所一般只有治疗小病的药，从县医药公司批发的，老百姓还能负担得起。但上大医院看病住院太贵，老百姓犯难。"

"一路上都有农民反映你说的这个情况。我们正在推进农村合作医疗试点，同时还要改善乡、镇卫生院的医疗条件。”温家宝随后又到三里屯卫生院了解医疗服务和管理情况。

天色已近傍晚，温家宝又临时停车，走进东上泽村一个农家小院，招呼村民们坐在一起。

到2005年3月5日，我国已有27个省、区、市取消农业税。（冯琦/编制，图片来源：新华社）

“这两年我们办了几件事，农民乐了。一是推行税费改革，二是对粮食生产进行直接补贴，三是改革粮食流通体制。这两年粮价高了，农民种粮能增收。一亩地种两季收益可达到800元至1 000元。在这个基础上要增收，就得发展养殖业，发展农副产品加工业，组织劳务输出。”

“是的。把家里的地种踏实后，我们村不少人又到外地搞建筑，收入又增加了一块。”

“从我一路了解的情况看，现在农民还有几件难事：一是水的问题，要保证农民生产生活的长期用水需要。二是农民的看病问题，关键是太贵，最怕住院。三是孩子上学问题。四是建设新农村，改变一些地方村容村貌差的状况。”

听着温家宝真诚的话语，农民们激动得鼓起掌来。

5日上午，温家宝又察看了新乐市国家粮食储备库，考察了南双井村、小流村、邯部村的夏粮生产情况，看望了农户，鼓励农民多种粮、种好粮。

考察期间，温家宝还主持召开乡村干部座谈会，详细询问了乡村债务、机构精简、合作医疗、义务教育等情况，和基层干部共同探讨解决这些问题的办法。温家宝最后强调：“三夏”来临，各级干部要转变作风，深入农业生产第一线，全力做好夏收工作，搞好服务，夺取夏粮丰收。

6月6日至7日，全国农村税费改革试点工作会议在北京召开。温家宝在会上发表了讲话，他强调：农村税费改革将进入新的阶段，巩固农村税费改革成果，积极稳妥推进以乡镇机构、农村义务教育和县乡财政体制为主要内容的综合改革试点，各级领导要充分认识这场改革的艰巨性、复杂性和长期性，统一思想，把握形势，认清肩负的历史使命，组织领导好这场改革。

温家宝强调：减轻农民负担的工作不能放松，必须继续严格制止各种加重农民负担的错误做法，要严格执行减轻农民负担的"四项制度"。一是涉农税收、价格和收费的"公示制"，二是农村义务教育收费的"一费制"，三是对农村公费订阅报刊费用的"限额制"，四是对涉及加重农民负担案件的"责任追究制"。必须继续抓好落实和督促检查。

温家宝还就当前宏观经济形势和经济工作的几个重大问题发表了意见。

会议总结了几年来农村税费改革试点工作取得的成绩和经验，分析了农村税费改革试点面临的新形势和新任务，重点部署了2005年减免农业税和下一阶段以税费改革为主要内容的农村综合改革等各项工作。

农村税费制度改革一路推进，2005年12月29日，十届全国人大常委会第十九次会议决定：自2006年1月1日起废止农业税条例。在党中央、国务院的正确领导下，在全国人民的共同努力下，我们必将建成一个生产发展、生活宽裕、乡风文明、村容整洁、管理民主的社会主义新农村，我国农村经济社会发展必将迎来一个新的春天。

（选自吉林出版集团有限责任公司《前无古人——全国各地先后免除农业税》，2010年1月出版，作者：陈栎宇）

“神六”飞天的五个日夜

2005年10月12日，北京时间9时许，中国自主研制的“神舟六号”载人飞船在酒泉卫星发射中心将两名中国航天员同时送上太空。10月17日凌晨，“神舟六号”载人飞船返回舱在内蒙古安全着陆。这是中国成功进行的首次多人多天载人航天飞行。

“星空，月亮，飞到太阳的地方，太阳照到座舱里边，空间没有大气，太阳没有折射，看得可能更亮，星星可能更亮。飞到背景的时候，黑背景，都是黑的，只有星星很亮。当然了，最后还有一个最大的，离我们最近的，那就是地球。离我们最近，它肯定也非常漂亮。我会去欣赏这些景色，我现在想不出来它有多美，如果我上天了的话，我要看到了，我下来了再跟你讲……”

这是2003年10月“神舟五号”发射前聂海胜对自己的太空之旅的美好憧憬。

“太空是神奇的，太空生活是美妙的，我们可以从太空俯瞰美丽的家园，可以拍摄美妙的太空景象，还可以听音乐、看小品……”

2005年10月11日，“神舟六号”发射前夕，聂海胜又一次用诗一般的语言向人们描述了他对太空的向往。

终于，这一切在一瞬间变成了现实——

2005年10月12日，费俊龙和聂海胜开始了他们梦寐以求的太空之旅。

第一天——2005年10月12日

2005年10月12日凌晨，酒泉卫星发射中心。

气温：3 摄氏度。

风速：西北风 6 ～ 8 米 / 秒。

黎明前的戈壁滩，四周仍是一片黑暗，高杆灯把航天员驻地圆梦园照耀得亮如白昼。

3 时左右，“神舟六号”载人飞行乘组 6 名成员在睡梦中被医生一一叫醒，测过血压、心率、体温，费俊龙和聂海胜被正式通知执行飞行任务。

面临发射，两人依然十分冷静，心跳保持在每分钟 70 次左右。

5 时，今年戈壁滩第一场大雪不期而至，飘飘洒洒，漫天飞舞，为“神舟六号”航天员的出征仪式增添了壮丽而浪漫的色彩。

问天阁会见厅外，“向中国航天员费俊龙、聂海胜敬礼！”的巨幅红色标语异常醒目，数千名前来为航天员送行的人们伫立在风雪中等候。

在出征仪式上，温家宝、李长春、罗干等专程赶到问天阁为航天员壮行。温总理满怀激情地对航天员说：你们驾乘“神舟六号”飞船遨游太空，必将再次向世人昭示，中国人民有志气、有信心、有能力不断攀登科技高峰。相信你们一定会圆满完成这一光荣而神圣的使命！希望你们坚定信心，沉着冷静，坚毅果敢，再创辉煌！祖国和人民期待着你们胜利归来！

5 时 37 分，费俊龙、聂海胜身着乳白色的航天服，从容地沿着问天阁航天员专用通道向送行的人们迎面走来。掌声和鲜花立刻包围了执行“神舟六号”载人航天飞行任务的航天员飞行乘员组。

他们的脸上，挂满自信的笑容。在出门的刹那，费俊龙、聂海胜不约而同地把目光瞄向了问天阁门前右侧墙上。那里，有首飞航天员杨利伟招手致意的巨幅画像。

走到画像正下方，两人立定站好。在《歌唱祖国》的雄壮乐曲声中，费俊龙、聂海胜与背后的杨利伟形成“品”字形。

“总指挥长同志，我们奉命执行‘神舟六号’载人航天飞行任务，准备完毕，请指示。中国航天员大队航天员费俊龙。”

“航天员聂海胜。”

“出发！”载人航天工程总指挥陈炳德庄重地下达命令。

“是！”

费俊龙、聂海胜标准的军礼，定格在公元 2005 年 10 月 12 日凌晨 5 时 40 分。

在载人航天工程总指挥陈炳德身后不远的地方，鲜艳的五星红旗在晨风中猎猎飘扬。

仿佛天地有情，在费俊龙、聂海胜踏上车门的刹那间，风雪渐渐变小了。在数千名欢送勇士的各族人民群众代表的欢呼、掌声和锣鼓声中，航天员的专车向发射场驶去。

费俊龙后来从太空凯旋后说:“当我们踏上风雪征程，许多人为发射捏了一把汗，我却把纷纷扬扬的雪花当作送行的花瓣。七年了，我们就在等待这一刻！对事业的热爱，让我们早已把个人安危置之度外。当时我想得最多的就是，怎样才能圆满完成任务，向祖国和人民交上一份满意的答卷，不辜负战友和亲人们的深情厚望!”

5点58分，夜色中的塔架被周围的灯光照得通体透明，神秘而雄伟。费俊龙、聂海胜来到了发射塔架下。

6时15分，“飞船准备好，‘神舟六号’可以进舱。”振奋人心的口令在载人航天发射场上空响起。

发射塔九层密封间，聂海胜在飞船工程师的协助下，从轨道舱进入返回舱就座。接着，费俊龙也钻进了轨道舱，他们分别对两舱状态一一检查确认。随后，费俊龙来到返回舱就座。

连接通信头戴、生理信号插头、着陆冲击测量仪插头，接通供氧装置，打开副风机……12分钟内，他们熟练地完成了一连串规定动作。

“北京，我是‘神舟六号’。”

“我是北京，‘神舟六号’请讲。”

“我听你声音好。”

“我听你声音也好。”

一道道电波传递着沟通的信息，发射场和火箭试验队技术人员正对“神箭”进行全箭状态检查。

火箭各舱段装有191类530个插头，有28种不同的连接锁定方式，在发射场要进行2 346次操作。舱内仪器多、工作空间小，有的地方根本看不见，只能“暗箱操作”。特别是脱落插头，有256根芯针，需要三个人密切配合、均衡用力才能安装好，稍有不慎，就会造成缩针、弯针。为保证操作一次到位、准确可靠，酒泉卫星发射中心研制出高仿真的插头插拔训练装置，组织操作手成百上千遍地练习。在整个“神六”任务测试中，没有出现过一次误操作。同时，他们集中三个月时间，对5 000多台套设施设备、1 000多对接插件和8 000多个电源插座进行全面的检修检测，每一个螺钉都认真检查，每一个焊点都仔细确认，共排除了151个疑点和隐患。

10月7日，船箭组合体转入发射区。转运途中，突然飞来四只喜鹊，盘旋着、欢叫着落在火箭上，为紧张工作的发射场平添了喜庆的气氛。当天夜间，气温骤降，上千只蜻蜓却给人添了些小小的麻烦。它们通过平台通道和电缆口，飞进封闭间内取暖，四处飞舞。在船箭打开舱门进行操作的过程中，如果这些不速之客进入箭体，就成为可能引发事故的多余物；如果进了飞船舱内，也就成了“编外航天员”，这是绝对不允许的。飞船舱内洁净度要求10万级，用药物捕杀，药物渗进船舱将破坏舱内空气质量；用工具拍打，又怕伤及船箭产品。四名平台管理员经过反复研究试验，终于想出一招：他们给封闭间迅速降温，使蜻蜓飞得迟缓，再小心翼翼地用手一只一只地捕捉。连续奋战三天三夜，终于赶在发射的前一天，将1 000多只蜻蜓全部“俘虏”。

7时20分，一轮硕大的朝阳喷薄而出。两名航天员并肩仰卧神情自若地对照飞行手册，有条不紊地进行状态设置。

8时整，“1小时准备”的口令响起。

四小时前，发射场风速曾达到18米/秒，大大超过了每秒10米的最低发射条件，塔架上人都站不稳，这样的天气还能发射吗？酒泉卫星发射中心气象室主任刘汉涛胸有成竹地说：“到8点钟，天气肯定没问题。”为准确预报天气，从年初开始，气象室就把每一天都当成发射日，跟踪研究欧洲、日本、韩国等地区提供的气象云图，把气象要素分成八个课题组织攻关。从发射前十天开始，气象室就摆满了行军床，20多名骨干吃住在机房，全天不间断跟踪预测，对发射场近24年来10月份的气象情况反复研究，结合实时观测的数据，推算天气变化规律，最终拿出了准确可靠的预报。6时刚过，大雪骤然停止，大风逐渐减弱，8时整，发射场风速降到0.3米/秒。

8时45分。测控指挥大厅内，载人航天工程总指挥陈炳德拿起电话，对航天员说：“希望你们沉着冷静，准确操作，圆满完成此次任务，以优异的成绩向党中央、国务院和全国人民汇报，向全世界展示中华民族的风采。”

“请首长放心，我们坚决保证完成任务。”

“5分钟准备。”两名航天员关闭面窗整装待发。火箭控制指挥下令操作手启动

“舵机-1”程序。

“1 分钟准备。”控制系统转电，火箭脱插全部脱落，摆杆已彻底摆开；发射平台下方 18 米深的导流槽里，水流从密布槽壁的 607 个喷头里喷涌而出，将在 30 秒里汇成 200 立方米的巨大水面。火箭点火时，火焰和热气流如果直接上升，会对火箭造成损害，而导流槽的作用，就是通过水流的压力把火焰和热气流导向发射台两侧的出口。

“50 秒、30 秒……”零号指挥员的口令在空旷的大漠发射场响起。

“10，9，8，7，6，5……”

此时，酒泉、北京、内蒙以及全国各处测控站和分布在三大洋的“远望号”测量船上，全国各地收看现场转播的电视机前，每个人都在心中默默地数着。

千万双眼睛都关注着这一刻，几代人的心血凝聚在这一刻——

胡锦涛、贾庆林、曾庆红、吴官正在北京航天飞控中心观看发射，温家宝、李长春、罗干等在酒泉卫星发射中心为“神舟六号”送行。

北京航天飞控中心，图像、数字不停闪烁。分布在三大洋上的四艘“远望号”远洋测量船和陆上的九个测控站，就要开始一场捕捉“神舟”信息的接力长跑。

酒泉指控中心，一双双眼睛专注地盯着屏幕。一位特殊的工作人员——杨利伟，正在关切地注视着这段对他来说熟悉而又陌生的旅程。

东风、银川、榆林、邯郸等陆上各应急搜救点和海事应急救生区，应急救生人员严阵以待。上升段里航天员一旦实施逃逸，这支以直升机和特种车辆全副武装的队伍将在第一时间里对航天员展开搜索和救护。

“点火！”

“起飞！”

顷刻间，巨型运载火箭托举着“神舟六号”飞船，拔地而起，刺破戈壁苍茫的长空，向浩瀚的天宇飞去。

在惊天动地的轰鸣声中，熊熊燃烧的火箭尾焰把云层染成了橘红色。

火箭起飞的瞬间，费俊龙、聂海胜的手情不自禁地握在一起；火箭飞起后，他们从容地挥了挥手。聂海胜后来告诉我们：“当时我们本来也可以静静地坐着，招招手更能表示我们一切都很好，让首长、同志们更放心。”第 12 秒，距地面 211 米的火箭向东稍偏南的方向拐了一个 4 度到 5 度的小弯。

弯度越来越大，穿过低云薄雾，火箭在天幕上画出了一道亮白色的弧线。

第120秒，火箭实施第一个分离动作，抛掉了顶部身高8米、状如避雷针的逃逸塔。

此时，火箭的速度每秒1 300多米，是音速的4倍。

第136秒，火箭助推器分离。在距离发射场30多公里的大树里雷达测控站，操作手用大型光电望远镜跟踪到了这个优美的动作：52公里的高度上，捆绑在芯一级周围的四支小火箭也就是助推器同时向四个方向散开，宛若花朵骤然绽放。

第159秒，火箭一、二级分离。在飞过平流层和中间层之后，火箭仅剩的芯二级就要和飞船一起接近大气层的边缘。

随着火箭腾空，一幅幅火箭飞行的真实画面即时传到指控中心，实现这一切的是火箭新增的图像测量系统。在刘宇总指挥、刘竹生总师的带领下，科研人员逐一攻克了高动态下的传输延时和马赛克问题。这一系统不仅可用来向地面显示火箭飞行情况，还将为火箭的故障诊断提供直观判据，并可进行飞行环境监测，为改进火箭的环境适应性提供依据。

第200秒，整流罩上的32把锁同时开启，两瓣罩体落入空中。此时，第二级火箭已经飞出了稠密的大气层，飞船不再需要整流罩的保护。

飞船的舷窗一下子亮了。来自110公里高空的光线，第一次映在中国航天员费俊龙和聂海胜的脸上。

第583秒，船箭成功分离。"神舟六号"飞船以每秒7.5公里的速度，在我国黄海上空200公里高处进入预定轨道。

北京飞控中心。就在船箭分离的时刻，在与大厅只有一玻璃墙之隔的轨道室机房内，工程师陈明紧紧地"盯"住了飞船，瞬间报出了飞船的初始轨道，轨道专家唐歌实紧张地敲击着计算机的键盘，测控专家朱民才急切地等待他的定轨结果。飞船入轨参数出来了："神舟六号"飞船9时9分52秒进入预定轨道，轨道倾角42.4度，近地点高度200公里，远地点高度347公里。

"神舟六号"入轨后，飞船捕捉地球，建立轨道运行姿态。少顷，北京飞控大厅里传来"太阳能帆板展开"的报告。色彩斑斓的大屏幕显示，"神舟六号"飞船如同一只展翅飞翔的大鸟，在浩瀚的太空尽情翱翔……

9时30分："神舟六号"飞船已进入"远望二号"测量船测控弧段。

9时31分：飞船飞行30分钟后，两名航天员翻阅飞行资料。

9时36分：飞船传回地面的画面显示，航天员报告飞船飞行正常。航天员打开面窗，挥手致意。医生与航天员对话，航天员报告身体状况良好，各项生理指标正常。航天员费俊龙手握操纵杆，进行操作。聂海胜回答：“我感觉良好。完毕。”

10时31分：我国最西端的喀什测控站报告已发现“神舟六号”飞船。“神舟六号”进入第2圈飞行。

11时15分：航天员正在第一次太空进餐，飞船工作情况正常。进餐完毕，调度指挥员要求一航天员休息。

13时42分：“神舟六号”进入第4圈飞行。

15时34分：飞船已经进入第5圈飞行，即将进行变轨。指挥中心大屏幕显示，两位航天员正在翻阅飞行手册。

15时38分：北京航天飞行控制中心已把变轨参数传输到飞船，变轨地面工作就绪。

15时55分：“神舟六号”飞船推进舱发动机在地面发出的指令控制下点火成功，飞船开始变轨。

16时01分：正在南太平洋上的“远望二号”测量船向北京航天飞控中心传来数据，表明变轨取得圆满成功。

16时51分：航天员费俊龙现在打开飞行手册，手中的笔飘起来了，航天员正在飞行手册上写字。

16时53分：两名航天员都在专注地写字，并交谈，费俊龙向地面招手，圆珠笔又飘起来了，笔被一根绳子固定在航天员身上。

17时09分：费俊龙的左腿已经从束缚带中退出来。

17时11分：“神六”已进入“远望四号”测量船的测控区内。航天员和地面指挥人员核对了返回舱和轨道舱的压力，为航天员进入轨道舱做准备。

17时25分：北京飞控中心大屏幕上显示，航天员费俊龙已经解开了座椅上所有的束缚带，慢慢地从座椅上起身，摘掉面罩，不断地调整身体的位置，为航天员进入轨道舱做准备。

此时此刻，一个中国载人航天史上的崭新事件就要发生——航天员将首次从返回舱进入轨道舱。

返回舱内，航天员费俊龙和聂海胜打开了航天服头盔的面窗，戴好手套，解开了束缚带。

轻轻挪动身体，他们在飞船里轻盈地“飘”了起来。

“‘神舟六号’，核对两舱压力，开启返回舱舱门平衡阀。”北京航天指挥控制中心调度长肖龙下令。“‘神舟六号’明白。”飞船上，航天员费俊龙冷静地答道。

飞船两舱的连接处，有一扇圆形的舱门，边缘下凹，中央微鼓，这就是被科学家们称为“生命之门”的返回舱门。它连接着两个独立的舱室，一旦两个舱室气压不同，舱门要么无法开启，要么会被“弹开”，一旦撞击到航天员身上，就会造成伤害；它的密封性至关重要，飞船返回前两舱分离，这个舱门必须严丝合缝地关闭，一旦舱门漏气，返回舱就会在几秒钟内变成真空世界……

现在，航天员就要首次穿越这个“生命之门”了！

飞控大厅里，航天员的一举一动都揪着人们的心。“两舱压力平衡。”费俊龙注视着仪表板，向地面报告。

“开启舱门。”17时28分，调度长肖龙下达口令。

这时，航天员费俊龙轻轻“飘”到舱门边，微微蜷起身体，把脚踩在舱门旁边的两个固定物上，轻轻旋转舱门中央的一个舵轮模样的锁钮……

在失重状态下，航天员开启舱门不像在地面这么省力。飞控中心大厅里，人们屏息静气，注视着他。

“开了，开了！”有人低声欢呼起来。只见舱门缓缓开启，露出了轨道舱的灯光。这时，聂海胜向费俊龙竖起大拇指示意，随即，舱门全部开启。一个圆形的舱口显现在费俊龙面前，他就要穿越这个舱口。

在地面，从一个房间走到另一个房间，需要人迈步走过去；但是，在失重的飞船上，航天员只需轻轻借力，就能“飞”进这扇门。

这时，聂海胜左手轻轻一挥，护着舱门的密封圈，费俊龙缓缓“飞”进了轨道舱。费俊龙在轨道舱内，将脱下压力服，换上工作服，检查设备，开始工作。轨道舱，在我国载人航天任务中第一次真正发挥航天员生活舱的功能。飞天期间，两名航天员将轮流进入轨道舱，在返回舱和轨道舱进行多项空间科学实验，包括穿舱试验、工效学评价试验、轨道舱飞船设备操作实验等一系列重要科学实验活动，全面考核轨道舱的设计水平，检验舱内环境控制与生命保障系统等关键技术的可靠性，为我国载人航天后续任务打下重要的技术基础。

费俊龙，成为第一位进入轨道舱的中国航天员！

中国真正意义上有人参与的空间科学实验活动就从这个瞬间开始了。一位美籍微重力科学家说：从费俊龙进入轨道舱的那一瞬间起，中国已成为太空俱乐部的一等成员。

18时37分："神舟六号"正在进行第7圈飞行，留在返回舱里的聂海胜已经换下压力服，换上了蓝色的工作服，正在用数码相机拍照。

20时05分：费俊龙回到返回舱，聂海胜进入轨道舱。

20时07分："神舟六号"飞船进入第8圈飞行。

21时25分：聂海胜已经回到返回舱，与费俊龙一起准备与家人通话。他们在向摄像头挥手致意，表情非常轻松。

21时30分：正在进行第9圈飞行的两名航天员与来到北京飞控大厅的亲人准备天地通话。

北京航天飞行控制中心指控大厅。航天员费俊龙的妻子王洁、14岁的儿子费迪，聂海胜的妻子聂捷琳、11岁的女儿聂天翔，正在静候着与太空中遨游的亲人天地通话。

21时32分：飞行调度员的声音在大厅内响起：

"'神舟六号'注意，下面由你们的亲人与你们通话。"

"小费，你好，我是王洁。"

"你好，我听到你声音了。"

"看到你们精神状态非常好，我们很高兴，也很放心，同时也为你们感到骄傲和自豪。家里一切都很好，父母身体也很好，全家人为你感到高兴，请放心吧。"

"谢谢你，谢谢你对我的支持，很感谢你。"

"小费，祝你圆满完成祖国和人民交给你的光荣任务，胜利凯旋。"

"我一定完成任务，以优异的成绩，向亲友们、向祖国人民汇报。"

费迪从妈妈手中接过话筒："爸，你好。"

"你好。"

"失重的感觉怎么样？"

"还行吧。"

"爸爸，我等待你回来和我一块钓鱼。"

“好的。我看到我们美丽的地球，把它拍回来跟你一起欣赏，好吧？”

通话过程中，两名航天员在飞船座舱内神态自然轻松，一边通话一边让手中的笔飘来飘去。

接着，聂捷琳走上前来：“海胜，我是捷琳。今天早上，发射场飘了雪花。我看见你带着自信、带着微笑踏上了通往太空的征程。作为妻子，感到十分放心，同时又有一点心疼。此时此刻你感觉好吗？”

“感觉很好，谢谢你的关心。”

“家里一切都好，你放心吧。妈妈今天精神状态很好，一看见有你的画面就很兴奋。”

“好，知道啦。”聂海胜的声调显得心情十分愉悦。

“海胜，你知道吗，再过两个半小时就是你 41 岁生日了。在此，我非常想对你说，好运海胜，好运‘神六’！”

“谢谢你！”

“海胜，孩子有话想跟你说。”

“哎，女儿，你好。”

“我很想你。”

“我也想你。”

“祝你生日快乐，圆满完成任务，凯旋归来。”

聂天翔沉默片刻，突然唱起：“祝你生日快乐，祝你生日快乐……”全场鼓掌应和。远在太空中的聂海胜轻轻擦了一下眼睛。

“喂，老爸，你再给我一点掌声行吗？等你回来的时候，我再给你掌声，算回礼好不好？”

“好啊。”聂海胜和费俊龙一起鼓起掌来。

不知不觉中，7 分钟过去了，飞船就要飞出这一阶段的测控范围。聂天翔还有些不舍地抓着话筒：“我从大屏幕上看见你在笑，很开心吧？”

“哈哈，对，这边的感觉很美妙，地球很美丽。再见！”

大厅内响起热烈的掌声……

23 时 13 分：航天员已经开始轮流休息。现在，聂海胜已经休息，费俊龙正在阅读飞行手册。

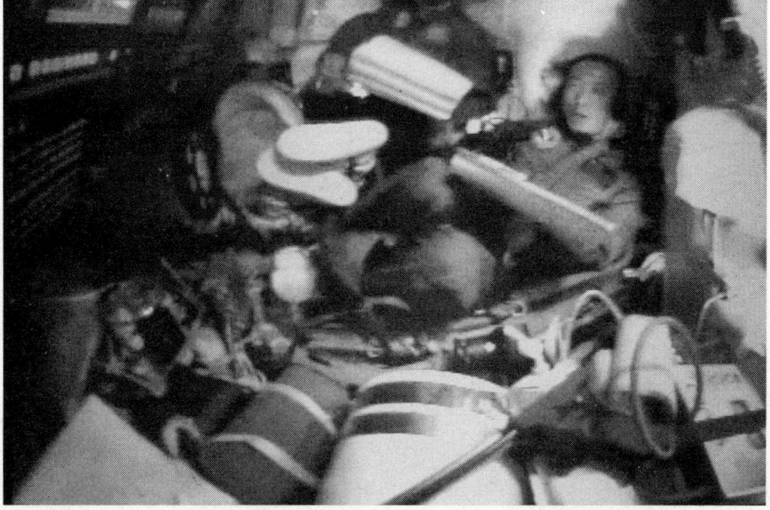

2005年10月12日21时34分，正在“神舟六号”飞船返回舱内的航天员费俊龙和聂海胜与北京航天飞控中心指控大厅内的家人进行天地通话。

2005年10月12日21时34分，航天员聂海胜的女儿聂天翔在北京航天飞控中心为在“神舟六号”上的父亲聂海胜唱生日祝福歌。

（查春明/摄，图片来源：新华社）

23时26分："神舟六号"正在进行第10圈飞行，飞行在印度洋上空。

第二天——2005年10月13日

凌晨4时16分，飞船飞行第13圈，在地面指导下，结束了7小时8分钟休息的费俊龙，从轨道舱进入返回舱，将两舱之间的舱门关闭，六七分钟后重新打开。舱门在太空中关闭密封和快速检漏得到验证，完全正常。

一个多小时后，航天员费俊龙在返回舱内，在规定时间进行了穿脱压力服试验。

6时10分，飞船飞行第15圈。聂海胜拿着勺子，从食品盒中舀出一块食物，让它飘在空中。费俊龙用手轻轻一碰，食物飞入口中。两人开心地笑了起来。这份早餐是在轨道舱进行加热的。"神舟六号"上装备了食物加热器，两名航天员不仅能品尝到50多种食品，还能吃上热腾腾的饭菜。加热，进餐，航天员吃饭的每一个动作都不简单，都宣告着中国载人航天新的一步。继续考核载人航天的基本技术，是"神舟六号"的一大任务。所谓"基本技术"，就包括保障多人多天太空生活的环境控制与生命保障技术。

飞船舱内的航天员活动空间只有五个多立方，两名航天员工作生活在里面，两三个小时湿度就会饱和，不仅人会感到不舒服，还容易发生电器设备故障；舱内空气流动不畅，航天员呼出的二氧化碳就会自然堆积，有可能导致窒息。为了让航天员在太空拥有一个安全、舒适、方便的"家"，科技人员在地面营造了一个太空小环境，让两名模拟航天员在里面生活工作了七天七夜，验证了自主设计的湿度控制技术和流场控制技术的正确性。他们注重人性化设计，处处以航天员为本。飞船返回时使用的座椅缓冲提升按钮，原先装在右舱壁上，经过试验发现，当航天员伸出手臂操作该按钮时，座椅的快速提升可能会使航天员的手臂碰伤，通过改进，把指令按钮调整到了航天员手上，彻底消除了操作的安全隐患。失重状态下航天员大小便收集是个不大不小的难题，原来的装置是放在轨道舱的一个角落，经过飞船工程师和航天员多次体验，调整了三次，直到航天员满意。进舱脚限制器、助力拉绳、物品柜等，都先后按航天员的体验进行了合理改进。就连舱内色彩搭配、灯光明暗、舷窗窗帘设计等，都按航天员地面生活习惯进行了"精装修"。

14时25分，第20圈，在“远望二号”测控弧段内，费俊龙从座椅上起身，拉着扶手、助力绳，飘入轨道舱，随后以原来姿势飘回返回舱。聂海胜则从轨道舱到返回舱进行了两次类似动作。航天员在太空中穿舱时，就像鱼儿在水中轻轻游动，三次穿舱试验顺利完成。此前航天员因工作生活需要，曾两次在两舱之间穿行，但这三次才是正式试验。

17时10分，轨道舱内的航天员四分钟内连续按动抽取冷凝水开关约百次，地面人员监控了这一切。正常情况下根据舱内湿度变化情况，航天员每隔三小时抽取一次冷凝水。

“神舟六号”航天员13日先后进行了开关舱门、穿脱压力服、穿舱、抽取冷凝水四大项“在轨干扰力”试验，结果表明航天员较大幅度动作对飞船姿态影响微小，飞船姿态保持良好，姿态控制发动机不需要启动。从此，航天员可自由进行类似幅度动作。四项试验取得了基本相同的结果，飞船只有微小摆动，姿态保持正常，姿态控制发动机不需要点火，“在轨干扰力”试验获得成功。飞船系统顾问郑松辉说：“试验表明，航天员的活动对飞船姿态影响很小，飞船可保持正常飞行，不需纠正飞船姿态。”飞船系统总体副主任设计师张书庭介绍，这标志着飞船能够承受航天员舱内活动的扰动，以后就不需要再安排类似试验。

两名航天员能够在太空成功完成上述一系列重要的空间科学实验，有赖于他们良好的身体状况。

在飞控大厅医监台上的李勇枝博士介绍说：“从昨天9时上天到现在，两位航天员已经完成了四次进餐，每个人都休息了一次。他们的精神状态非常好，血压、脉搏等各项生理指标正常，反应敏捷，没有出现任何空间运动病的反应。”

试验结果让航天员敢于在太空中做一些幅度较大的动作。费俊龙在穿舱试验后，曾轻松地在返回舱的两个舷窗间较快地飘来飘去，拿着照相机以不同角度拍摄美丽的地球。

（2005年10月29日，在北京航天城航天员公寓，费俊龙说：

“通过我们从太空中下传的图像，大家可能看到了，太空的景色很美。日落时，那五彩缤纷的瞬间美极了，一道地球的圆弧颜色像彩虹一样，特别漂亮。那一刻，我深切地感受到人类的伟大、科技的伟大、祖国的伟大，是祖国人民用自己的火箭飞船送我们来到太空，我们进入太空是整个中华民族的光荣。我一定把祖国这美丽的景色拍摄下来给祖国人民看一看。

“在太空看地球，感觉非常神奇。短短的瞬间，能一次看见一个洲，途经多个国家。放眼茫茫太空，地球仿佛变小了，人仿佛变小了。我想，我们人类没有理由不珍视友谊、珍爱和平！

“每当看飞行轨迹显示要经过祖国上空时，我就觉得格外亲切。在地上，我们说到祖国，那是一个崇高、伟大的整体形象。在太空，我们看祖国，想祖国，那就是我们的家，是我们的家园，是我们的家庭，我们就是从那里来到太空的，那里的每一个人都是我们的亲人。我看到了祖国清晰的海岸线，我看到了新疆塔克拉玛干大沙漠，我看到了祖国宝岛台湾，它实在太美了，像镶嵌在蓝色海洋上的一颗绿色的翡翠。我看到祖国的山，觉得山很美；看到祖国的河，觉得河很美；看到山上的白白的闪着银光的积雪，觉得雪很美。看着祖国上空飘浮的云朵，也觉得格外美，那是我家的云彩，是装点我的家园的花朵！每当这时，自豪之情油然而生。

“除了飞行程序规定的工作，我们也有闲暇时间。科技人员想得很周到，为我们带上了小巧的电子手册。通过它，我们可以看到家人的录像，可以玩游戏，欣赏精彩的小品。

“我在天上最喜欢的休闲方式是听音乐。在寂静的太空中，音乐带给我们很新奇的感受。电子手册中有几百首歌曲。我最爱听的是《国歌》，我觉得《国歌》很美，一听就感到有无穷的力量：‘我们万众一心……’一听就感到心在和它一起跳动，那有力的节奏就是我的脉搏。我也喜欢听《歌唱祖国》、《军歌》，一听《歌唱祖国》，就想起祖国的山河大地，心中就感到亲切、自豪；雄壮的《军歌》，让我心里充满自信和勇气，觉得没有什么事情是办不到的。”）

第三天——2005 年 10 月 14 日

2 时 30 分：费俊龙休息结束，起床，清洁口腔牙齿，修整胡须。他涂上特殊的剃须膏后，拿着剃须刀开始“美容”。他非常专注地看着面前舱壁上的一面镜子。像飞船操作的任何一个动作一样，刮胡须时的费俊龙仔细而又轻松。

3时：两名航天员在太空进餐。

5时56分：“神舟六号”飞船在第30圈飞行中，飞船发动机点火，进行变轨后的首次轨道维持。“神舟六号”飞船飞行近两天，轨道高度会衰减。轨道维持是根据轨道精测参数进行微量调整，使飞船回到预定的正常轨道。

6时19分：航天员报告和地面监测表明，轨道维持获得圆满成功。

9时12分：从12日9时12分飞船正常入轨起，“神舟六号”飞船已经在太空飞行48小时。

9时26分：北京航天飞控中心介绍，“神舟六号”飞船发射升空以来，船上各种仪器设备工作正常，两位航天员先后在轨道舱和返回舱于失重条件下进行了多项空间科学实验，各项实验进展顺利。

9时35分：费俊龙在返回舱内记录完飞行日志后，忙里偷闲，把玩手中的笔，让其在空中翻滚飘浮，享受太空生活。

9时43分：费俊龙、聂海胜两人各自通过返回舱的舷窗对地观测，用手中的数码相机拍照。儿子曾要求费俊龙多拍些地球的照片，带回来给他欣赏。

9时55分：“神舟六号”飞船已进入围绕地球第33圈飞行。

10时10分：费俊龙与地面人员通话，对着摄像头挥手致意。

11时20分：“神舟六号”飞船从中国南海上空飞过。

14时36分：航天员正手持摄像机透过飞船舷窗拍摄地球，通过摄像机可以看见蔚蓝色的地球。

14时54分：两名航天员正在返回舱内查看飞行手册，此时，飞船正飞过“远望二号”测量船测控区，飞船已围绕地球飞行到第36圈。

15时30分：主着陆场首次使用了LAP3000风廓线雷达和102米高的测风塔，大大提高了对浅层风的预报精度。

15时34分：据预报，16日至17日，内蒙古中部四子王旗主着陆区气温将有所下降。

16时04分：从12日9时“神舟六号”飞船发射升空以来，“神舟六号”飞船已在太空飞行两天多。航天员费俊龙、聂海胜已经受了飞行上升段、上升段到轨道运行段交替期间、在轨运行初期和失重初期等多种太空生理考验。两名航天员已各自

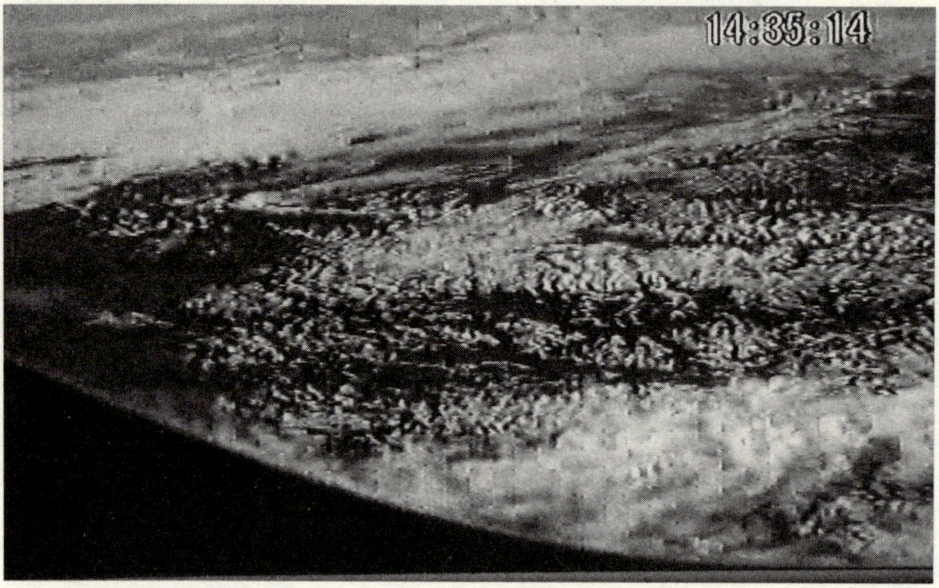

这是2005年10月14日14时35分“神舟六号”航天员传回的画面，画面中展示的是从太空看到的中国大地。

经历了两次太空睡眠，健康状况良好。

16时31分：费俊龙伸展身体，在返回舱内成功地完成了一个前滚翻动作！

16时33分：费俊龙又翻了一个前滚翻，姿态非常协调。

16时34分：费俊龙打开了DV机，将DV交给同伴聂海胜，把自己的空翻动作拍摄了下来。

16时35分：费俊龙在完成了第四个前滚翻后，感觉很好，向摄像头挥手致意；聂海胜兴奋地竖起了大拇指。

四个前滚翻，用时约3分钟。以飞船每秒7.8公里飞行速度计算，费俊龙一个“跟头”飞了约351公里。

（费俊龙的四个太空“跟头”，成为“神舟六号”飞行中最精彩的镜头之一。飞船总设计师张柏楠说，这四个筋斗不是安排的，而是航天员在获知飞船姿态控制良好的结果后，自己进行的游戏。在失重的空间里要抑制住自由飘浮的愿

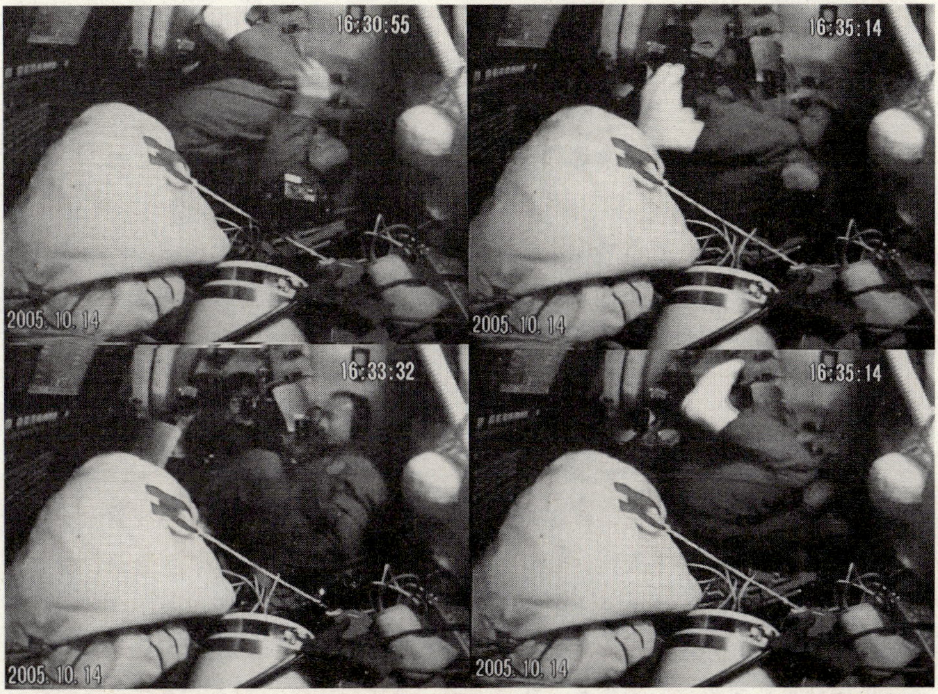

2005年10月14日16时30分～16时35分，航天员费俊龙在飞船返回舱失重状态下连续做了数次前滚翻，聂海胜用相机在旁边拍下了他翻跟头的镜头。（查春明/摄，图片来源：新华社）

望，或许是件困难的事。三次穿舱试验完成后，航天员从此可以放开手脚，尽情享受摆脱地球引力的自由。但这四个前滚翻并不是事先设计的规定动作。当时，地面的领导和同志都替他捏了把汗，回来后，总指挥称赞说：好。费俊龙为什么要翻这四个跟头呢？10月29日，他向我们讲述了当时的心情：“这个不是设计的，我们也不知道下面在直播，我们是即兴的。在太空中，由于失去了地球重力影响，血液会向头部涌去，人会感到头痛头涨，浑身不适，因为鼻黏膜充血也会呼吸不畅。人需要适应一段时间。我和海胜经过调整，第二天晚上就适应了，第三天就完全适应了。当时我就想，以什么样的形象让地面上的领导和战友看看我们在太空的生活，让他们知道我们已经完全适应了，我们在太空生活得很愉快、很轻松？我就跟海胜说，我们也应该做一点事，录下来，做一种资料。或者是今后给全国人民播放的时候，可以看到我们太空生活的一个方面。于是，我试着蜷曲身体，小心翼翼地向前翻去。在太空做前滚翻，本来是很容易的，可是我的动作却又轻又慢，这主要是因为舱内空间相对比较狭小，我要小心注意不要碰着身边的物品。做这个动作前，我仔细考虑过，万一不小心引起身体不适，出现太空运动病怎么办？出发前，大家最担心出现这样的问题。但是经过这么长时间的训练，经过这两天的适应，我对自己的身体特别是对自己的前庭功能还是有把握的。以前我在资料片看到过，国外的航天员在空间站做过前滚翻。我想，我们中国航天员应该和国外航天员是一样的，我们经过这么多年的训练了，不能上天后活泼劲儿没有了，除了规定的动作什么也不能动。我想让世人看一看，我们中国航天员也是能适应太空生活的，也可以做各种动作。同时我还想到，在北京指挥大厅，在全国各地，中央领导同志和我们的首长、战友、亲人、全国人民，都在关注着我们、关心着我们，也在为我们担心。我想用这个动作告诉亲人们，我们在上面生活得很好、很轻松、很愉快，请亲人不用老惦记我们，请全国人民放心。我还想要为地面的战友们送去信心，太空生活并不难受，经过训练，我们的航天员完全没有问题。我要让国际同行们看看，中国航天员同你们一样出色。地面没有要求我这么做，翻完后会不会有问题？想来想去，还是证明中国人素质的责任更大，让世人看看中国航天员是什么风采。做完四个前滚翻后，我没感到有什么难受。事实证明，我想达到的给世人以证明、给战友以信心、让全国人民放心这几个目的都达到了。”）

截至14日16时，“神舟六号”飞船已进入太空55小时，两名航天员在太空目睹了36次日出日落，飞行约151万公里。

第四天——2005年10月15日

9时10分：从12日“神六”正常入轨起，飞船已在太空中正常运行三昼夜，两名航天员在太空目睹了48次日升日落，飞行约202万公里。

9时10分：“神舟六号”进入太空三昼夜来，航天员费俊龙、聂海胜没有出现任何空间运动病的症状，身体健康状况良好。

9时56分：飞船飞行第49圈。航天员费俊龙在返回舱中与在轨道舱的聂海胜对话，还不时往舷窗外观看，并用相机拍照。此时，飞船正飞经我国青藏高原上空。

10时02分：费俊龙连续向镜头挥了两次手。

11时16分：截至此时，北京航天飞行控制中心及其协调指挥的国内外13个测控站点，工作正常有序。科技人员工作认真细致，飞行控制各项工作进展顺利。

11时25分："神六"飞船进入第50圈飞行。飞船推进、电源、环境控制和生命保障、制导导航与控制、测控与通信等各分系统数百台设备工作状态良好。

11时32分：主着陆场气象预报组组长李永辉介绍，随着"神六"飞船返回时间的临近，着陆场各项准备工作进展良好。

14时58分：中国卫星海上测控部主任简仕龙说，"远望"一号、二号、三号测量船已有效应对太平洋、大西洋恶劣海况，船上测控设备状况正常。

15时24分："远望三号"测量船预定海域处于高压边缘，最大风力8级，最大浪高4米。"远望三号"借助减摇鳍和船姿船位系统来保持船体的相对平衡和测控数据的精度。中国卫星海上测控部主任简仕龙说，三艘"远望号"测量船尽管遭遇了恶劣海况，但所有测控设备均能及时捕获并稳定跟踪"神六"飞船，接收到的图像和话音清晰，遥控发令准确无误。

16时："神舟六号"飞船飞过非洲上空，开始进入位于南印度洋的"远望四号"测量船测控区。

16时10分：从"神六"飞船上传回的航天员费俊龙、聂海胜在返回舱内的图像，清晰地显示在北京飞控中心指挥大厅的大屏幕上。

16时28分：飞船进入测控区，费俊龙、聂海胜在飞船舱内的图像清晰地显示在大屏幕上。

中共中央总书记、国家主席、中央军委主席胡锦涛已经来到北京航天飞行控制中心，进入指挥大厅，即将与正在太空飞行的航天员费俊龙、聂海胜进行实时通话。

在与航天员通话结束后，胡锦涛在北京航天飞控中心发表了简短讲话。胡锦涛说："祖国和人民感谢你们，希望同志们再接再厉，全力做好后续工作，夺取载人航天任务的最后胜利。"

航天员首席医监医保医生李勇枝博士认为："胡锦涛总书记与航天员通话，对航天员来说是非常好的心理支持，对于他们执行好后续任务会起到很好的促进作用。”

“神舟六号”载人航天飞行总指挥部副总指挥长、总装备部政委迟万春专门赶到设在飞控中心的新闻中心，看望正在紧张工作的记者，对他们的辛勤劳动表示感谢和慰问。

17时40分：根据北京航天飞控中心指令，“神舟六号”飞船进入下一测控区域时，航天员将回放自行拍摄的有关图像。

18时05分：航天员费俊龙和聂海胜向北京航天飞控中心传送他们拍摄的飞船太阳能帆板的数字图像。航天员拍摄的太阳能帆板下有一道漂亮的蓝色反光。

19时10分：“神舟六号”已进入第55圈。

20时59分：“神舟六号”飞船进入位于南大西洋的“远望三号”测控范围。费俊龙在返回舱中一边记录飞行日志，一边与轨道舱中的聂海胜通话。

第五天——2005年10月16日

3时10分：“神舟六号”飞船已经正常飞行60圈，两位航天员目睹了60次日升日落，飞行90小时，行程约256万公里。

3时50分：正在太空遨游的“神舟六号”飞船再次光临内蒙古主着陆场上空。着陆场站成功对飞船实施连续跟踪测控。

8时33分：“神舟六号”再次飞临喀什测控区。飞船各种飞行参数正常，舱内温度、湿度及氧气、二氧化碳浓度等各项环境指数十分理想。

9时10分：“神舟六号”飞船已进入太空四昼夜，绕地飞行64圈，飞行96小时，行程约269万公里。航天员感觉良好，飞船运行正常。

9时36分：参与航天员返回搜救的人员和装备已经在位于内蒙古四子王旗的主着陆场集结完毕，准备随时投入行动。

10时40分：“神舟六号”飞船已进入围绕地球的第66圈飞行，两位航天员目睹了66次日升日落，飞行97.5小时，行程约273万公里。

10时47分：着陆场系统全部就位完毕，通信畅通，各种设备状态良好、运行正常，回收人员精神振奋，只待“神舟六号”返回舱和航天员归来。

13时10分:“神舟六号”飞船已经安全飞行100个小时，飞行里程大约280万公里。

14时36分:“神舟六号”飞船的主着陆场已进入警戒状态。四子王旗公安局抽调警力配合部队，对主着陆场区域实行警戒，重点是100多平方公里的核心着陆区。

16时40分:“神舟六号”飞船围绕地球已进入第70圈飞行。

19时57分：在按计划顺利完成一系列空间科学实验任务后，“神舟六号”开始进行返回准备工作。飞船工作状态正常，两名航天员着手进行飞船返回的各项准备工作，准备关闭返回舱舱门。此时，飞船正在预定轨道上进行第73圈的太空飞行，飞经“远望一号”测量船的测控弧段。

20时00分:“神舟六号”进入第71圈飞行，此前，“神舟六号”已70次飞过祖国上空，其中多次从台湾、香港、澳门上空飞过。

费俊龙、聂海胜在太空飞行五天，能时刻感受到地面上千万人关切的目光。出征前，杨利伟专门把他们找到一起，再次将在太空上要做的工作和可能出现的问题细细捋了一遍，根据他在太空的感受，叮嘱他们需要注意的事项，告诉他们太空出现什么声音是正常的。

“神舟五号”发射前夜，杨利伟睡得很踏实，然而“神舟六号”发射前他却失眠了。作为航天员系统的副总指挥，五天的飞行中，杨利伟一直坚守在指挥大厅，和他们进行了两个小时的通话，给了他们很大的帮助和支持。航天员大队其他战友们也在指挥大厅轮流值班，并与费俊龙、聂海胜进行天地通话，进行技术和心理支持。

21时04分：中国载人航天工程指挥部负责人宣布，“神舟六号”载人飞船将于10月17日凌晨按计划实施返回。

21时56分：费俊龙正在擦拭返回航和轨道舱之间的密封部位，准备关闭舱门。

飞船返回前，轨道舱和返回舱将分离，舱门能否关严，事关航天员的生命，直接影响任务的成败。在国际载人航天史上，就曾经发生过因为舱门关闭失败导致舱内失压、航天员牺牲的惨剧。我们的科技人员攻克道道难关，保证“生命之门”的绝对安全。为了获取失重状态下开关舱门的第一手资料，飞船系统副总设计师潘腾让人们把他吊在半空中，摸索失重状态下舱门的开关程序。为了保证舱门的万无一失，他们进行了上万次的相关试验，创造性地为它加了密封锁、双保险密封圈、快速检漏仪等八道“安全锁”。

在地面，航天员开关舱门的训练，不知道进行了多少回。从舱门密封圈的擦拭方法到平衡阀的开关，看起来非常简单的动作，却有多达几十个步骤。系统总设计师王永志在对三组航天员的考核中，都提到了飞船返回前如何关舱门的问题。他后来告诉费俊龙，在飞船运行到第 67 圈进行关舱门动作时，指挥大厅静悄悄的，大家恨不得屏住呼吸。他眼睛一眨不眨，生怕遗漏掉一个细节。当看到舱门显示正常，他才长长地松了口气。

21 时 57 分：在太空飞行近 109 个小时的航天员费俊龙、聂海胜向北京航天飞行控制中心报告，“神舟六号”开始进行返回准备。

21 时 59 分：21 时 54 分至 59 分，“神舟六号”飞入“远望一号”测量船测控弧段，正在飞行第 73 圈，航天员做好返回准备。

23 时 26 分：“神舟六号”经过厦门测控段时，飞船返回舱舱门已经关闭，检漏正常，航天员已经更换舱内压力服，感觉良好。

23 时 32 分：费俊龙和聂海胜正在聚精会神地阅读飞行手册。

2005 年 10 月 17 日

0 时 03 分：喀什测控站对“神舟六号”分离后轨道舱的测控准备工作已经就绪，设备运转良好。

1 时：飞船正飞经祖国大陆上空，进入第 75 圈的飞行。“神舟六号”飞船工作状态良好，航天员各项生理指标正常，航天员已做好航天服气密性检查。

1 时 35 分：主着陆场举行飞船返回搜救战前动员大会。飞船返回搜救指挥员李栋恒要求全体搜救人员确保航天员生命安全。300 多名搜救人员即将展开行动。参加飞船返回舱搜索和航天员救援的包括 4 架搜救直升机、2 架增援直升机、14 台特种车辆。此次搜救行动将以空中搜救为主、地面搜救为辅。

1 时 50 分：执行“神舟六号”飞船返回搜救任务的地面搜救分队出发。14 辆特种车辆组成的搜救车队离开着陆场站，前往飞船预定着陆点。通往主着陆场的专用公路上车辆灯火通明，长达数百米。

1 时 52 分：为了准确地预报飞船返回舱落点，给地面搜救人员提供准确的搜救区域，为陆地、海上各测控站能够在第一时间捕获返回舱提供依据，北京航天飞控中心轨道室的科技人员紧张地忙碌着。

2时09分：飞船正飞行在非洲纳米比亚上空，费俊龙、聂海胜在舱内翻看飞行手册，为返回做好准备。

2时40分：飞船围绕地球进入第76圈飞行，在青岛站测控区上空。

2时40分：“神舟六号”飞船返回指令解锁，即将结束五天的太空之旅，踏上返乡路程。

3时：吴邦国、贾庆林、黄菊、吴官正等陆续来到北京航天飞控中心，观看“神舟六号”飞船载人航天飞行回收实况。

3时10分：北京航天飞控中心调度员宣布，返回段跟踪进入30分钟准备。

3时17分：主着陆场地面搜救人员向北京飞控中心报告，已经就位，设备工作正常。

3时17分：“神舟六号”正在南太平洋上空飞行。

3时18分：飞船推进舱太阳帆板垂直归零。“神舟六号”飞船已经飞行76圈，飞行行程326万余公里。

3时25分：飞船正在飞越南美大陆。

3时29分：返回段跟踪进入10分钟准备。

3时31分：“神舟六号”已进入南大西洋海域。

3时36分：南太平洋上的“远望二号”：海况很好，海浪减小到2米左右。各就各位，设备已经到最佳状态。

3时38分：“远望三号”船进入一级部署，人员全部就位。

3时41分：“远望三号”发现“神舟六号”，开始进行跟踪。

3时43分：北京飞控中心发出飞船调姿指令。飞船一次调姿。大屏幕显示，两位航天员都穿着压力服，已经戴好面罩，躺坐在各自的座椅上。

3时44分：飞船轨道舱与返回舱成功分离。

3时45分：“神舟六号”飞船发动机点火制动，飞船开始返回。

3时48分：飞船轨道控制发动机关机，飞出“远望三号”测量船测控段。

3时58分：航天员身穿压力服，面窗已关闭，在座椅上将自己固定好。

4时：主着陆场区空中搜救分队已到达待命区域。

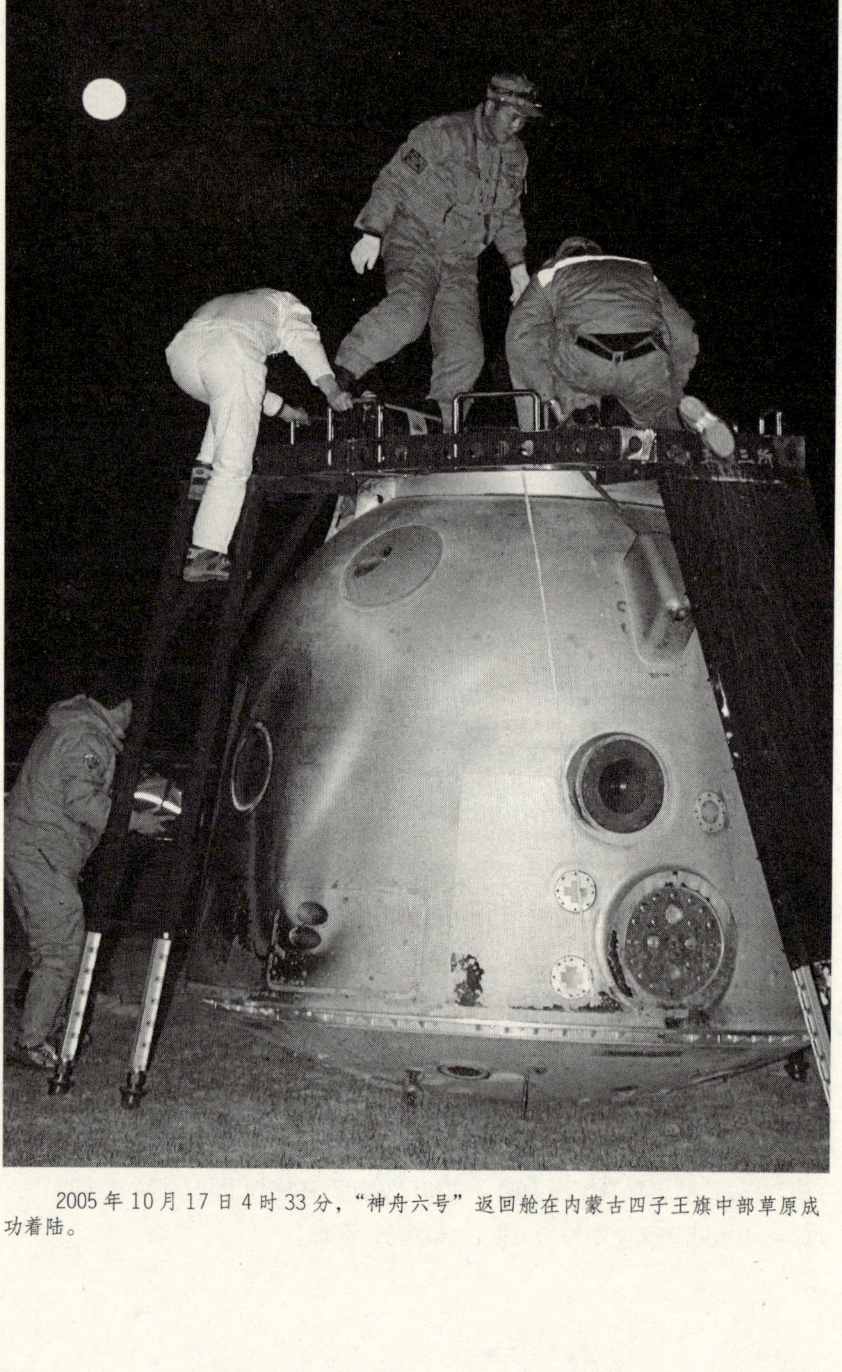

2005年10月17日4时33分，“神舟六号”返回舱在内蒙古四子王旗中部草原成功着陆。

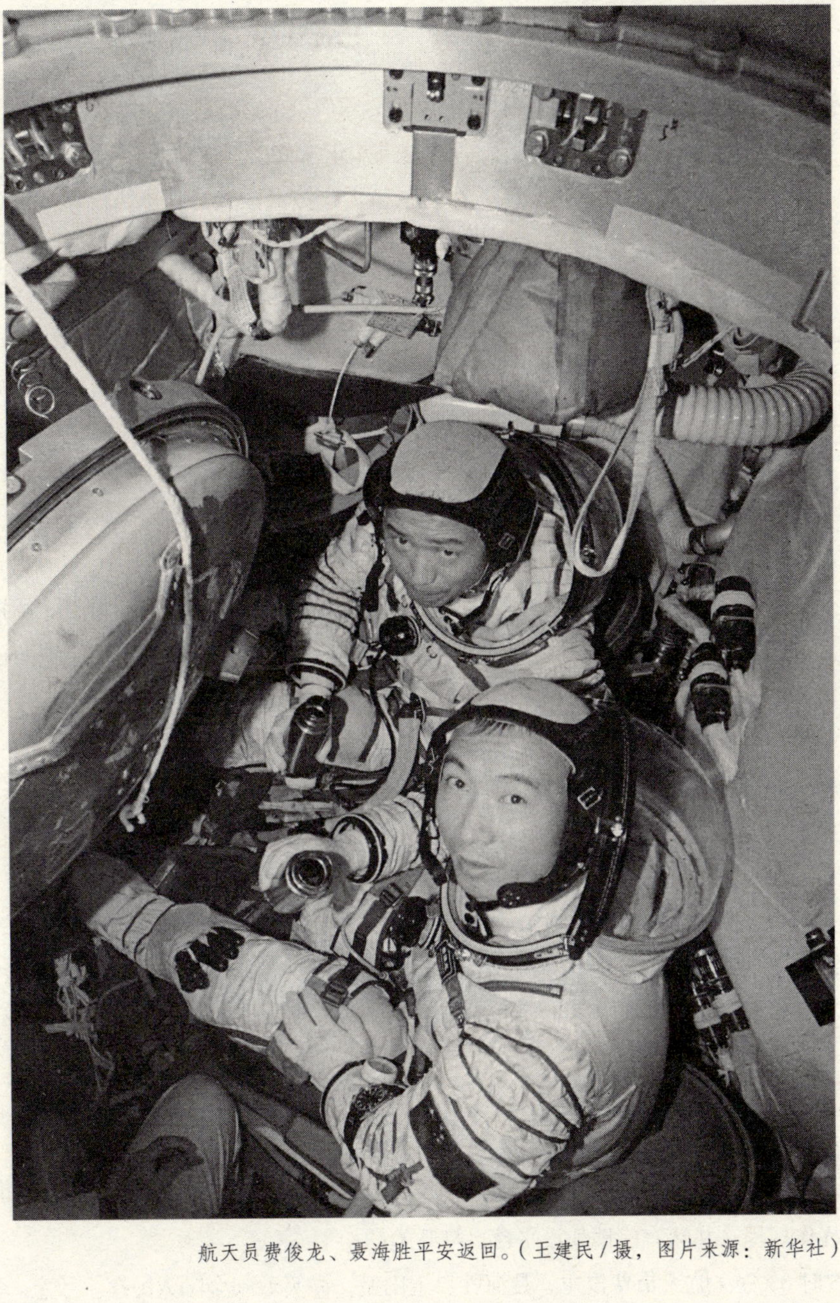

航天员费俊龙、聂海胜平安返回。(王建民/摄，图片来源：新华社)

4 时 02 分：飞船飞过南亚上空，航天员报告飞船工作正常，感觉良好。飞船跟踪信息正常，传回的返回舱内航天员图像清晰稳定。

4 时 06 分：喀什测控站捕获目标，“神舟六号”飞入祖国上空。

4 时 07 分：“神舟六号”飞船返回舱与推进舱正常分离。

4 时 13 分：飞船已进入黑障区。在北京航天飞控大厅大屏幕上可以看到，飞船像一团火球划过夜空。

4 时 14 分：“回收四号发现目标！”首次参加任务的光测站，在飞船未出“黑障”时就准确地捕获了目标。振奋人心的报告，激起了指挥室里一阵沸腾的欢呼声。

4 时 15 分：“回收一号发现目标！”位于着陆场 200 公里外的前置雷达站，在飞船刚刚进入测控弧段时也稳稳地盯上了目标，飞船拖着长长的尾焰向茫茫草原飞来。

4 时 16 分：“回收二号发现目标！”在前置雷达的引导下，USB 测量站牢牢锁定目标，在准确转发中心“回收主电源通”的指令后，随即启动了“回收着陆工作”程序。

4 时 19 分：飞船主伞舱盖打开。主伞打开。“空地搜索开始！”随着着陆场指挥长隋起胜一声令下，盘旋在空中的 6 架搜救直升机迅速向落点区域靠拢，地面搜救车立即向落点方向开进，搜救队员全神贯注，急切地搜寻着目标。

4 时 24 分：飞船防热大底成功抛掉。

4 时 25 分：地面收到返回舱信号。

4 时 33 分：飞船返回舱成功着陆。返回舱实际着陆地点距理论着陆点相差仅 1.8 公里。“神舟六号”实际落点与 2003 年“神舟五号”落点仅相距 6 公里。

“769 发现目标。”三号搜救直升机上的定向仪最先收到返回舱信标机传来的信号。随着光学经纬仪上显示出反推火箭喷出的火焰，返回舱呈直立状态平稳着陆。电台里传来航天员沉稳的声音：“‘神舟六号’报告，飞船正常着陆，脱伞完毕，身体良好！”

两名航天员在太空飞行 115.5 小时，这是“神五”飞行时间的五倍多，创造了中国人遨游太空时长的新纪录。

4 时 45 分：伴随着声声轰鸣，6 架搜救直升机依次在落点附近降落。搜救队员按照操作规程，井然有序地架设平台，打开舱门。

5 时 03 分：航天员费俊龙、聂海胜自主出舱，微笑着向全国人民挥手致意。“成功了，成功了！”所有人都挥舞双手，欢庆这一激动人心的时刻，整个搜救区顿时成了欢乐的海洋。

费俊龙说：“我们这次太空飞行非常顺利，舱内工作生活环境很好，现在身体感觉不错。”

聂海胜依然是一脸温和的笑容：“我们在天上飞行，可以感受到有无数人在时刻牵挂着我们，感谢祖国和人民的关心厚爱。”

“神舟六号”成功返回、两位航天员健康出舱后，中国载人航天工程总设计师王永志和七大系统负责人心情特别激动——

王永志说：“‘神六’的成功，标志着我国已突破多人多天的载人航天飞行技术，为下一阶段载人航天计划的实施奠定了重要基础，我对下一阶段的载人航天工程充满信心。”

航天员系统总指挥、总设计师陈善广说：“除了激动、兴奋，我找不到更好的词来形容现在的心情。航天员在天上的表现非常优秀，天上地下连为一体。这是我们伟大祖国的骄傲。”

飞船应用系统总指挥、总设计师顾逸东说：“高兴、激动之余，我最深的感受是疲劳。我们的工作还没有结束，轨道舱还在空间运行。”

飞船系统总指挥尚志说：“这次飞行非常完美，如果一定要一个‘遗憾’的话，那就是飞船的冗余备份设备都没经受考验。”

火箭系统总指挥刘宇说：“我们终于可以放声大笑了。”

发射场系统总指挥张育林说：“我在看回收的时候一直在回想发射前的风雪变化，我很激动，也很欣慰，发射场人员日日夜夜的辛苦劳动得到了回报。下一步我们将高质量准备好‘神七’任务。”

测控通信系统总设计师于志坚说：“测控系统的精确与飞船控制的高精度相映成辉、相辅相成，实现了飞船的高精度返回。”

着陆场系统总设计师侯鹰说：“‘神六’飞船回收虽然是在夜间组织的，但非常圆满，这表明着陆场组织实施和技术建设比‘神五’时更好、更成熟。”

北京飞控中心主任席政说：“我心中那千百块石头，一块一块地落到今天，终于全部落定了。”

5时46分：中国载人航天工程总指挥陈炳德宣布，中国“神舟六号”载人飞行获得圆满成功！

宇宙无限，探索无尽。中国航天人已经把目光投向更远大、更壮丽的下一步目标：2007年，实现航天员出舱、太空行走；2009年到2012年，将发射目标飞行器，实现飞行器空间交会对接；第三步，建造一个永久的空间站；同时，代号“嫦娥工程”的探月计划也正在实施……不难想象，茫茫太空将会出现越来越多的带有五星红旗标志的中国航天器；不难预料，将会有更多中国人的身影出现在更高更远的星空。

这不是梦，这是比梦更加美好的未来。

（选自2006年第1期《神剑》，作者：彭继超）

洋山深水港巨变

2005年5月25日，上海国际航运中心洋山深水港一期工程东海大桥胜利实现全线贯通；9月7日，洋山深水港区一期工程输水管道完工；9月20日，洋山深水港区一期工程输电工程完工；9月22日，马士基公司8000标准箱的“克莱门特号”集装箱船在洋山深水港区一期码头二号泊位试靠成功；12月5日，上海国际航运中心洋山深水港区一期工程竣工运营……洋山深水港是个奇迹。洋山深水港的建设者在茫茫大海中填出一片陆地，造起了世界上最大的离岸式集装箱深水港。洋山深水港，是建设上海国际航运中心的关键工程。

洋山深水港：建设上海国际航运中心的关键工程

在祖国的东海之上，杭州湾北、长江口外，有一群小小的岛屿，如一把珍珠撒落在海面上。大小洋山就在这里。它们属于嵊泗列岛中的崎岖列岛。著名的唐代大诗人白居易曾留下“忽闻海上有仙山，山在虚无缥缈间”的美丽诗句，为这里的苍茫岁月，增添了无限遐想。

十年前，这里还只有茫茫沧海、萋萋荒岛，还只有点点白帆、片片渔网。而今，大小洋山的名字已经与上海国际航运中心洋山深水港连在了一起。在21世纪初的火红岁月里，几万建设者从全国各地汇聚东海，用辛勤的汗水与智慧，开山炸石、填海成陆，又在波涛汹涌的大海上，打桩筑基、架梁成桥，以神奇的速度，打造了一座神奇的现代化深水港。

有人说，这是一场新的“造陆运动”；也有人说，这是一个现代“精卫填海”神话。现在，且让我们来回顾一下，究竟是什么骨骼，支撑了这场运动；又是什么灵魂，铸造了这个神话。

上海，曾与国际航运中心擦肩而过

如果说，泱泱中国的海岸线是一张巨大的弓，那么，万里长江就是搭在这张大弓上的一支长箭；而上海，正是大弓与长箭的交汇点。

看上海的城市化历史，人们清晰可见，它是依靠港口、航运业逐步发展起来的——

唐以前，上海还是黄浦江边的一个渔村；

南宋末，由于贸易的发展，上海逐步成为新兴的贸易港口；

到元朝初年，上海开始以一个新兴的港口面貌呈现于世；

明清两代，随着经济的发展，上海形成世所习称的“江海通津，东南都会”；

1840年鸦片战争后，上海作为五口通商的口岸之一，正式开埠；

19世纪后期，上海的航运贸易大发展，航线辐射长江、沿海以及东南亚各国；

20世纪30年代，上海港货物吞吐量达到1 400万吨，列世界第七大港，成为远东最大的航运、经济、贸易和金融中心。

可以说，这个时候上海距离国际航运中心不过一步之遥。可惜的是，随后日本帝国主义入侵，给中国带来了深重的民族灾难；连年的战争，使中国的经济陷入了凋敝之中。上海不仅与国际航运中心擦肩而过，而且很快在战火中走向衰败。

历史的机遇一旦错过，只会留下无数志士的浩叹。在很长一段时期内，上海作为国际大港的作用日益萎缩，名次和地位也日趋后退。直到新中国建立后，上海港才恢复了生机；而改革开放以来，上海港的建设和运量又明显取得了长足的发展。

在20世纪即将过去的时候，上海又一次靠近了国际航运中心的位置。历史又一次垂青这座临海的大都市。

请看这样一组数据和事实——

21世纪初，上海口岸的集装箱吞吐量在世界各港口中排名第三；

2004年，上海港的集装箱吞吐量是1 460万个标准箱；

这些年，上海口岸的集装箱吞吐量还在以每年25%的速度快速增长。

这个增长量，具有十分坚实的基础：改革开放促进了上海的经济发展，外向型企业对于集装箱航运的需求量逐年上升；更重要的是，上海是长江三角洲地区进出口的主要口岸。“长三角”占全国国内生产总值30%，它是上海港最深厚、最强大的经济腹地，也是上海港集装箱最重要的箱源。

另一组数据，我们也不能不看——

上海虽已位列世界第三大港，但它的水深条件却极为有限：长江口航道平均水深10米，黄浦江航道的水深更是只有7米。

装载5 000个标箱的大型集装箱船舶，一般无法驶入市内；超大型船舶必须在长江口外锚地卸载、分载，化大为小、化整为零，才能分批进港；有的船舶，必须在海上苦等24小时、48小时甚至更长时间，等候潮水上涨，或等候码头腾出泊位后，才能驶入长江、驶入吴淞口。离港船舶也是如此，由于黄浦江水路繁忙，每当有大型集装箱船完成装船掉头驶往下游准备出海时，水上交通管理部门都必须暂停江上其他船只通行。

……

缺乏深水良港，已经成为上海港进一步发展的最大瓶颈。上海为此每年有近百万标箱移至釜山、神户等港口中转，仅此一项，每年增加的运费就达几十亿元人民币。

上海距离真正的国际大港还有多远？在时代进入“世纪交汇之门”的重要历史时期，上海还能不能在中国率先建成国际航运中心？

说到这里，也许有人会问：到底什么是国际航运中心？它对中国、对上海来说，果然有那么重要吗？

是的，我们有必要先把一些概念搞清楚。

国际航运中心——这里专指海上航运——是全球干线网络的重要节点，是国际市场与国内市场的接轨点，也是世界经济与国内经济的交汇点。人们公认的国际航运中心城市（如新加坡、香港、伦敦、釜山、鹿特丹），代表所在国家和地区，参与国际经济分工与竞争。它不仅考量一个城市的航运业软硬件水平，也是一个地区、一个国家综合实力的集中体现和权威标志。

在我国这样一个市场巨大、腹地辽阔的国家的海岸线上，特别是在具有重要战略价值的长江三角洲与上海地区，如果不尽快形成一个具有相当规模的国际航运中心，在日益激烈的国际分工与竞争中就会处于被动地位，动员资源的能力就会受到制约，经济发展的动力就会被削弱；无论从历史和当代的角度来说，这也和上海在国际大城市中的地位极不相称，和上海这个临海城市应承担的历史重任和民族期望极不相称。

海上航运，是一种传统的运输方式，尽管速度处于劣势，但它有着一个无可比拟的优点——运量大、成本低，故至今仍为全世界各国广泛使用。

从我国外贸产品运输的现状看，90%以上还是靠海运；上海这个临海大城市，海运所占的比例更大。如果我国长期不改变“长三角”地区沿海没有深水港的状况，把出口贸易的大量集装箱箱源，以支线方式“喂”给釜山、高雄等港，那么，我们就要为此吞下一连串沉重的苦果：要付给外港大量的运输费用，这比从上海港直接转运要高出许多倍，我国劳动力成本低的优势就会被抵消，而经济发展的成果，也会在最后的环节被部分消解。这对我国的现代化建设极为不利。因此，尽快建成一个运量巨大的深水枢纽港，进而推动上海国际航运中心的建成，既是上海面临的重大历史机遇，也是我国应对贸易全球化的机遇与挑战、增强国际综合竞争力的重大战略举措。

国际航运中心的发展历史表明，航运中心是国际经济中心城市的重要支撑。如果上海没有承担庞大的物资或商品运输的现代化航运作支撑，国际贸易中心的目标将难以实现，而缺少了国际航运和国际贸易的服务基础，国际金融中心的发展也将受到制约。因此，建设上海国际航运中心，有利于上海早日建成国际经济、金融、贸易中心，初步确立社会主义现代化国际大都市地位，进一步提高城市综合竞争力，更好地为全国服务，全面实现十四大提出的“以上海浦东开发开放为龙头，进一步开放长江沿岸城市，尽快把上海建成国际经济、金融、贸易中心之一，带动长江三角洲和整个长江流域地区经济的新飞跃”的国家发展战略。

了解了历史和现状，又了解了国际航运中心对经济建设的巨大推动作用，那么，作为上海国际航运中心的主力港——集装箱专用深水港——的重要价值，就已清晰地放在了我们面前。

今天，再也不能错失宝贵的历史机遇

将新建的深水港定位为“集装箱运输专用港”，这从一开始就保证了它的专业先进性。

集装箱运输兴起于20世纪30年代。它以标准化箱运代替传统的散运，一问世便显示了三大优点：一是便于港口的机械化操作，大幅度地提高装卸效率，缩短船舶留港时间，加快了船舶周转率；二是节省包装费用，大大减少了货物损耗；三是有利于不同交通线路和运载工具——船舶、汽车、火车——的衔接，可以实施“门到门”的装卸运输。

集装箱运输迅即掀起了一场海上及陆上运输方式的革命。忽忽几十年的时间，它已经成为国际贸易货物运输中最重要的方式，并继续在全球得到蓬勃发展。20世纪末21世纪初，全球有上百个国家和地区进入了集装箱运输网，有集装箱港口400多个，泊位1万多个。1995年底，世界集装箱船队（3 000总吨级以上、载箱量在150标准箱及以上者）总计为2 092艘，载箱能力为2 970万标准箱。同年，全球各港口进出口和中转的集装箱总量达14 200万标准箱，各主要航线都已经实现集装箱化。尤其是远东、西欧、北美和澳大利亚四个地区，消费水平高，货物运输量大，最适于集装箱运输，连接这几个地区的集装箱航线，便成为全球海上集装箱航运干线，这就是最著名的北太平洋航线、北大西洋航线、远东—欧洲航线（印度洋航线）。

逼近新世纪，经济全球化趋势加速发展，国际贸易规模持续扩大，世界航运业格局发生重大演变，国际集装箱运输飞速发展，国际航运市场上更出现了船舶大型化、经营联盟化、运输干线网络化的新趋势。

为追求规模经济，降低集装箱运输的单位成本，全球各大班轮公司不惜斥巨资建造大型集装箱船投入运营。上世纪90年代，5 000标准箱以上、吃水13至15米的“超巴拿马型”集装箱船，已成为全球海上主干线运输的主流船型；8 000标准箱以上的集装箱巨轮，也已问世并投入营运。为了尽可能提高大型集装箱船舶的满载率，合理配置船舶资源，降低运营成本，各大班轮公司纷纷进行联盟和兼并。全球二十大班轮公司，拥有集装箱运输76%的运力，“超巴拿马型”船全部由六大海运联盟（集团）经营。海运联盟出现后，环球和钟摆航线在三大东西向航线上开始得到广泛采用，60%的集装箱船和绝大部分“超巴拿马型”船都投入在这些航线上。以此为基础，最终构筑起连接东西、串联南北的“棋盘式”全球航运网络。

集装箱化的运输方式，对港区码头和出入航道的建设也提出了许多特殊的要求。世界上那些著名的大港，除了不断改善航运环境外，无一例外地开展了大规模的深水码头和深水航道的工程建设，以满足大型集装箱船运营的需要。一些主要港口不约而同地追求同一目标：顺应国际航运发展新趋势，竞争成为“战略性枢纽港”。尽管“枢纽港”在全球干线网络中为数极少，但这绝不能阻挡它们的竞争步伐，相反更刺激了它们的决心。上海港，就处在这样一群“兄弟港”的包围和挤压当中。

从航运地理看，上海港正处在北太平洋航线上。这条航线由远东—北美太平洋沿岸航线和远东—北美大西洋沿岸航线组成，所联系的港口有亚太地区的东京、横滨、名古屋、神户、大阪、釜山、仁川、大连、天津、青岛、香港、高雄、基隆、新加坡；还有北美太平洋沿岸的洛杉矶、长滩、奥克兰（旧金山）、西雅图、波特兰和温哥华；加上北美东岸（包括墨西哥湾沿岸）的休斯敦、新奥尔良、坦帕、杰克森维尔、诺福克、费城、纽约、波士顿、哈利法克斯、圣约翰等。

从那些响当当的港口城市名就可以知道，这一条航线无疑是当今世界上最繁忙的海上航线。它所承担的经济使命之重、所获的经济利润之厚，也当属世界之最。可惜由于上海缺少深水港，没有能在这条航线上发挥更加巨大的作用，“国际枢纽港俱乐部”当然也一直把它排除在外。

那么这些年来，上海港与集装箱运输是一个什么关系呢？

闭关锁国使中国人孤陋寡闻，直到上世纪70年代末，以“得风气之先”为骄傲的上海人，竟还不知道“集装箱运输”是怎么一回事，上海港不仅没有“超巴拿马型”集装箱起重机，也没有轮胎吊、正面吊和空箱堆高机，只有从匈牙利进口的“冈茨”门机，还有老式的码头起重机。集装箱只是零零星星地装在货轮上，为了把它从甲板和货舱里吊上来，还要用“浪风绳”把它的四个角扎住，然后挂上吊钩……

日本是亚洲最早开始集装箱运输的国家，也是最早企图向上海港推广集装箱运输以获大利的国家。他们见上海没有对付集装箱的吊车设备，专门驶来了一艘名叫“东海号”的平板船，一次可运200只集装箱。“东海号”到达上海港后，船吊设备可以轻而易举地把200只集装箱从船上吊到码头。这一段时间，上海港码头上的集装箱运输，几乎成为“东海号”一家的专利。日本人的精明，日本集装箱技术的先进，给上海港人留下了深刻印象。

就从这个时候开始，上海港在集装箱运输上缓慢起步。下面，是上海著名的建港专家归墨给我的“上海港历年集装箱吞吐量一览”：

……

1980年　3（单位：万标准箱）

1981年　4.9

1982年　6.6

1983年　8.0

1984年　11.5

1985年　20.2

1986年　20.4

1987年　22.4

1988年　31.3

1989年　35.4

1990年　45.6

1991年　57.7

1992年　73.1

1993年　93.5

1994年　120

1995年　152.6

1996年　197.1

1997年　252.7

1998年　306.6

1999年　421.6

2000年　561.2

2001年　634

2002年　861.2

2003年　1128.2

2004年　1455

它横跨了25年，也横跨了两个世纪。

其实没有这张表，老专家们对这些历史数据也背得滚瓜烂熟。上海港20多年的集装箱码头建设，他们是看着它一步步走过来的。在他们的记忆中，都记着这样一件事："十年动乱"结束后，中国港口建设百废待兴，国家交通部争取到一笔世界银行贷款，拟让上海与天津、厦门一道，将部分老港区改造成集装箱专用码头，可以说，这是上海集装箱港口建设的发端，也是上海港搭上集装箱运输“世界顺风船”最早的一次行动。

准确地说，1978 年 9 月，上海港开辟了我国第一条国际集装箱运输班轮航线。历经 70 年代的起步和 80 年代的平稳发展，到 20 世纪 90 年代，上海港的集装箱运输出现持续快速增长的良好势头，集装箱吞吐量年均增长率达 28%，数量超过 100 万标准箱以上；集装箱航班密度以每年 30% 以上的速度增长，开辟了 150 多条航线，覆盖全球 100 多个港口；全球 50 多个著名船公司全部入驻上海，每月集装箱航班数已达 1 600 多个。

就是在最差的自然地理条件下，上海港取得了全世界最令人瞩目的进步。2004 年，上海全港完成货物吞吐量 3.8 亿吨，列世界第二位；其中完成集装箱吞吐量 1 455 万标准箱，位居世界集装箱大港第三位。

在集装箱运输已成为全球海运业发展主流的今天，国际航运中心的核心问题越来越集中，一言以蔽之，就是五个字——争夺枢纽港。在世纪交汇之际，国际集装箱枢纽港的竞争变得更加激烈。从上海港周边的国家和地区港口建设的态势来看，东北亚国际航运中心的竞争归结到一点，就是国际集装箱枢纽港的竞争。历史记载可以证明，1995 年当中共中央、国务院提出建设上海国际航运中心战略的同时，韩国的釜山港提出了建设“21 世纪环太平洋中心港”，我国台湾省的高雄港提出了建设“亚太营运中心”，日本的神户港在《地震重建宣言》中提出要建设“亚洲母港”……虽然建港扩港的提法各有不同，但发展的重点，都集中于要竞争国际集装箱枢纽港。一时间，东北亚地区已建和在建的集装箱深水泊位多达 40 多个。最令人震惊的是，这些港口的主要竞争策略，都是全力争夺我国大陆的集装箱箱源；尤其是釜山、高雄等港口，纷纷斥巨资大力建设 15 米水深的集装箱码头，以迎纳 8 000 箱以上的集装箱巨轮群为目标，把辐射范围一直划到了中国内地！所有这一切，都对上海国际航运中心建设构成了严峻的挑战。

竞争态势已明白无误地告诉我们：到 2005 年前后，上海港如果还没有大规模的集装箱深水港区，长江三角洲诸港口在集装箱吞吐量和航线、航班布局方面就将出现严重的失衡；沿海沿江大小港口的箱源加速外流的状况也将不可避免；上海乃至我国沿海各大港，将因此丧失成为国际集装箱枢纽港的机遇。这一事实一旦形成，周边国家和地区的大港捷足先登，局面就很难扭转。国内航运界人士和长期从事海运研究的专家教授一致认为：加快建设集装箱深水港区，尽快形成国际集装箱深水枢纽港，参与国际竞争，已经迫在眉睫；加快建设上海国际航运中心的深水港区，能够充分发挥上海港现有的规模优势，对我国在较高起点上参与国际竞争将更为有利。

一家国际权威的咨询机构——美国路易斯·伯杰国际工程咨询公司——在对上海建设深水港的可行性进行咨询评估时指出："上海及其腹地，可以成为亚洲最大的一个经济实体区，它将代表一个巨大的货物必经之地。这种地理优势，中国香港、新加坡、中国台湾、韩国甚至日本都未曾拥有。上海历史上曾经是国际航运中心，它邻近各条主要航线，是一个战略要地，又是一个进出口基地，关键是要建造一个深水港。"

"关键是要建造一个深水港。"中外有识之士的观点，从来没有如此一致过。

科学和大自然选择了洋山岛

洋山岛虽属嵊泗群岛，但洋山岛海域的海水和南部诸岛的海水不一样，终年浑黄，难得有几日清澈。这和它处于"四水交流"的地理位置有关。书上一般都这样说：洋山岛位于杭州湾口长江口外，属嵊泗群岛中的崎岖列岛。这是典型的地理语言。其实据老辈说，这个地方交流着"四方来水"：一是长江口的水，二是杭州湾的水，三是东海的水，四是黄海的水。有这样浩浩荡荡横贯水陆的大水交汇在一道，洋山海域的水怎会是清澈不变的呢？

洋山海域的水浑黄不清，也正说明了更重要的一点：这里靠近大陆，靠近长江口和杭州湾。

看航海地图可知：小洋山岛南与大洋山岛隔海相望；西北距上海南汇的芦潮港30公里，距长江口出海的国际航线仅104公里，是离上海最近的具备15米以上水深的天然港址。如果把这里建成深水港，通过跨海大桥与上海交通运输网络连接，可充分发挥上海港经济腹地广阔、箱源充足的优势；以上海特大型国际性城市为依托，与沿海支线和长江支线的联系，通畅而又便捷。洋山深水港如果建成，完全具备成为亚洲—北美、亚洲—欧洲两大主干航线主靠港的条件。这个优势，是长江三角洲地区其他港口都无法比拟的。从自然地理特征看，洋山岛海域具备建设15米深水港的有利条件。

建设深水港，海域海床一定要稳定。洋山岛海域海水浑黄，含沙量较高，建港之后泥沙会否淤积？

近百年的海图对比分析表明，洋山海域海床经历了堆积和冲刷的交替变化，基本稳定。工程海域的海流以潮流为主，潮流形式基本为往复流类型。受长江口冲淡水的入海路径季节性摆动的影响，洋山海域的含沙量虽然偏高，但由于洋山海域的峡道效应，潮流强劲，使得岛链间的泥沙不易落淤，大部分泥沙属过境性质，长期以来，这一海域处于基本冲淤平衡状态。因此大、小洋山之间，一直保持着15米以上的良好水深，具备建设深水港区最重要的自然条件。

洋山岛海域处于多风地带，夏季多台风，冬季多西北风，风起浪涌，风大浪高，建港后这是否会有影响？

调查结果是：大、小洋山海域两边的岛屿已形成“岛链”，并呈狭长的“倒喇叭形”，这样一种海岛分布，使外海传入的波浪经过折射和绕射进入港区，呈现波高较小、波浪周期较短的特点，也就是说，大、小洋山岛链的天然屏障有利于船舶的靠、离泊。经初步估算，港区的年作业天数可达315天以上。

洋山海域多岛屿、少平地，而深水港动辄需要数平方公里的陆域来做堆场，这个矛盾怎么解决？

大、小洋山共有岛屿66个。众多岛屿的海岬之间和岛屿背面，在潮流与泥沙的交互作用下，发育出大片滩地，整个岛礁与滩地面积超过10平方公里，这为建港提供了很好的陆域条件。同时，大、小洋山地区山峰连绵，具有丰富的石材资源，通过开山填海、围堰造地，港区的陆域面积完全可以达到20多平方公里，深水岸线20多公里，掩护的水域面积达30平方公里，可布置50多个大型泊位，港口具有很大的发展空间。

深水港一旦建成，就是一项“百年工程”，大、小洋山地区的地质构造是否稳定？地震对它有否影响？

根据区域地震地质研究，认定洋山港址地质构造稳定，地震活动很弱。场地安全性评价及实际钻孔资料分析也表明，规划中的港区场地及附近地区，没有发现有五级以上潜在震源的依据，工程区的基本烈度为六度。这些数据表明，大、小洋山海域建港，在地质环境上是安全的。

大、小洋山海域水深风大、潮流湍急、波浪汹涌，自然条件十分恶劣，建设深水港以及跨海大桥，技术上有没有把握呢?

洋山港址地质构造稳定，石材资源丰富，对工程建设十分有利。从自然条件情况分析，港区水工建筑物的年施工作业天数在250天以上，按这样的工作时间考虑，水工建筑物可满足一期工程的施工进度要求。一期工程需陆域面积约1.28平方公里，可以开山填海或围堰促淤形成。从目前国内集装箱码头建设的情况看，大、小洋山海域自然条件虽然恶劣，但不存在不可克服的技术问题。

规划进港航道总长为68公里，航道宽度按双航道考虑为500米，通航水深为15.9米。调查发现，其中约10公里浅段需要开挖，浅段的平均水深为13.3米，最浅处为12.1米。航道一期工程按单航道考虑，航道宽度为260米，年维护量为200多万方，是目前长江口航道维持7米水深时疏浚维护量的五分之一左右。对这样大规模的集装箱港区来说，这一疏浚量是完全可以接受的。

跨海大桥尽管总长达30多公里，但非通航孔段占绝大部分，依据桥址区域的气象、水文和地质条件，桥址区水深在6米~8米，地层分布比较均匀，桥型方案属于常规型式，在国内外均有实例，在技术上是完全可行的。从施工角度分析，从洋山到大陆这一海域，年施工作业天数可达180天以上。按目前国内现有的施工水平，大桥可以在4年内建成。

一句话，大、小洋山海域建深水港，技术上完全没有问题。

另外，从环保角度考虑，洋山深水港区的建设也是可行的。根据洋山海域环境影响评价报告，港区建设对施工区域及附近环境会产生一定的影响，但影响范围和程度有限。由于洋山渔场不是舟山渔场的主要生产区，捕捞生产和海水养殖规模比较小，因此港区建设基本不会影响渔业生产。经科学规划和采取环保措施后，工程对附近海域的资源可能造成的影响不大。加上深水港处于江海交汇处，水域具有强大的扩散和自净能力，其造成的环境影响比在城市外围建港要小得多。

洋山深水港建设，充分适应了国际航运业目前的发展趋势，将充分发挥周边一大批支线港、喂给港的作用，促进长江三角洲港口的合理分工和协调发展。它有利于充分完善全国多式联运网络，大力吸引集装箱国际中转，提高我国在国际航运业中的地位及综合竞争国力。它不仅有利于浦东开发，加快上海“一个龙头、四个中心”的形成，而且更能发挥长江黄金水道的作用，加强东西部交通的联系，扩大上海经济中心城市的对外辐射力，从而优化沿江产业布局，促进对外贸易发展，形成商品流、资金流、人才流、信息流的集聚，带动“长三角”和整个长江流域地区经济的新飞跃。

洋山深水港工程与长江内集装箱码头和沿海近岸工程相比，虽然单位泊位的投资偏大，但与深圳盐田、韩国釜山等港口相比，投资相当，且随着后续工程滚动开发，集装箱枢纽港马太效应逐步形成，整个深水港工程的财务效益将大大提升。这一点，航运业各大公司看得很清楚。国内外著名的码头经营公司和船公司纷纷表示了投资意向，国内多家金融机构也明确作出了贷款承诺，一致看好在大、小洋山海域建设深水港。

对历史负责，单单论证就用了 6 年

即使如此，洋山深水港工程的前期论证，还是走过了一段漫长的、无可挑剔的道路。按照科学发展观的思想来指导一项国家战略工程实践，在洋山深水港建设中得到了最生动的体现。

洋山深水港工程是上海开埠以来最大的港口建设工程。为了贯彻落实党中央、国务院关于加快建设上海国际航运中心的战略决策，上海市委、市政府将深水港工程作为重中之重的项目来推进和落实，专门成立了上海国际航运中心上海地区领导小组办公室，负责综合协调推进洋山深水港工程建设前期工作。深水港工程前期工作自 1996 年 9 月开始，至 2002 年 6 月国家正式批准洋山深水港区一期工程初步设计和开工报告，前后历时近 6 年。6 年中，国内外 130 多家权威专业研究机构和高等院校 5 000 多人次的科研人员参与了新港址论证和项目前期工作，完成专题研究 200 多项；参加各专题成果评审和咨询的国内外知名专家、学者达 900 多人次，其中中国科学院、中国工程院院士 100 多人次。这在上海重大工程建设中是极其少见的。

1996 年 9 月，根据国务院和交通部有关文件精神，上海市委托十多家中央在沪及上海市的科研、设计、勘察单位，开展新港址论证工作。重点围绕洋山港址，分建设目标、战略定位、发展模式、实施步骤及相关政策法规等 11 个专题开展了基础研究工作。与此同时，在洋山海域实地进行了两次大规模的同步水文泥沙测验和气

象观测、地形测量、地质勘探等外业工作，开展了波浪、潮流、泥沙、气象、地质、海床演变、模型试验等多学科综合研究。在此基础上，于1997年3月编制完成了《上海国际航运中心新港址论证报告》及附件等共计材料26册11个研究报告，并于1997年11月报送给交通部。在对洋山新港址开展重点论证的同时，上海市还组织专家对宁波北仑、江苏太仓、浙江衢山和上海人工半岛、长江口九段沙成陆等多个深水港选址方案进行论证比较。专家们认为，在大、小洋山建深水港具有其他方案难以替代的优势。通过新港址论证，从战略上确定了洋山深水港址是把上海建成国际航运中心枢纽港的合理港址。

在新港址论证工作取得突破性进展的基础上，上海市紧接着开展了上百个专题的研究论证，旨在解决洋山建港的重大技术和经济问题。1998年底，编制完成了《洋山深水港区总体布局规划》、《港区一期工程预可行性研究报告》和《芦洋跨海大桥（即今东海大桥）一期工程预可行性研究报告》及相应的专题报告。1999年初，又通过国际招标，委托国际著名的工程咨询机构对国内编制的洋山深水港区建设方案和前期工作进行了评估。经过国内外专家的共同努力，1999年8月，上海正式向国家计委上报了《洋山深水港区一期工程项目建议书》。1999年10月，国家计委组织专家分宏观经济和技术经济两方面对洋山深水港项目进行审查。2000年1月，国家计委又开展了国际咨询，从国际竞争的大环境确认洋山深水港建设的必要性、紧迫性和技术方案的可行性。

洋山深水港工程通过国家计委组织的审查后，有关各方对在洋山建集装箱枢纽港仍未统一认识。

2000年11月，中共中央总书记江泽民同志对建设上海国际航运中心洋山深水港区作出重要批示，为尽快将上海建成太平洋西岸国际经济、贸易、金融和航运中心城市之一指明了方向。

江泽民同志的重要批示，在洋山深水港建港决策上起到了决定性的作用。12月底，国家计委遵照江泽民同志批示精神和国务院的指示，在京召集有关各方就洋山深水港工程项目统一了思想认识，与会同志代表省市和部委表达了支持洋山深水港工程项目的愿望。

2001年春节前，时任国务院副总理的吴邦国同志亲自率领国务院有关部委领导视察大、小洋山，为国务院正式批准洋山深水港一期工程项目立项打下了基础。

2001年2月，国务院第94次常务会议正式批准洋山深水港区一期工程立项。2001年3月，国家计委正式下发项目立项批复。

此后，上海市又将洋山深水港区一期工程的可行性研究继续深入下去。针对港区总平面布置和一期工程建设方案、大桥建设方案、环境影响评价、投融资方案等一些重要技术经济问题，上海组织开展了一系列专题研究。2000年初，形成了《洋山深水港区一期工程可行性研究报告》的初稿。此后，又进行了一系列深化、细化、优化工作。鉴于该项目工程地处浙江省嵊泗县，根据大团结、大联合、大协作的指导原则，上海市先后与浙江省有关方面进行了多次接触和沟通，在充分听取浙江省、舟山市、嵊泗县等政府及有关部门意见的基础上，对工程可行性研究报告又进行了补充完善，先后十二易其稿，最终形成了累计200万字以上的《洋山深水港区一期

2005年12月10日，一辆集装箱车开过东海大桥。当日，上海国际航运中心洋山深水港区正式开港，连接洋山港和陆地的通道东海大桥同日开通，从此，上海告别了没有深水良港的历史。

工程可行性研究报告》，并于2001年10月正式报送国家计委。

2001年12月份，中国国际工程咨询公司受国家计委委托，组织国内70多位权威专家对《洋山深水港区一期工程可行性研究报告》进行了评估。2002年3月，《洋山深水港区一期工程可行性研究报告》经国务院审议通过，国家计委正式下发批复。

洋山深水港工程是把上海建成东北亚国际航运中心的基础工程，从参与国际竞争和上海的现实需求出发，必须快上、早上。为进一步落实中央的战略决策，搞好洋山深水港区建设，上海市委、市政府于2001年7月成立了上海市深水港工程建设指挥部。指挥部成立后，紧紧围绕建设国际集装箱深水枢纽港和东北亚国际航运中心的目标，根据国家基本建设程序的要求，一期工程可行性研究报告获得批准后，即组织有关科研、设计单位全面开展了一期工程初步设计工作和开工前的各项准备

2005年12月10日，上海国际航运中心洋山港码头的桥吊起吊集装箱。（图片来源：新华社）

工作。

与此同时，积极筹建项目投资建设主体。2002年4月，上海市政府批复成立上海同盛投资（集团）公司，作为洋山深水港工程的投资主体，并根据洋山深水港区一期工程的特点，分别与浙江省及有关方面合资组建了港口、大桥和港城建设公司。

2002年6月，国家计委委托上海市政府会同交通部审查批准了洋山深水港区一期工程初步设计。6月26日，洋山深水港工程正式开工建设。

经过2 000多个日日夜夜的奋战，一期工程5个泊位在2005年年底建成。

洋山深水港也于2005年12月10日正式开港。

洋山深水港以其独有的优势，成为长江三角洲与南中国地区集装箱疏运中心，成为太平洋西岸一座名副其实的国际集装箱枢纽港。

2005年12月10日，一条货船停靠在洋山港码头。（图片来源：新华社）

建设深水港区的领军人物

上洋山岛的第一天，我就跟着归墨去工地。

说起归墨，洋山岛上无人不晓。大家都叫他“归指挥”。

我们并不是第一次相遇。2004年秋，上海市委宣传部领导与几十位作家、艺术家来洋山深水港工地参观，陪同并作详细介绍的就是归墨。

我与归墨一见如故。听他讲一口上海话，我问他住上海哪里，他说住在虹口。我问:“虹口哪一带?”他说:“四川北路。”我说:“这一带我很熟了，我在复兴中学那里住过很久。”他说:“复兴中学？我整个中学时代就是在那里度过的，太好了……”

一说起复兴中学，说起山阴路、甜爱路、鲁迅故居……我们的心就靠近了许多。后来我写洋山深水港，写归墨的故事，就是从虹口落笔的。

原来，虹口山阴路一带，有两条弄堂首尾相连，一条叫“积善里”，一条叫“祥德邨”。街坊邻居们怎么也不会想到，这里会同时走出洋山深水港的两位工程前沿指挥员：一位叫归墨，一位叫黄融。归墨是“洋山深水港港区建设分指挥部”的指挥，黄融是“洋山深水港东海大桥建设分指挥部”的指挥；港区是洋山深水港的主力工程，东海大桥是洋山深水港的配套工程。

积善里和祥德邨，在上海市区的深处如此平和、如此安详，而在100公里以外的东海之上，归墨和黄融却带领着千军万马，栉风沐雨，劈波斩浪，做着惊天动地的事业。

每次去工地，归墨总是先戴上安全帽，也叮嘱我戴上安全帽。去的时候，人还算干净，回来时往往一身尘土，衣服前后都是斑斑汗渍。这样的日子过了不知道有多久。关于洋山深水港的事情，有许多都是跟着归指挥去工地的路上知道的。

什么时候才能有上海的深水港?

“世纪快航号”客轮是深水港建设指挥部的工作船、交通船。那是一艘双体飞翼船，俄国制造，最高时速55节。全速航行时，就像贴在大海上飞翔的一只大鸟。我们都是星期一一早在芦潮港登船上岛，周末才乘着它回大陆去。

即使在“世纪快航号”上上下班，归墨也常常处于办公状态，他要么跟工程骨干们研究问题，要么找人谈话，要么给记者们介绍情况……记得有一次，他给我介绍近年来上海港建设的概况，现场画了一张图表——《上海港历年集装箱吞吐量一览》。他的记性真好，从第一行“1980年，3万TEU（标准箱）”，到最后一行“2004年，1 455万TEU”，每一年的数据都是信手拈来。

上世纪70年代，当人们还不知道什么叫“集装箱”时，归墨就开始参与集装箱运输事业的创建了。归墨说，那时既没有桥吊，也没有空箱堆高机，只有“冈茨”门机，还有老式的起重机。为了把集装箱从货船甲板上吊起来，还要用“浪风绳”把四角扎住，挂上吊钩……现在想想，真是太落后了。

日本人真的很精明，见上海港没有集装箱吊车，便乘虚而入，专门驶来了一艘“东海号”，一次可运200只集装箱。“东海号”本身就装有船吊，到达上海港后，轻而易举就把集装箱从船上吊到了码头。这一幕看在眼里，归墨不由暗生羡慕。

这段时间，上海港的集装箱运输几乎成了“东海号”一家的专利。日本集装箱技术的先进与成熟，使当时的上海港人都很受震动。

“什么时候才有我们的大规模集装箱运输事业？什么时候才有中国自己的深水港？”从这时开始，与集装箱运输紧紧连在一起的“深水港”，就成了归墨的重要追求目标。

20年，历任上海市领导都重视深水码头的发展与建设

上海地处长江口，濒临东海，黄浦穿城而过，天然是个港口城市。但真正的“集装箱专用码头”进入上海，不过20年光景。

这20年，正逢归墨盛年，也是他全身心投入上海港建设的20年。一路走来，历任市委书记市长都把港口建设看得很重。

1986年的一天，归墨突然接到市府一个电话，说有要事请他立即回工地。这一天，对归墨的一生都很重要。

当时，交通部争取到一笔世界银行贷款，提供给上海、天津、广州三市，将部分老港区改造成集装箱专用码头，归墨是现场项目主管。他回到张华浜工地才一刻工夫，江泽民同志便轻车简从，冒雨来到码头上。

这时江泽民同志到上海工作还不久。他已经预见到集装箱运输在未来经济发展中的巨大潜力，十分重视集装箱港口建设。他顶着风雨踏上工地，察看码头改造现场，又向归墨仔细询问了工程进展和世行贷款使用情况，嘱咐归墨要兢兢业业，把上海的第一批集装箱专用码头建设好。这一天的经历让归墨更加深切地知道：自己从事的建设，与上海这个城市的发展是如此息息相关。

六年后，江泽民同志又一次来到归墨负责指挥建设的外高桥港区一期工程工地。面对上海集装箱专用泊位的发展，江泽民同志大为振奋。他的神情，也使归墨大受鼓舞。

这里要讲到一个背景：上世纪90年代，上海经济飞速发展，需要更多的优良港口，而黄浦江岸线利用殆尽，上海港不得不转向长江口发展。

归墨在吴淞、宝山、吴泾等地完成一系列大码头建设后，移师外高桥，开始了新一轮的搏斗。这时，朱镕基市长在一个会上下令："港务局，给你们28个月时间，完成外高桥一期工程，如果到时拿不下来，唯你们是问！"

这就是"朱镕基执政风格"。归墨始终未敢忘记朱市长威严的指令，天天出没于外高桥工地的风雨尘土之中。两年后，他把上海第一批成规模的集装箱泊位提前交给了市里，获得了市领导的高度赞扬。

其时，国际集装箱运输船舶大型化等趋势加速发展，韩国釜山说要建"21世纪环太平洋中心港"，我国台湾省高雄提出要建"亚太营运中心"，日本神户则在《地震重建宣言》中提出建设"亚洲母港"，说法不同，但焦点都是要竞争国际集装箱枢纽港。这一态势对上海港形成巨大压力。

归墨清楚地记得，在洋山深水港开工之前，就是当时的市委、市政府领导在市府大楼找他们集体谈话，强调上海国际航运中心的核心是建设集装箱枢纽港，洋山的重要使命就在于此。这时，洋山深水港的建设已箭在弦上，只等着开工的那一声锤响。

2002年3月13日，国务院批准了《洋山深水港区建设工程可行性报告》。这一天归墨在哪里？他已经在嵊泗列岛上，已经作好了开工的一切准备。

市领导找归墨谈话，明确指示：从今天开始，你要全身心地转到洋山深水港的建设中去。

归墨接到任命，感慨万千：按照工程前景，洋山深水港一期工程建成后，上海港每年将获得300万标箱的增量；至2008年，洋山深水港将拥有13个泊位，那时，上海港集装箱吞吐量将超过2 000万标箱，有能力问鼎世界第一。这是自孙中山提出建设“东方大港”以来，中国多少志士仁人梦寐以求的理想啊！机遇千年难得，无论如何要把工程拿下来！

一年半之后，归墨指挥的第一个“硬骨头工程”——北围堤——胜利合龙，市委、市政府领导十分重视，专门写来了祝贺信。以后数年，市委、市政府负责同志经常上小洋山岛工地视察工程进展情况。尤其是韩正市长，身为深水港工程建设的总指挥，经常亲自出面，拍板解决工程中的重大问题。每年“小年夜”，韩市长总会在风浪中踏上小洋山岛。这一天，是韩市长与建设者一道吃年夜饭的日子。

归墨知道，这个安排，在市领导工作日程上是雷打不动的。

1∶51，归墨处于绝对少数……

洋山深水港建设从何着手？两个方案之争一直很激烈。一个是“小洋山方案”，一个是“镬盖塘方案”。

大多数专家赞成“小洋山方案”，因为小洋山面积较大，依托小洋山建港难度低。

但归墨却赞成“镬盖塘方案”。他认为采用“镬盖塘方案”，工程难度虽然较高，但避开了居民动迁这一难点，可以在无人区立即施工，开工时间大大提前，实际上成本更节省。归墨早期参加深水港建设可行性论证，是专家组的52名专家之一。可在建港两大方案比选中，结果竟是1∶51，归墨在专家中处于绝对少数。

有一位中国工程院院士，也是52位专家之一。他是归墨在大连工学院的老师，曾亲自给归墨教授过“水力学”，是归墨最为尊敬的一位先生。他在专家论证会上对归墨说：“归墨，再听老师一句话，还是‘小洋山方案’可行。依我看，你是给征地征怕了吧？其实，洋山深水港是国家重点工程，就像三峡工程一样，只要国家一声令下，征地移民‘一锅端’，很快就可以顺利结束。”

在场的专家们发出了善意的笑声。归墨面对自己尊敬的老师，不好多说什么。但他的观点没有轻易改变。

归墨从“普工”做起，扎钢筋、挖电缆沟；亲历港口建设20多年，深知动迁工作之难。建设外高桥港区时，他被动迁居民围攻过多少次，已经数不清了。平心而论，作为一个指挥员，他觉得自己在动迁上耗费的心血要大大超过工程建设本身。

面对又一个大工程，面对又一次大动迁，归墨心想：老师啊，您在校园里教书，不知道这里有多么不平静；移民实际包含征地、动迁、安置，每个环节都充满了曲折和无法预知的变数。现在举国讲求社会稳定，小洋山岛又是“异地安置”，除了 3 500 人需要动迁，还有近 4 000 座坟墓需要安排，这里的工作千头万绪，哪里能“一锅端得了”……

2002 年 6 月，深水港正式动工，归墨被任命为总指挥部成员、港口分指挥部指挥。他努力说服了包括老师在内的专家，用“镬盖塘方案”打下了第一根码头钢桩。

事实证明他的预见是对的，尽管动迁在浙江同志的努力下进展神速，但毕竟需要时日。当镬盖塘周围已经形成了大片陆域，为深水港一期工程打下了扎实的基础，而此时小洋山岛那里，居民的动迁工作还没有结束。归墨坚持的“镬盖塘方案”，使一期工程建设与岛民动迁工作平行操作，这一大胆抉择，至少为洋山深水港建设赢得了整整一年的宝贵时间。

国家队：深水港建设的“王牌”

小洋山是东海的一个小岛，那里水深流湍、风急浪高。要问风到底怎么猛、浪到底怎么凶，我这里不妨先举两个例子：

2002 年夏季，深水港建设者在海里打下了第一批钢桩。没多久，台风“申克”袭击小洋山岛。风如响鞭，浪如滚山，人站在海边，简直会被吹倒。有一天人们忽然发现：有 4 根直径 1.2 米的钢管桩，竟在风浪中因“金属疲劳”被拦腰折断……

夏季台风厉害，冬季海风也极威猛。2003 年冬天，一阵强大的季风从北方刮来，滔天巨浪直扑新筑好的东围堤。傍晚撤退时还好好的，第二天早晨再一看，只见 300 米长的堤坝，上部已被浪潮削去一层，6 吨重的大石头，竟被大浪从堤坝的这一边打到了另一边……

在远离大陆的外海深水建设大港，这对于中国人来说是第一次。10 年前，归墨在宝山一带建造罗泾码头，离长江岸边 1.2 公里；可这次在小洋山岛，离岸竟达 32 公里！深海孤岛上建起的洋山深水港，最终泊位将超过 30 个，这一规模是世界少有的；在缺淡水缺电力的条件下进行海上长期作业，工程艰巨性也属世所罕见。

归墨几次跟我说，日本的关西机场，也是深海造田建设起来的。他们筑堤最深处为负25米，日本已有媒体说，“这是世界上最了不起的深海工程”。而我们在东海建设洋山深水港，筑堤最深处达到了负28米，比关西机场那里还要深3米。从作业环境来说，大阪湾风平浪静，而大、小洋山海域却是潮险流湍、风急浪高，工程量也要大大超过关西机场。

归墨就是迎着这样的风浪，指挥六千余众，登上小洋山岛去强攻的。为什么他敢去打这样的战役？因为他手中握有几张“王牌”：设计有三航院，填海有上海航道局，爆破有解放军工程兵，打桩有三航局、“港工”……这些单位，一个个都是“国家队”。

归墨相信解放军部队的勇气——

解放军工程兵是第一支上岛的队伍，带兵的是工程学院爆破研究所所长王自力大校。

王大校早就作为爆破专家参加过深水港建设可行性论证，对小洋山地形地质十分熟悉。春夏之交，王大校率兵上岛。镬盖塘岛巨石遍地，陡峭如壁，部队开来登陆艇，可就是没办法登上去。

归墨对王大校开玩笑：“难道这样的小岛你们都拿不下来？”王大校笑笑，说：“你别急，看我们的。”他们用铁镐开路，一镐下去，居然火星四射，岩石纹丝不动。他们一狠心动用了炸药，先炸出50平方米的小平台，让一台轻型挖掘机扎下根来，然后再一步步扩大工作面……

如今，镬盖塘岛早已不见了影子，无数次惊天爆破，荒岛变成了广场；几百万方石料筑成堤坝，填为海港。当年连一台挖掘机都无法立足的地方，现在呼啸着上百台大型钻机和挖掘机，有200多辆自卸卡车来回奔驰，成为望不到边的一马平川。提起工程兵这支开路先锋，归墨放心、满意、自豪。

归墨相信上海航道局的魄力——

一听说洋山深水港要造陆几千万平方米，上海航道局局长宗源远就立即拍板：用1亿美元，向荷兰订购耙吸式挖泥船“新海龙”，交船后，直接开到洋山海域施工。

“新海龙”排水3万吨，仓容1.3万立方米，是世界上最先进的挖泥船。接着，他们又买了2艘万吨轮，改装为“新海象”、“新海鲸”挖泥船，在洋山海域形成兵团化施工格局。

归墨对宗源远的深谋远虑十分赞赏。早在一年以前，宗源远就派出副局长和总工程师，在50海里范围内“秘密”探寻洋山深水港工程成陆要用的沙子。到开工前夕，他手里已经掌握了5 000多万方的沙源。填海成陆是洋山建港的主要工程，5 000多万方沙源，是上海航道局手上最强硬的资本。

曾在新加坡、巴西、墨西哥等国海域大显身手的上海航道局，埋头在洋山波涛中打造一条前无古人的海堤。这条海堤长1 280米，截断的海沟平均水深18米，最深处达28米。他们集中1 000多人、200艘船，抛下数百万方石料，与狂风恶浪整整苦斗了10个月，才把这条海堤建成。这就是得到市领导称赞的关键工程北围堤。与此同时，上海航道局几十艘挖沙船不断吹沙成陆，滚滚巨浪中，硬是用沙子吹出130万平方米土地，相当于200片标准足球场。宏伟的深水港，就建立在这一片新大陆之上。

归墨相信三航院的设计能力——

这是交通部所属的著名设计院，国内40%的港口码头都由它承担设计。

归墨相信三航局的攻坚战斗力——

东南沿海千百公里岸线，到处都有他们打下的桩基。

归墨相信“港工”的活力——

这支由年轻人带领的队伍，战斗力越来越强大。

……

“用人不疑，疑人不用”。这一支支“国家队”，都是久经考验的队伍，他们像岛上的岩石，经得住任何击打。信任，对于工程指挥员来说，是一种凝聚的艺术、激励的艺术，在信任中与千万建设者风雨同行，归墨的指挥为此充满了感性与激情。

小洋山岛进行的是一场世界罕见的“造陆运动”。按照规划，洋山深水港最终将形成10公里长的码头岸线，深水泊位将达30多个。世界上最权威的技术咨询公司——美国罗伊斯·伯格公司的资深专家阿纳托利说:“我走遍世界每个港口，也见过有的国家在近海建港，但是，像这样在离大陆30多公里的孤岛上建成如此规模的大港，我还是第一次看到。”

让天下智者都来分忧

“在美国，造一个深水泊位一般需要一年，而你们在孤岛上用10年要造30多个深水泊位，不可思议！”数次来过小洋山的阿纳托利还这样说过。

归墨并不满足于这样的评价。他更看重的是洋山深水港的工程质量。他几乎每天都在说：洋山深水港要接受世界的检验、历史的检验，如果它质量有问题，我们连返工的时间都没有！

说这话的时候，他的眼睛直直地盯着你，让你觉得，他说这话绝对不是开玩笑，建这样的大港也绝对不容开玩笑。

2003年6月17日晚上，海边突然传来一声巨响，有人来报：工作船码头引桥发生垮塌！人们急急赶到现场，只见桥面塌陷下去20多米，6根方形混凝土桥桩断裂……

虽然工作船码头只是个临时工程，但这次坍塌仍是一场震撼人心的事故。由于在选址问题上观点不一，事故发生后有专家说：“我早就断言，小洋山这里不适宜建港！”一时，社会上议论纷纷，外地甚至误传“洋山深水港大码头发生了垮塌”。作为工程指挥，归墨承受着巨大的压力。

这种事情，建设过几十个大港的归墨已经见多了。“每临大事有静气”，这是他。他仔细察看现场，一边向指挥部领导汇报，一边召集设计施工人员开会进行事故分析。

设计师和工程师们以为归墨要来追究责任，一个个惴惴不安，却未想到，归墨说的第一句话就是：“我是工程第一责任人，这一事故主要责任在我。”

他的话说得沉重而恳切，众人听了不由眼底发热。几天后，各地赶来的专家们找出了事故发生的原因。原来，人们对这个临时工程多少存有一些轻敌思想，去淤泥换沙石做得不彻底，加上驳岸地质条件差，造成岸坡滑动。这一切，又都源于人们对小洋山地质结构认识不足。

坍塌使人们变得警觉和聪明起来。归墨说：“深刻分析事故，是为了吸取教训。未来大码头设计施工，我们就再也不会重蹈覆辙。”

许多人庆幸工作船码头事故发生得早，深水港没有选择在这一区域开工，归墨因此算得上是一员“福将”。他们说，如果深水港把早期建设的钢桩打在这里，也产

2005年5月25日，东海大桥全线贯通仪式现场。（陈飞/摄，图片来源：新华社）

生同样的滑坡、垮塌，那就是一场惊天大祸！

“福将”归墨却不以为然。面对这一“小工程”发生的事故，他充满了自责和警觉，却不存在丝毫侥幸的想法。在他看来，“侥幸”是工程建设者，尤其是工程指挥者的天敌，历史上不知有多少房屋桥梁，因为造房架桥人心存侥幸，最后房塌桥断，给人们留下了血泪痛苦，也给自己留下了万世骂名。他组织人再次勘探小洋山地质，扎扎实实地修改未来大码头的设计方案。后来的深水港码头，就不再采用抛石堤驳岸结构，而是先打砂桩加固驳岸地基，再采用密排钢管桩加倒滤层结构，彻底消除了事故隐患。

“如履薄冰，如临深渊”，归墨从来就把工程质量看得比自己生命还重。他自知个人势单力薄，所以，他要让天下的智者都来为他分忧。

归墨上世纪60年代在大连工学院毕业，40年来没有离开过建港第一线。他人缘好，朋友多，国内的，国外的，都愿意来上海助他一臂之力。全国各地的中科院院士、工程院院士、水工专家、教授高工，远至荷兰的专家，美国的博士，都是他的朋友。有的老专家把洋山深水港看作自

全线贯通的东海大桥远眺。（陈飞／摄，图片来源：新华社）

己的基地，一个月内几次往返京沪之间，风尘仆仆，为归墨出谋划策。迄今，归墨主持召开的各种专家会议有128次之多。借助国内外专家的智慧，归墨“站到了巨人肩上”，他的指挥举重若轻，决策越来越机智、越来越成熟。

2005年10月9日，这是不平凡的一天。这一天，刚刚建成的洋山深水港码头将迎来第一艘世界级巨轮靠泊。

归墨站在新建的洋山深水港码头上，等待马士基公司“克莱门特号”船靠岸。这艘船是全世界在航集装箱轮船中最大的一艘，可载集装箱9 000个以上，甲板足有三个足球场那么大。从到现场开始，归墨一直在与人谈话，人们似乎还听见了他的笑声。可在“克莱门特号”巨轮靠岸时人们才发现，归墨的神情其实非常紧张。他的眼睛一直紧紧盯着码头护舷板；船在激流中停泊后，他的视线一刻没有离开紧绷的缆绳和系缆桩……直到“克莱门特号”两个小时后离开洋山港水域，工程师们报告了测试数据，归墨才重新舒眉微笑。

测试数据表明：这艘世界最大船舶的停靠，只使护舷板橡胶圆筒微微发生了厘米级的弹性变形；至于系缆桩等设备，在经受了10多万吨巨轮如此惊人的牵引之后，没有一丝移位！

知情人说，接连两艘世界级巨轮试靠洋山，与其说是马士基公司对上海深水港的一次探营，还不如说是对归墨以往三年业绩的一场考试。

在海风吹打下，归墨面呈倦色，两鬓似乎一下子渗出许多白发。这些白发，透露出这位指挥员的辛苦与沉重。

人们哪里会知道，和同事们一道长期坚持在小岛上的归墨，经常会在无人注意的瞬间，从口袋里悄悄摸出几粒药片塞进嘴里。听着他在风雨声中的高亢嗓音，谁又会想到他是个多年的糖尿病患者？

洋山深水港一期工程竣工后，一边开港运营，一边继续进行二期、三期工程的施工。这个时候，归墨正在迈向60岁，迈向一个被中国人普遍看作可以退休的年龄。

一个甲子，对中国人来说是件大事。归墨的一个甲子，三分之二的光阴花在了港口建设之中。港口建设已经融入他的血液，化为他生命的一部分。此刻，面对洋山深水港一期工程的成功和后续工程的全面推进，他终于可以透口气，也终于可以对朋友、对师长说这样一句话了——

这一个甲子，我活得有些意思！

“我负完全责任”

尊重专家，却又不迷信专家，这是归墨指挥港区建设给我留下的最深刻的印象。

深水港一期工程形成130多万平方米“新大陆”，如何继续建设成为港区，地基处理是最关键的。对于软土陆域如何加固，专家们有着激烈的争论。大部分专家从“保险”出发，认为应进行“深层加固”，利用嵌入纸版排水等工艺，把加固深度设计为海床地下20多米；而归墨认为，深层加固成本高、费时长，使用期沉降量却不一定小，不符合“一期工程三年完成”的要求，比较而言，还是“浅层加固”可靠。

专家组的同志们说:“深层加固保险系数高，你归墨为什么反对？”

归墨说:“让我们来看实践：××码头用了深层加固工艺，现在情况怎么样？沉降了一米多，有的建筑也倾斜了，事实证明效果并不理想。”

专家组的同志们又说:“那么你搞浅层加固，依据又在哪里？”

归墨说:“我们还是看实践，关键是算准未来集装箱的荷载。外高桥港区从一期到五期，用的全是浅层加固工艺，现在情况怎么样？地基不是很稳定吗？港区营运不是很正常吗？”

搞设计的同志说:“我们认为浅层加固风险太大，如果你要坚持，要留下书面的东西。”

归墨冷静地说:“可以，我负完全责任。”

归墨指挥洋山深水港一期工程陆域加固，绝大部分采用了浅层加固工艺。开港以来营运实践证明，用这种工艺加固的效果很好，均匀沉降只有6厘米～10厘米，而成本只有深层加固的三分之一，工期还缩短了一半。

归墨对工程负责，对同事负责，也对自己负责。他看重他的个人名节。

四年前，市领导找归墨谈话，明确说:“你到港区担任党委书记、董事长，是建设的第一责任人。”“第一责任人”的说法使归墨内心很受震动。他后来回顾说:“我当时已经56岁，三年半后深水港开港，正好59岁，社会上有‘59岁现象’，我59岁交给组织的会是怎样的一份答卷呢？”

这问题归墨一直念念不忘。他跟我说:“我建港建了40年，就像一个长跑运动员一样，建设洋山深水港是我这辈子跑的‘最后一圈’了，这最后一圈要是出了什么问题，我一辈子也就完了。”

我问他：“你说的‘问题’指的是什么？”

归墨说：“工程腐败。你知道，我从黄浦江、长江口一路过来，工程设计、施工和管理，心里有谱；但在管人的问题上，我忧虑重重。基建领域这几年来一直是职务犯罪高发区，洋山深水港又是在聚光灯下建设，世界上都有影响。要是有人在深水港建设中搞腐败出丑闻，那可不得了啊。而建港队伍几十支，有上海的，有外地的，这么多队伍我能带好吗？”

归墨为此带兵很严，指挥部里规定有几个“不准”。我对其中“不准打牌”有些不解，遂问归墨：“这是否有些过分？”归墨说：“一点也不过分！施工现场很复杂，我们是代表国家方的‘业主’，如果跟承包商或监理方的人一起打牌，在牌桌上就‘没大没小’了，有些人就可能借打牌来讨好你、贿赂你，国家业主的权威将在牌桌上失去，这个漏洞就大了！”

组织上派归墨去市委党校学习，他认识了同班学员、反贪局长周福明。两个人一说起防范工程腐败，十分投契，决定联手紧密合作，把深水港工程当成反腐败的“试验场”。几年后，指挥部根据小洋山地区特点，与嵊泗、南汇、舟山及上海市、浙江省的同志一道，形成了“两地四方”检察院监督体系，共同建起了一张反腐网络。数年来，深水港工程取得了巨大成功，而大小参建队伍也没有发现一个干部“中箭落马”。

我办公室隔壁就是分指挥部计财部。听他们介绍，港区每项工程结束后付款，竟要过五道“签审关”，工程款才能汇出。归墨还特意交给财务人员一把“尚方宝剑”：只要发现付款不符合制度和合同要求，即使他归墨已经签字，也可以扣住不付，直到搞清楚为止。

深水港工程投资巨大，归墨算过，他平均每天在手里要批出去近千万元。由于机制好、把关严，近四年来他们经手工程款近百亿元，至今没有坏过一笔账。

“向归指挥看齐”

下面这件事，是指挥部同志告诉我的——

2002年的一天，是归墨岳丈大殓的日子。归墨父母去世得早，他长期与岳丈生活在一起，情同父子。可这一天，又是深水港建设的一个重要节点：全国各地专家来上海进行初步设计评审。两边都是天大的事情，怎么办？

归墨人在会场，心里却想着殡仪馆里躺着的老人，十分为难。就在设计院同志介绍设计方案、灯光暗下来的时候，归墨匆匆走出会场，飞速赶到火葬场，流着泪跟老人鞠躬最后告别，旋即赶回会场继续进行评审。他离开殡仪馆时，亲人们都对他很有怨言。归墨说："真是对不起大家了，我既然在洋山深水港当了工程指挥，忠孝就不能两全，时间长了，相信你们会理解我。"

岛上的年轻人都很尊敬归墨，把他当成父兄。遇到什么困难或危险，总是对归墨说："我们年轻，我们上一线，你在指挥部坐镇。"可归墨从来不要这个照顾。他曾经跟市领导承诺过：坚决不做"遥控指挥"，而要到第一线去"贴近指挥"。他给自己下了死规定，一年360天，跟大家一样长住岛上，每周按规定时间回家；遇到最恶劣的气候，最困难的情况，最重要的节点，还有固定长假的第一天，他一定坚守在第一线。2005年，"麦莎"台风正面袭击小洋山，风速每秒45米，风力超过12级，他把员工送上大客车回上海避风，自己却和几位同志留岛值班。台风是深水港的心腹大患，韩国釜山港就曾在2003年"鸣蝉"台风中遭受重创，6台桥吊被吹倒，损失数亿美元。洋山深水港15台桥吊刚安装好，都是世界最先进设备，归墨最担心的就是它们。他带领一批骨干顶着风雨，冒着被飓风吹到海里去的危险，对桥吊等大型设备一一细查，每台桥吊都上足了6道保险锁，才回指挥部。一夜狂风暴雨，岛上有的建筑被吹翻了，连指挥部的钢化玻璃大门也被打碎，但国家用几亿元购置的大型设备却经受了考验，无一受损。归墨跟我说："为什么我们这个机构叫'指挥部'，这就是一种接近打仗的'战时机制'啊。作为指挥员，我常常要发出'向我看齐'的命令，可要是关键时刻你一直缩在后面，有谁来跟你冲锋陷阵啊！"

中国有句老话，叫"时势造英雄"。在小洋山岛上，我常想：归墨这个领军人物，不是天生的，也不是靠他的个人奋斗就能成功的。他是我们这个时代造就的，是洋山深水港这个国家重点工程造就的。他的成长之路，是典型的中国知识分子成长之路。他引领着建设者，也代表着建设者。如果人们认识了归墨，也就认识了洋山建设者，认识了洋山深水港。

（选自上海文艺出版集团《洋山深水港巨变》，2011年5月出版，
作者：彭瑞高）

随访连战的日子

2005年4月，中国国民党主席连战首次访问大陆。这无疑是国共关系史上的一件大事。连战的访问，是祖国统一大业的新进步，也是中国现代史上的一个亮点。

连战，终于来了

2000年3月，随着台湾政党的交替，原本不尽如人意的两岸关系出现新的变数。热心于两岸和平统一的人们为此忧心忡忡。

春雨悄然而至

山重水复疑无路，柳暗花明又一村。

当时间的脚步悄悄迈进2005年春天的时候，突然发生的事情出乎人们的预料。一场“润物细无声”的春雨悄然而至，静静地滋润着海峡两岸久已干渴的土地。草木开始返青，到南方过冬的候鸟开始成群结队地飞回北方。一些事情在两岸之间进行着、发展着。就像经过连绵的阴雨天之后，清晨一觉醒来，雨过天晴，久违的阳光普照大地。那时，人的第一感觉就想深深地吸口气，浑身上下感觉舒服。

世界在变，我们也要变。新年伊始，长期没有太大起色的两岸交流出现复苏的迹象。

应大陆台商的请求，在大陆方面和国民党的推动下，2005年1月，两岸春节包机终于在北京和台北之间航行。按连战的话说，这件事给了他们非常的信心和经验。人们常说，失败是成功之母，殊不知，成功也是更大成功的动力。早在1997年就在脑子里筹划到访大陆的连战，此时到了要下定决心的时候。从年初开始，基于民众对两岸和解的期盼，他便考虑国民党应该行动了。

2 月 27 日，连战在国民党党部宣布，2005 年是黄花岗七十二烈士起义百年纪念，是孙中山先生逝世 80 周年，也是抗战胜利 60 周年。在这个历史性的年份，连战要请国民党副主席江丙坤率团到黄花岗、中山陵致敬。

3 月 4 日，中共中央总书记胡锦涛提出新形势下发展两岸关系的四点意见：第一，坚持一个中国原则决不动摇；第二，争取和平统一的努力决不放弃；第三，贯彻寄希望于台湾人民的方针决不改变；第四，反对“台独”分裂活动决不妥协。胡总书记的讲话在海峡两岸和国际上产生了巨大的反响。

3 月 26 日，中国国民党副主席江丙坤率领中国国民党大陆参访团抵达南京，开始访问大陆。这是 1949 年以来中国国民党首次回到大陆访问，堪称“破冰之旅”。江丙坤在大陆的访问受到热烈欢迎，世界各大媒体纷纷报道，其中绝大多数都是正面的反应。在北京访问时，江丙坤和中共中央台办主任陈云林就促进两岸经贸等领域的交流与合作举行会谈，取得尽快推动实现两岸客运包机“节日化”、“常态化”，加强两岸农业合作，尽快推动解决台湾农产品在大陆销售问题等 12 项共识。陈云林称赞江丙坤的大陆之行“开启了贵我两党之间党与党对话的先声”。

返回台湾后，江丙坤副主席及时将访问大陆的详细情况向连战作了介绍，访问成果可以说是出乎预料。按照连战的话:“先派江丙坤到大陆探路，探的结果很好。”这也最终促成了连战访问大陆的决定。

3 月 31 日，中共中央政治局常委、全国政协主席贾庆林在会见江丙坤率领的中国国民党大陆参访团时，代表中共中央、代表中共中央总书记胡锦涛，欢迎并邀请连战主席在他认为合适的时候访问大陆。在得知中共中央和胡锦涛总书记发出邀请的第二天，也就是 4 月 1 日，正在日本访问的连战就此问题在接受日本记者采访时表示，面对两岸关系的恶化，如果台湾当局无能为力，最大在野党应利用智慧和耐心来建立和解的大环境，国民党组团去大陆是替民进党当局和无能力官员解决问题。他公开回应说:“我愿意接受邀请，到大陆访问。”

4 月 20 日，中共中央台办与中国国民党方面商定：应中共中央总书记胡锦涛的邀请，中国国民党主席连战率中国国民党大陆访问团，将于 4 月 26 日至 5 月 3 日到南京、北京、西安、上海参观访问。

作为中国国民党主席，连战首次访问大陆的背景和过程显得简单而干脆。

“相见恨晚”

4月26日，连战夫妇及随行的中国国民党副主席吴伯雄、林澄枝、江丙坤，秘书长林丰正等抵达南京机场。

“台北到南京可以说距离不是很远，但是刚才飞机降落的时候让我想起来这个访问，间隔了上一次到南京来整整60年。所以今天看到大家，实在有一种相见恨晚的感觉。当时对我们来讲我们很高兴，终于让我们迈出了这个历史性的一步。”连战抵达南京后说出的第一句话便饱含深情。

60年前的1945年，抗战胜利后，连战随母亲从重庆乘船沿长江而下，曾经到过南京和上海，后再乘船到台湾。距离不是很远，却竟然间隔了60年才有机会重回故地，连战的心中自然感慨良多。更令他感慨的是，南京曾经是当年国民政府的首都，也是国民党创党总理孙中山先生安葬之地，国民党与南京有着特殊的历史情结和渊源。然而，作为中国国民党现任主席，面对两岸复杂而又多变的势态，重回南京的连战话语中带着几多心酸和悲怆。

闻听连战的讲话，我不禁联想到连战这次来大陆访问出发前遇到的险情。

连战率领的代表团于当天上午11时许，乘坐港龙KA487航班，从台北桃园机场出发，中午12时40分降落在香港机场，并于下午2时30分左右转乘东方航空公司班机前往大陆之行的第一站——南京。

早晨出发前，连战在台北桃园机场发表了简短讲话。他说，非常希望利用此次访问，增进对大陆的了解，也希望利用这个机会和大陆的领导人就两岸共同关心的问题进行意见交换，两岸朋友应掌握这个契机互惠互助。

连战的讲话受到前来送行民众的欢迎和认可，送行人群中打出了“和平之旅 一路顺风”等条幅，但岛内的“台独”组织也来机场抗议示威，意图强行阻止连战到大陆访问。我在早前的电视画面上看到，警察在维持现场秩序时，发生了激烈的肢体冲突。极度混乱的场面，曾让我们一度为连战能否顺利成行感到担心。

连战访问大陆之前，据台湾岛内一项民调显示，三分之二的人认同支持两岸的和平对话，三分之一的人认为这类访问可能没有太大的效果。对于连战此次的大陆之行，有的民众支持、有的民众不理解甚至反对，是人之常情。但从连战的心里来说，他更希望用一次成功的访问来证实自己当初的决定。

连战接着说:“南京是个具有历史连结、感情连结的地方。我在这里首先向南京市民问安。因为中国国民党十分想念大家，也非常关心大家。”这两句话，不仅道出了作为国民党人此时的复杂、心酸的感情，同样真实地表达了他们在分隔半个世纪之后，对南京民众和大陆同胞的思念和关怀。

连战发表讲话时，话说得很慢，声音也不高，但抑扬顿挫，十分动情。虽然已近傍晚时分，南京的天气依然炎热。因为现场气氛热烈，加之连战讲得激动，不一会儿，他的头上渗出了汗珠。连夫人和陪同人员也不时地掏出手帕擦汗。连战的讲话多次被人们的掌声打断。

每当听到掌声，连战夫妇就会高兴地向大家挥手、致谢。

从连战的眼神中看得出来，他真的十分感动。面对久违的大陆、久违的南京、久违的民众，以及如此热情、盛大的欢迎场面，他不能不感动。尽管海峡两岸的距离并不遥远，尽管仅仅时隔几个小时，时间的变化、空间的变换，竟让他感受了迥然不同的场景和情感。

连战的心难以平静。他和他的中国国民党来得不容易。

拜谒中山陵

时隔半个多世纪，连战和他的同仁们重返大陆、重回南京，他们心中都有一个萦绕了很久但始终未能实现的夙愿，那就是拜谒中山陵。

连战一抵达南京就说，南京是孙中山陵寝所在地，向中山先生致以最高的敬意是他们此行的共同心声和期盼。连战将首次大陆之行的第一站选择在南京，主要想去拜谒国民党创党总理孙中山先生。作为国民党的现任主席，在历经半个多世纪之后能够重返大陆，向中山先生致敬，其中的感念、缅怀、期盼之情实在意味深长。

“连哥，您好”

4 月 27 日，南京阳光明媚。昨日的一场大雨过后，原本就郁郁葱葱的中山陵陵园显得更加翠绿、清新。抬头望去，坐北朝南的中山陵，坐落在群山之间，掩映在茂密的绿树丛中，在清晨阳光的映照下，显得格外宏伟壮观。

我们提前到达中山陵，可能因为时间尚早，游客三三两两，不算太多。可随着时间推移，大量的市民和游客开始陆续进入陵园参观，原本寂静的陵园开始变得熙熙攘攘。游客中有不少是因为看了新闻报道，得知连主席要来拜谒中山陵的消息，专门冲着连战的访问团来的。为了不影响市民和游客的参观，有关部门没有对参观现场实施暂时关闭或限制参观等举措，中山陵正常开放。

8点50分，连战率领中国国民党大陆访问团来了。他们轻轻的脚步踏在陵墓前的青石板路上，发出“嗒、嗒”的回响，似乎是告诉沉睡在这里整整80年的中山先生，他的继任者来看望他了。这是时隔半个多世纪以来，中国国民党主席首次回大陆拜谒党的创始人孙中山先生的陵墓。

连战及访问团成员一律着深色调正装。连战身着黑色西装，搭配深蓝色格纹领带。平日一向喜欢穿鲜亮衣服的连战夫人连方瑀也换上深蓝色暗纹西服裙装，端庄肃穆又不失秀雅之气。

伫立在进门处的“博爱”牌坊前，连战抬头仔细仰望着“博爱”牌坊，表情庄重肃然。此时，对“博爱”早已谙熟于心的他，在距离中山先生越来越近的时候，再来细细品味这两个字里蕴含的意味，对他来讲是多么难得。

从“博爱”牌坊开始，连战一行沿着墓道拾级而上，缓步向上攀登。为迎接这批特殊的拜谒者，中山陵特别打开了平日很少开启的中间大门。从牌坊一直到中山陵祭堂，共有392级台阶、8个平台。据说，这象征着1925年孙中山先生逝世时中国有3.92亿同胞。

连战一边走，一边仔细聆听陪同人员的介绍。每走到一处平台，他都要停下来，或举目远眺，或定睛观看陵园周围的景色和建筑。这里的一切对连战来说虽然有些陌生，但又是备感亲切。

“国民党访问团来啦！国民党主席连战来啦！”很快，这一爆炸性的新闻便一传十、十传百地在中山陵迅速传播起来。开始时，有些游客似乎还不太相信，纷纷四处打听、核实。“什么人来了？”“是台湾的什么人来访问？”“真是国民党来了吗？”

在彼此隔绝了半个世纪之后，终于能够在大陆、在南京、在自己的家门口，看见这些从小就知道但始终没有见过面的国民党人，实在不是件容易的事情。“国民党”三个字，对于大陆民众来说，既是那么熟悉，又是那么陌生。人们熟悉的是当年那段“残酷战斗”的历史，但是现实中“国民党到底是什么样”，对于人们仍然显得十分神秘。然而，大多数人清楚，眼前这批国民党人，并非当年那些国民党人。这批国民党人是为海峡两岸和平而来，为谋求两岸共同愿景和希望而来。

此刻，人们内心深处的热情、期待、探究、好奇之情，一下子爆发出来。人们奔走相告，从四面八方迅速地汇集过来。他们跑着、追着、欢呼着、高喊着，成千上万的游客汇聚在连战访问团的周围。很多人因为看不见，急得纷纷爬上周围建筑物的平台或栏杆。许多家长让孩子高高地骑在脖子上，一些男士索性抱起自己的女友。

一时间，哪里有连战，哪里就有无数的民众、游客和众多的记者。转眼间，连战一行的身影就像一块巨大的吸铁石，吸引了成百上千、成千上万的市民和游客。人们的热情像海洋一样涌向中山陵，涌向连战和他带领的中国国民党大陆访问团的成员们。人们喊出:“欢迎国民党访问团!”“连主席，你好!”“两岸要和平!”

人们不由自主地随着连战的脚步，攀行在中山陵墓道的台阶上，长长的人流逐渐演变成一条长长的巨龙，在绿树掩映的陵园墓道上缓缓地向上攀行。如果当时能够从空中俯瞰的话，那情景一定是“蔚为壮观”。

这一天对于连战来说，可能是他有生以来一个难得的体验。面对如此众多的大陆民众，面对一张张淳朴善良的笑脸，面对人们火一样的热情和期待，连战和访问团成员们激动的神情难以言表。他们不时地停下脚步，争着向热情的民众挥手致意。有时候，连战觉得挥手也无法表达他心中的感情，就干脆双手高高举起，久久地面向大家。

也许，今天到中山陵来的游客、市民太多，也许，南京的民众太过热情，从事新闻采访十多年的我，也算是第一次经历这样的采访场面：在中山陵陡峭的392级石阶上，成千上万的游客和市民，数以千计的记者和无数的摄影爱好者以及成百上千的警卫和保安人员聚集、拥挤在一起，使原本静穆的中山陵变得不再平静。现场有记者粗略估计，当天来中山陵采访的仅记者就超过千人。

“致上最高的敬意”

连战一行终于攀上392级台阶，到达中山陵祭堂。这是一座仿宫殿式的建筑，在绿树苍天的掩映下，显得格外壮丽。抬头仰望，门楣上刻的“民族、民权、民生”的横额在阳光映照下熠熠生辉。

9点20分，连战轻轻擦擦脸上的汗，稍事整理装束后，慢步走进中山陵祭堂。随即，中国国民党大陆访问团举行正式的公祭仪式。祭堂里显得十分肃穆。孙中山先生的坐像坐北朝南，被安放在祭堂北侧，面容慈祥而宁静。坐像前摆放着连战一行赠送的花篮，花篮的红色绶带上写着“总理孙中山先生灵鉴，中国国民党主席连战暨全体同志敬献”，祭堂里肃静得只能听到记者按动快门的“咔咔”声。

面对孙中山的坐像，连战一行一字排开。连战站在中间，其他几位副主席等访问团成员分列两侧。大家都笔直地站在那里，表情庄严肃穆，连战此时更是直直地站在那里，双手低垂。突然，连战用手扶了扶眼镜，轻轻地揉了两下眼睛，然后再次抬头望着中山先生的坐像。扶眼镜是连战的一个习惯性动作，可此时这个举动又显得并不寻常。他可能想把眼前的一切看得更真切些。

随后，连战向前几步，双手接过工作人员递过来的黄色菊花和松柏扎成的花环。只见连战两臂伸直，双手将花环高高地举过头顶，向中山先生深深地致意。就在连战将花环高高举起的那一刻，我按动了快门。那一瞬间，连战的眼睛睁得很大，嘴唇紧紧地抿着，眼睛盯着中山先生的坐像。那眼神里有许多怀念、敬仰。

恰在此时，一缕阳光从对面的窗子照射进来，照亮了中山先生慈祥的面容，也照亮了连战和同仁们的脸庞。此时，我仿佛听到了中山先生的“革命尚未成功，同志仍需努力”的教诲，那声音在祭堂里久久回荡。

随后，司仪宣读祭文，连战及同仁们一起向中山先生坐像深深地三鞠躬，默哀一分钟。然后，连战一行缓步走进墓室瞻仰。

连战在祭堂前挥笔写下了“中山美陵”四个字。这四个字，他写得很慢，边写边流汗。写完后，他还拿着笔审视了半天。听到大家鼓掌后，他才抿嘴笑了笑，拿着题词和大家一同合影留念。

拜谒中山陵后，连战一行又回到了中山陵“博爱”牌坊前，整齐地站在台阶上。成百上千的游客犹如潮水般快速而有序地汇聚到“博爱”牌坊前，人们睁大眼睛，准备近距离聆听中山先生继任者的讲话。

随即，连战发表了拜祭感言。他说，今年是中山先生逝世80周年，也是抗日战争胜利60周年。在此之际，他代表中国国民党，率同所有的访问团团员以庄严、虔敬的心情来到这里，来到中国国民党创党总理中山先生陵寝前，致上最高的敬意。看到这么多民众自发来到这里，他感到激动和无比振奋。

身处中山陵，睹物思人。连战颇有感触地说，来到此地，尤其回想到中山先生那种壮阔的思想，那种全心全意为民服务、奉献的精神。所谓博爱，所谓天下为公，都在这个碑、牌、门楼上面写得清清楚楚。

他在感言中还提到，孙中山先生弥留之际提出“和平奋斗救中国”，“和平奋斗”是中山先生的理想。他希望两岸政党应该以中山先生为师，共同实现两岸和平稳定、互助合作双赢的理想。连战呼吁两岸共同追随中山先生革命先行者的脚步，发愤图强，让中华民族扬眉吐气。

临别时，连战猛然间转过头去，再一次久久回望峰峦叠翠中的中山陵，心中仿佛在向中山先生作最后的道别。此时，他的脸上多了几分欣慰和满足。临上车，当他饱含感激之情向聚集在博爱广场的成千上万的市民和游客挥手道别时，一直等在他座车另一边的我立刻按动了快门。瞬间的影像中，有两个连战深情地向民众挥手。一个是现实中的连战，清晰可见；一个是车顶上反射出来的连战的影像，隐约可见。背景中，掩映在绿树丛中的“博爱”牌坊高高矗立。

此时此刻，连战或许在心里说：再见了，久违的中山陵；再见了，尊敬的中山先生；再见了，成千上万可爱的民众们。

“连主席，台湾不能独立啊”

4月27日晚，夜幕降临，忙碌了一整天的连战夫妇一行来到南京著名的夫子庙美食一条街上的状元楼酒店，品尝南京的风味小吃。席间，连战夫妇吃得津津有味，他俩不时地聊上几句，那意思大概是称赞饭菜或小吃的味道不错。其间，不时有人过来给连战夫妇敬酒。有人看到他们吃得很投入的样子不忍打扰，会等上一会儿。连战发现后连忙举杯起身，总觉得让人家久等了，有些不好意思。我一边在旁边照相，一边和身边人说：“连主席的胃口真好！”以后，我慢慢地明白了：连战每天那么奔波劳累，为什么精神头还那么好？因为他有一个好胃口。就像我们平时开玩笑说的那样：“能吃，才能干！”

夜晚的秦淮河两岸，白天的浮躁渐渐遁去，取而代之的是江南水乡特有的娴静。

已是彩灯高悬的时分，街道两侧林立的店铺家家生意红火。三三两两的市民和游客漫步街头，享受这平静而舒适的夜晚。来到秦淮河边，连战夫妇的精神显得格外好，他俩手拉手，像一对初恋情人，东瞧瞧、西看看，感觉一切都是那么新鲜。

连战一行的出现给原本平静的街道增添了几分特殊的欢乐。成千上万的人们聚集在街道两侧，迎接这对特殊的伴侣。人群里不时爆发出“连主席好”“欢迎连主席”的问候声。望着周围百姓夹道欢迎的情景，听着人们声声的热切呼喊，连战夫妇又一次被感动啦。他俩再也顾不上观赏眼前的美景，一个劲儿向人们挥手致谢。

望着连战夫妇喜不自禁的样子，我知道他们的喜悦是发自内心的。两天来，连战亲身体验了大陆方面的热情：地方政府给予高规格礼遇，车队一路畅通无阻；地方最高党政官员亲切迎接、会晤、宴请；成千上万的民众热情地夹道欢迎。所有这一切，连战看在眼里，喜在眉梢，感受在心间，使他刚刚抵达大陆就有宾至如归的感觉。

夜深了，即将登车离开的连战再次向人们挥手道别。猛然间，人群中传来一位中年男子的喊声:“连主席，台湾不能独立啊!”

我当时正聚精会神地在镜头中聚焦连战，猛然听到这喊声，愣了一下。那声音虽然并不算高，但连战和周围人都听得真真切切。

北大演讲

如果说，连战踏上大陆访问的那一刻让人们对连战有了新的了解，那么，北京大学的演讲更让大陆同胞对这位政治人物“刮目相看”。我曾和台湾朋友开玩笑说，如果当年连战竞选时把北大演讲的水平发挥出来，恐怕就没有陈水扁的机会了。

连战选择到北大演讲还有一个特殊原因，那就是他的母亲赵兰坤女士。赵兰坤女士 1930 年曾就读于燕京大学宗教学院社会服务科，而北大的前身曾是燕京大学。

对于连战的来访，一向被认为十分清高的北大学生，竟表现出了少有的热情。他们暂时告别了课堂和图书馆，早早地等候在连战可能途经的校园道路两侧，盼望着看上一眼连战，给他送上一句真诚的问候。这是大陆青年学生给连战和他率领的中国国民党大陆访问团成员送上的最高礼遇。

演讲在北大校长办公楼举行。办公楼掩映在参天古树之间。清晨的阳光洒在这座年代久远的中西结合的古建筑上，斑驳陆离的光影，似乎映射出它独特的历史和厚重。

4月29日上午9点30分，连战抵达北京大学。9点57分，连战站到讲台上，开始发表演讲，题为“坚持和平，走向双赢”。

北京大学的校址，刚才我了解到，就是当年燕京的校址，我的母亲30年代在这里念书，所以今天来到这里可以说是倍感亲切。看到斯草、斯木、斯事、斯人，想到我母亲在这儿年轻的岁月，在这个校园接受教育、进修成长，心里面实在是非常亲切。她老人家今年已经96岁了。我告诉她我要到这边来，她笑眯眯的很高兴。台湾的媒体说我今天回“母校”——母亲的学校。这是一个非常正确的报道。

连战几句漂亮的开场白，立刻引来场上一阵热烈的掌声和欢快的笑声。“我今天回‘母校’——母亲的学校。”连战一句幽默的话，使原本让人感觉有些敏感而有压力的演讲，在人们的掌声和笑声中变得轻松了许多。“母亲”、“母校”都是让人倍感亲切的字眼，转眼间，连战借助母亲与学校的渊源，悄悄地拉近了他和北大师生的距离。

了解内情的台湾朋友后来告诉我，连战对这次演讲十分重视，经过充分的构思和准备，又亲自修改演讲稿。在长达40分钟的演讲中，连战从始至终没有看稿。一来，连战毕竟是大学教授和学者出身，和学校、学生似乎有一种天然的和谐。二来，连战记忆力惊人。后来，听他身边工作人员说，连战有“过目不忘”的本领。

连战在演讲中说：

北京大学是我们大学里面的翘楚，也是中国现代新思潮的发源地。蔡元培先生有两句名言：循思想自由的原则，取兼容并包之意。在这种自由包容的校风之下，长久之下，北大为这个国家、为这个社会培育了很多精英分子。尤其在国家、民族需要的时候，可以说都是能够挺身而出，各领风骚，不但为整个国家民族和社会作了很大的贡献，尤其是展示了中国知识分子那种感时、伤时、忧国的情怀。

今天，北大已经107岁了。来到这里，好像把我们带回到一个近代中国史的时光隧道里面去。因为在这里不但是人文荟萃，同时我们也看到一个很浓缩的整个的近代史。我看到大家，我就想到，各位今天除了各有专精之外，宏观的思维一定是跟各位在这个校园里面那些服务过的前辈先行们一样。

大家还要想一个问题，中国的未来到底在哪里？我们要选择的到底是哪一条路？当然，在找寻答案的时候，找寻这两个问题的答案的时候，我们都知道，历经曲折，历经挑战，我们走了不少的冤枉路，我们得到了多少的惨痛的教训。这些都是非常困难的事情。但是身为一个知识分子，我相信大家都有这种百折不回的决心和勇气。因为在各位的肩膀上，要担负的就是要为历史负起责任来，要为广大的人民来找出路。如何能够让整个的中华民族不要再走上战争和流血，如何能够让和平来实现，如何能够提升人民的生活水准，如何能够维护和不断提升我们的国际竞争力，这些重担，都在各位的肩头上，一肩挑起来，就是现代知识分子的一个伟大的格局。

用什么话来形容这样的格局，这样的勇气，带领我们到正确的历史方向和目标？我想了再想，把它归纳成12个字，那就是希望各位能够“为民族立生命，为万世开太平”。

也许用现在的话，这12个字可以再变成8个字，那就是我们大家一定要“坚持和平”，我们大家一定要“走向双赢”。

当然有人会问我：你的勇气不小，你的基础在哪里？我要在这里跟各位坦白从宽。我认为这个基础在哪里呢？在于历史的一个潮流，在于民意的一种驱动。历史的潮流、民意的驱动让我、让许许多多的人有这样的勇气能够提出来。

什么是历史的潮流？大家都知道，中国国民党、中国共产党都以中国的富强、康乐为目标，但是，不幸的日本铁蹄的侵略，阻碍、中止了这个国家文明的建设以及现代化的进程。

抗战胜利之后，国共两党对于国家所应该走的总路线又有不同的看法，它的结果是以内战的方式来解决。一直到今天，一个台湾海峡，一条海峡阻隔了两岸，不晓得阻隔了多少的家庭，造成了多少的不幸、哀怨，尤其还形成了若干民族之间的嫌隙，一直到今天，回荡不已。

蒋经国先生晚年的时候讲，他说他是中国人，也是台湾人。很多人愣了一下，但是事实上代表了一个内心的忧虑，他的忧虑是大陆和台湾共同的未来，要怎么走。

小平先生讲到，改革开放的路线要管一百年，用他四川的话讲“动摇不得”。没有动摇，今天大家看一看，大陆的经贸的发展，经济的成长，可以说样样都是名列前茅。

我是59年前离开上海回到台湾的。那时候还是一个年轻人。今天来到大陆，所看到的一切的情景跟我的回忆和记忆完全不吻合了。所以我是怀着一个祝福的心，一个持续不断期盼的心，希望这块土地能够更快速地来发展。

当然，整个的政治改革，无论是脚步无论是范围，在大陆还有相当的空间来发展。但是我必须要讲，在过去这段时间里面，两岸所走的路、走的方向，已经使我们两岸无论是在差异还是在差距上，是越来越缩小。这是历史的潮流，非常重要的一个方向。

再谈谈所谓民意的驱动。我这一次到大陆来访问，我说“来得不易”，因为有若干的人很迟疑，甚至于有一种批判，认为我到这里来，是为了进行所谓第三次的国共和谈，所以我的目的是要“联共制台”。但是，现在那个“台”下面有个“独”字。

我们为什么不能够以善意为出发点，以信任为基础，以两岸人民的福祉为依归，为民族的长远的利益为考虑呢？以人民为主，幸福优先，我想这是包括我们所有的台湾2 300万、大陆13亿的人，我们所有的人民，大家会共同支持的一个方向。

今天我们所走的这条路是人民所支持的。我们搭桥铺路，是人民所愿意看到的。他们不愿意再看到两岸的对峙、对抗、对立，甚至于对撞，他们愿意看到的是两岸的对话与和解，大家的相互合作。

台湾走对路才有出路。我们认为不能够让“民粹主义”取代民主的思想；不能够让“制宪”、“正名”、“去中国化”、武断的“台独”时间表来打破我们整个幸福的基础。

我们不能一直在过去，就像丘吉尔讲的，永远地为了现在和过去在那里纠缠不清的话，那你很可能就失去未来。

逝者已，来者俱，我在这里做一个简单的结论。我认为我们的愿景要回到自由的思想发源地。今天来北大我们再谈一谈。这就是多元与包容，这就是互助与双赢，这就是现状的维护与和平的坚持。

怎么样来了解有没有包容呢？检验有没有包容，很简单，理性的沟通，相互的尊重，取代所谓激情的谩骂跟批判，这就是包容，很简单。

我们不能只喊口号，要落实，而维护提升竞争力唯一的就是一定要合作，唯一的就是一定要创新，合作、创新，才有机会。

尤其在即将面临的未来，我要讲，我说两岸合作赚世界的钱有什么不对啊？我们一定能够来实现所谓如虎添翼的加乘的效果，这种加乘的效果不是双赢，实际上是多赢的。

但是在实际的层次，今天两岸的情形下，我们必须要维持我们的现状。现状的维护不是一个静态的,不是一个退缩的,不是一个消极的。现状的维护，一方面当然要避免彼此的争议,但是另外一方面,也可以存异求同,凝聚善意，累积动力，开创一个崭新的亮丽的未来。这才是今天所代表的一个实际上的利益。

今天我来到这里，就让我回忆到以色列特拉维夫犹太人博物馆前面写的那段话,它说“全世界的犹太人对于彼此都负有责任”。我们虽然曾经彼此有过战争，有过流血，今天要谈沟通、和平，有的时候就觉得谈何容易，但是犹太人的那句话让我感触良深。我相信有智慧、有能力的中华儿女，都可以理解，化刀剑为犁锄，化干戈为玉帛，点滴的心血累积而成我们长长久久的和平关系。

各位亲爱的年轻朋友，江山代有才人出，长江后浪推前浪。各位都知道，年轻就是希望，年轻就是机会。在这个时候，大家回想一下，前辈先贤曾经负起了他们应该负起的扭转时代历史的责任，现在又轮到大家了。

大家都是将来国家、社会乃至民族的领航员，所以在这样的一个时刻，我又想到以前美国里根总统提到的那句很好的话，他说:“假如我们不做，谁来做？”假如现在不做，什么时候做？我就是因为这样，所以来到这里。

让我们大家共同坚持，互惠双赢，坚持和平，这是我们自我的期许，也是向历史负责。唯有我们能够达到这样的目标，为民族立生命，为万世开太平，我相信这是中华民族为万世所称赞的最重要的成就，也是我们面对世世代代炎黄子孙共同的光荣。

谢谢大家。

“江山代有才人出，长江后浪推前浪。”“互惠双赢，坚持和平。”“为民族立生命，为万世开太平。”连战那掷地有声的话语在大厅里响起，并在第一时间通过电视台、网站的现场直播传遍海峡两岸、传向世界。

连战的演讲赢得了一遍又一遍的掌声，以至于演讲经常被掌声打断。后来有媒体统计说共有19次掌声。按照40分钟的演讲计算，平均2分钟就响起一次掌声。我在镜头中发现，国民党几位副主席都听得十分动情，眼里含着激动的泪光，他们有时禁不住带头为自己的主席使劲地鼓掌。现场也有人为此激动地流下眼泪。

如果说，连战的演讲给了大家一个“意想不到”的话，接下来的一幕，同样给连战来了一个“没想到”。中国人讲究“礼尚往来”。原本互赠礼物，不过是个程序化的仪式，然而这个程序竟然又给了连战一个意想不到的惊喜。他收到了北京大学向他赠送的一件特殊礼物，那就是当年他母亲在燕京大学读书时的学籍档案和照片。76年前，20岁的赵兰坤从东北来到燕京大学学习。北京大学特别复制了赵兰坤女士当时的学籍档案和照片，请连战先生转给他的母亲，并转达北大师生对赵兰坤校友的诚挚问候，祝愿她老人家健康长寿。

连战起初迟疑了一下，然后立刻奔过去，双手扶着镜框，把头使劲地凑过去，仔仔细细、上上下下地端详着当年的母亲。这张十多寸大小的黑白照片上，连战母亲显得文雅而端庄，面容清秀，眼神执著。后来，我把连战和他母亲当年的照片仔细地对照了一番，连战和母亲真的很像！我不知道“女儿像父亲，儿子像母亲”的理论是否符合遗传学的科学观点，但事实确实不可否定。

可能因为一时过于激动，注意力过分集中在母亲的照片上，连战光顾了自己伸头看母亲的照片，竟然一时忘了站在一边的夫人。看了好一会儿，连战似乎想起什么，赶紧扭头请站在一边的夫人一起凑过去看。连战边看边扭头向夫人示意，彼此没有太多的话，但微笑始终洋溢在脸上。岁月无情人有情，望着母亲的照片，连战十分激动。当年20岁来燕大读书的母亲，真的那么年轻漂亮。七十余载光阴似箭，如今的母亲已是一位96岁的老人，就连她老人家的孝子都已年届古稀。

那一刻，我镜头中的连战，眼睛里充满了泪光，微笑中的泪光。

连方瑀后来在她的著作《半世纪的相逢》中写道："演讲完毕掌声如雷，但我毫不惊奇，因为这才是他，真正的他，和我相知、相守、相随40年的伴侣。别人不了解，因为他从未有这样表现的机会。他是个严守分际的人，在'副总统'任内，不会僭越'总统'，而近年来都是对基层的选举语言。今日台湾处处要民粹，以目前激情的选举文化，这样的演讲内容，可能没有很多展现的机会。我不自禁上前亲吻他，表达我的骄傲。"

作为一个有名的孝子，连战此时心里又激动又高兴。他也许在想，此次大陆之行他给母亲带回的这件珍贵的礼品，一定会让母亲十分称心满意。连战主席又把他的专著《改变，才有希望》赠送学校师生。

演讲结束，连战和夫人手拉着手，专门来到母亲当年学习时的教学楼和宿舍前参观合影。望着母亲当年学习生活过的地方，连战显得很兴奋。他一会儿指指这儿，一会儿指指那儿，有时和夫人交谈几句，脸上始终带着发自内心的微笑。

我想，这微笑属于连战夫妇，也属于他们的母亲。

60年来，国共领导人首次握手

时间临近下午3点，举世瞩目的会晤即将开始。现场突然变得异常安静，连周围人呼吸的声音都能听到。上百双眼睛盯住南、北两个方向。

60年，弹指一挥间。想像着胡锦涛总书记即将和连战主席的会面，我的脑海中不禁浮现出历史上的一些相关画面。诸如，当年抗战时期，毛泽东到重庆和蒋介石握手的那段历史景象。

胡锦涛总书记从南面的帷幕后面走过来，一边和身边人交谈，一边健步走到快到红地毯交叉的中心位置停住了脚步。约摸过了不到一分钟，连战主席从北边的帷幕后面走出来，他沿着红地毯向前走，向在那里等候的胡锦涛总书记走过去。

当时两人相距约二三十米。两人彼此远远望到了对方。连战径直沿着红地毯走向胡锦涛。当距离胡锦涛越来越近时，连战明显加快了脚步。20米、10米、5米、4米、3米。当两人距离不到三四米时，胡锦涛也迈步迎上去，隔着几步远，两人几乎同时向对方伸出了有力的手。

中国共产党总书记和中国国民党主席的手，终于握到了一起！这次国共两党最高领导人的握手，距离上次整整间隔了60年。60年风风雨雨，60年弹指一挥间，60年终于等来了这一时刻。

“度尽劫波兄弟在，相逢一笑泯恩仇。”历史凝固在两位领导人紧握的手上。

现场的数百只闪光灯如急风暴雨般扑过去，顿时眼前一片雪白。刹那间，我的眼睛被连片的闪光晃得眼前一片雪白，什么也看不清楚，仿佛灿烂的阳光照在皑皑的白雪上，让人睁不开眼睛。朦胧之间，感觉两位领导人的身影显得格外高大。那一刻，我似乎忘记了一切，只知道机械地快速地按动快门。

胡锦涛和连战握手时，出现了一个让人意想不到的小插曲：遇到这种重要的会晤，一般情况下，两位领导人亲切握手、互相问候之后，都会转过身来给记者一个拍摄的机会。可当时，连战主席不知是因为过于激动还是急于想把陪同人员介绍给胡主席，只见连战和胡锦涛握着手，立刻扭转过身，准备向胡锦涛介绍后面的陪同人员。站在连战背后的数百名记者急得直叫。胡锦涛主席用手轻轻地拉住连战，瞬间的动作给了连战一个暗示，告诉他身后还有许多记者等着拍摄这个历史性的时刻。连战可能注意力太集中了，开始还不知怎么回事，但还是顺势回过头，一阵阵快门的“咔嚓、咔嚓”声和一片片闪光灯闪亮后，连战笑了，他笑得有些腼腆，但是发自内心的快乐。

胡锦涛总书记和连战主席握手后，又分别与对方的陪同人员握手。握手结束，胡锦涛请连战进入东大厅进行会见。目送着两位领导人健步走入会场，我下意识地再次按动快门。画面上，又有一个细节耐人寻味：胡锦涛在中间，连战夫妇一左一右，三人往里走时，连战下意识地伸出手，不知是要扶胡锦涛肩膀，还是要提醒在另一侧的夫人到他这边来。有了连战的这个动作，三个人的背影显得亲切、自然。

少小离家老大回

在结束了南京和北京的紧张行程之后，连战选择了一个很久以来一直想去但没有去成的地方——陕西西安。那里是他出生的地方，那里还有他祖母的墓地。

“寻找小时候的种种”

4月30日，连战主席一行飞抵西安咸阳机场。首先来迎接他们的是两位跟连战有“特殊关系”的少年儿童。他们向连战夫妇献花时，连战似乎还不在意，但当陪同人员介绍他们是来自后宰门小学的学生也是连主席的小校友时，连战激动地瞪大了眼睛，仔细审视了一番眼前这两位小学弟、小学妹。随后，他躬下身子紧握着小男孩的手，又是拍肩膀，又是问候交谈。连方瑀看到孩子就高兴，当听说面前的孩子是先生的小校友，她动情地拉过小姑娘亲吻、拥抱。连战夫妇还搂着两位少年一起照相合影，并向欢迎的人群招手致意。目睹眼前的情景，前来迎接的陈云林主任情不自禁地带头鼓掌。

“欢迎连战回家！”咸阳机场的欢迎场面和南京一样大，气氛一样热烈。

“寻找小时候的种种。”连战在机场发表的讲话直抒胸臆。他说，回到阔别60年的西安，非常感动。他要向所有市民、长辈问好。他说，自己8岁才离开西安，童年是在战乱的环境下成长的，西安的人物、人事、所受到的启蒙教育，隐隐约约还在脑际。童年是弥足珍贵的岁月，对于每个人来说，童年是最美丽、最值得珍惜的一段时光。

西安之行除了怀旧之外，连战还有自己更多的考虑。他说，西安是中国文化古都，也是世界、人类共同的文化遗产，代表着源远流长的精神；西安地处黄土高原，在这样的环境里，先民不怕艰难，吃苦耐劳，坚韧卓绝；西安是丝绸之路的开端，代表文化、民族各方面的融合。连战表示，今天海峡两岸关系面临前所未有的情势，身为中华民族的一员，他不愿意看到僵局持续下去，西安代表的源远流长、坚韧卓绝、融合包容的宏大精神，都给大家很多启发。

忘记历史就意味着背叛。寻找小时候的种种，感受无法忘怀的历史和记忆，以此寄希望于未来。作为一个政治家，连战的大陆之行，所走的每一步，所说的许多话，都或多或少地隐含着某些政治考量和寓意。

回母校

抵达西安的当天下午，连战将回到自己60多年前曾经就读过的后宰门小学参观。这又是个充满感情色彩的活动。

西安市后宰门小学位于西安的闹市区，始建于1935年，前身是作秀小学。连战先在作秀小学上学，后因校园被日军飞机轰炸，转学到一路之隔的北新街小学。

身为国民党主席的“老校友”要回母校了，这在后宰门小学自然成了最重大的事情。为了迎接连战的到来，学校专门对校园进行了装饰。除了参加当天活动的学生之外，整个学校暂时放假半天。

我们的汽车开到学校附近，离着老远，车子竟然开不动了。我扒着车窗往前一看，眼前的情景让我惊呆了：大街小巷，已经聚集了成千上万的民众，真可谓人山人海。

市民打出了“祝连主席访问成功”“常回家看看”的横幅。不少市民还打出欢迎的旗帜。陕西朋友黄瑜先生后来对我说：“连先生和他的举动真令人佩服和感动！”

一位身着黄色恤衫的女士高举着一个玻璃镜框，里面装的报纸上是胡锦涛总书记和连战主席在北京首次握手会晤时的照片。报纸边上的字清清楚楚：大标题“国共握手”，右上方写着“4月29日，胡锦涛会见连战，了却恩怨看未来”，下面写着“连战主席，一个标准的中国人”。

下午3点，等了许久的人们终于迎来特殊的贵宾。连战一走下车，街道上顿时响起了如潮的掌声和欢呼声。望着故乡百姓们一张张热情的脸，一向内敛的连战也禁不住感慨万分。他此刻只能频频地挥手，道几声感谢，来表达他心中的感动。然而，他的声音很快就淹没在人们的欢呼声中。

对于连战来说，这样的场面更是让他感到陌生和惊讶。他当时曾经有些疑惑：这么盛大的欢迎场面，是不是政府特意组织的？于是，他专门请人私下询问了解，得出的结论是：完全是市民自发的！

成千上万的市民拥在校门口附近狭窄的街道上，现场十分拥挤，气氛热烈。虽说有许多警察和安全人员在现场维持秩序，但因为人太多，场面一旦失控，后果难以想像。想到这里，我心里有些发紧。

后来证实，自己的担心属于杞人忧天。当时气氛始终热烈而平静。这让我不禁想起温家宝总理不止一次地讲过：中国的老百姓特别好，特别老实本分，因此也特别值得尊敬。

“连爷爷您回来啦！您终于回来啦！这里曾经是您的母校！这里曾经有您的童年！请您听来自童心的问候……”这天真无邪的童音，后来竟然成了台湾手机用户下载的铃声，风靡台湾岛。

“少小离家老大回，乡音未改鬓毛衰。”听着孩子们一句句真诚的话语，坐在最前排的连战夫妇感动地坐下后又站起来向大家挥手。观看演出时，两人看得十分认真。我蹲在他们身边拍摄时注意到，连方瑀一边望孩子们看，一边不时地扭身看看丈夫。眼前是一群活泼可爱的孩子，身边是年届七旬、两鬓斑白的丈夫。联想到几十年前连战也和眼前的孩子们一样是活泼好动的儿童，一时间，感情丰富的连方瑀忍不住悄悄地抹起了眼泪。

孩子们表演之后，连战发表了演讲。演讲时，他称呼同学们为“小学长”。他说，在他的记忆中，一共念过四所小学。在西安念过作秀小学、北新街小学，后来，他随父母到重庆去读过南山小学，到台湾又念过日新小学。他笑称自己的“小学经验非常丰富”。

> 我为什么会在后宰门小学念书呢？我的祖籍是福建漳州，跟郑成功到台湾，到我的父亲是第八代，到我是第九代。但是为什么我没有生在台南，而生在陕西的西安呢？简单地来讲，就是因为1895年《马关条约》，台湾割让给日本，台湾的人民一夜之间都变成日本殖民地的次等国民。我的祖父连横先生，他是一个民族思想非常强烈的人。昨天在北京，胡总书记把我祖父当年三十几岁要恢复中国国籍的申请书给找出来送给我。我的家里不但是我的祖父要从日本统治台湾那个时代恢复国籍，我的父亲在陕西也恢复国籍。
>
> 到了1930年左右，日本控制统治台湾已经30多年，积极准备太平洋的战争，加强殖民的统治、高压的统治，所以我们连家在祖父的主导下先把父亲送回大陆，他们连我的家人都搬到上海。果然不久，在1937年就开始打仗了。那个时候我的家父本来在北京做事，追随张普泉（张继）先生来到西安。普泉先生那个时候是西京（西安）筹备委员会的主任委员，我的父亲追随他。为什么会追随张普泉先生呢？因为张继先生是民国开始的时候参议院的议长。我的祖父那个时候是海外侨胞代表的一员。所以在北京由同事之缘，变成莫逆之交，非常好的朋友，所以就把我的父亲托付给他。我祖父有一封

信说得很清楚，意即黄帝的子孙，而为其他民族的很卑贱的奴隶，“泣血椎心”，怎么能够忍受。所以把他唯一的儿子送到北京，送到西京。所以我在1936年生在陕西西安。

我的名字听起来很奇怪，火药味道太重。这也是我的祖父给我起的。我的祖父在抗战前一年，1936年6月在上海就故去了。我的父亲把我的祖母接到陕西和我们一起住，我那时还没出生。祖父就告诉我的父亲，知道有一个孙子，不晓得是男是女，他说，假如是男孩，一定要起名叫“战”，连战。为什么呢？因为“中日必将一战”！我们一定要克敌制胜，恢复故土，重整家园，所以一“战”到现在。我母亲认为火药味太重，所以给我取了个名字平衡一下，我的号叫“永平”。

各位小学长，我是来自这样的一个家庭：父亲，台湾人。当时台湾已经为日本的殖民地。母亲，东北人，沈阳人。那个时候沈阳已经成为沦陷的地区，也是被日本人占领。这样子人的家庭所成长的子弟当然毫无疑问的是充满着民族的意识，要改都改不过来。

讲到这里也相当地伤感。我的祖母来到陕西之后，没有几年就去世了。她安息在清凉寺的旁边，所以我明天要去祭拜她。60多年来，连家没有一个人来过，所以身为子孙的人，我们有这个责任。

我们那个时代，当然和今天不一样。那是一个烽火连天兵荒马乱的时代。生离死别，就是那么一个环境。所以经过战乱的人，看到年轻人成千上万地走到前线去，流血甚至伤亡，我们就会觉得和平的珍贵、和平的可爱。

我对这里已经完全没有印象，因为改变实在太大了！60年是一个甲子，不要说60年，60年的一半已经够呛了。

各位小学长，今天虽然很小，但时间过得很快，一转眼各位就要担负起为人民、为社会服务的责任。我在这里祝福母校，祝大家学业进步，有光明靓丽的未来……

连战向母校赠送了祖父所著《台湾通史》，这是他每到一处必送的礼物；还有一幅连战的题字和他写的书。在赠送手书字幅时，连战特地请夫人拿着话筒给师生们念出来：“陶铸群英，溥益群伦；木铎扬声，功宏化育。”

会晤汪道涵

才别西安，又到上海。5月1日下午，连战一行乘包机从大西北黄土高原向东南沿海方向飞去。不久便飞临上海。

冒雨抵达上海

天有不测风云。从西安起飞时，阳光明媚，我们在空中可以一览黄土高原上绵延的群山和黄沙漫漫的景象。转眼间飞到上海的上空，竟然是阴云密布，雨雾弥漫。雨下得正紧，飞机上的人担心能否正常降落。

虽然老天爷的脸色有些不好看，但最终还是要给连主席面子。我们的飞机终于在雨中顺利地降落。冥冥之中，老天爷似乎知道了，连战时隔半个多世纪重新回到上海不容易。

连战夫妇走出舱门下飞机时，我赶紧从怀中掏出相机，连续记录下这一瞬间。

镜头中，连战夫妇身子微微有些前倾，迎着风雨，微笑着向大家频频招手。那瞬间的形象算不上伟大，但却让人为之感动。

不是总说"风雨同舟"吗？连战一行希望用这样一件小事、一个细节，来表达他们诚挚的歉疚和感念之情。

连战在和迎接的人们握手时，见到不少熟悉的台湾朋友。彼此能在大陆见面，自然喜出望外。一位穿雨衣、戴眼镜、约摸50岁上下的台商见到连战显得十分激动，他早早地伸出双手等待和连战握手。双方见面交谈时，那位台商好像只说了两句问候的话，两人都低下头，再也说不下去，双手紧紧地握在一起，脸上的表情复杂而伤感。

连战和那位台商究竟说了些什么？他俩又为何突然如此地动情？此时此刻，一向用镜头和人们交流的我，似乎从镜头中隐约感受到他们心中那份特殊的情感。我猜想，那情感和历史与现实、理智与感情、大陆与台湾、共产党与国民党都有关系。

我不知道十多岁的连战离开大陆到台湾时的情景，只觉得在兵荒马乱的时候撤离上海应该是行色匆匆。如今，时隔近60年，近70岁的连战以中国国民党主席的身份重新回到大陆、回到上海的那种感情，连战心里知道，周围的人也能体会到个中的滋味。

雨是多情的，历史是无情的，而风雨中那紧紧握手的镜头，却让人久久难以忘怀。

“非常地不敢当，非常地感谢，非常地感激，非常地感动。”望着眼前这么多热情的、被雨淋得湿漉漉的人，连战说了四个“非常”、十多个“谢”字。

连战在机场发表演讲。他说，59年前来过这里，但眼前的一切都变了，所以，他们有太多的事情可以看、可以听、可以了解、可以思考。

“原本有很多话要说，也准备了一篇相当有内容的发言稿。实在不忍心看大家在雨里挨淋，现在不讲了，等明天再讲！”连战讲话时可能因为激动，表情有些严肃。以往每到一个新的地方，连战总是要在机场发表一篇热情洋溢的讲话，而今天，他的讲话格外地简单。几句话之后，连战挥手向人们告别，旋即登车离开机场。

天色渐渐地暗下来，窗外阴雨连绵，华灯初放的大上海笼罩在朦胧之中。

“给汪老请安”

5月2日上午，上海著名的锦江饭店小礼堂，海峡两岸关系协会会长汪道涵先生将会晤来访的中国国民党主席连战一行。

学者风度，务实性格，平易近人，是海内外媒体对汪道涵的一致评价。汪道涵刚刚卸任上海市长时，有个美国记者在谈及他对汪道涵的印象时说：“汪道涵卸任后，除应聘到复旦大学任经济系教授外，还应聘到美国塔夫茨大学讲学。他本身就是个专家，又做了五年多市长，胸中有盘棋，手中有数字，非常有条理。”

汪道涵最大的嗜好就是逛书店，上海大大小小的书店里，经常可以见到这位市长的身影。他喜欢买书，文学评论、历史专著、名人传略、音乐美术、科技专著、经济理论，无所不包。他有句名言：“读书就是生活。”他的办公室和家里都堆满了书。每次工作至深夜，回家后他还要从床头堆放的书中拿过一本看看，有时到凌晨仍手不释卷。

20世纪80年代后期，随着大陆改革开放步伐不断加大，台资企业开始大量进入大陆，长达30多年的两岸隔绝状态被打破，两岸人员往来和经济、文化等各项交流活动随之发展起来，但同时也衍生出种种问题。为了解决这些问题，台湾不得不调整“不接触、不妥协、不谈判”的“三不政策”，于1990年11月成立了得到官方授权的与大陆联系协商的民间机构——海峡交流基金会，出面处理官方“不便与不能出面的两岸事务”。为便于与海基会接触、商谈，大陆方面于1991年12月成立海峡两岸关系协会，双方开始接触商谈。

当时海峡两岸关系协会会长是汪道涵先生，海峡交流基金会董事长是辜振甫先生。

上午10点多，汪道涵先生已经到了会谈大厅。

“这就是大名鼎鼎的汪道涵先生？举世瞩目的‘汪辜会谈’的重要人物？”我心里不觉一怔。

当时，汪老正靠在会谈厅最靠远处的沙发上，侧着身子听取相关人员的情况介绍。汪老个子不高，看上去身体十分虚弱，脸色发白。听人介绍，刚刚度过90岁生日的汪老一直住院治疗，这次是专门从医院出来与连战会晤。

汪道涵和连战就座后，连战首先讲话。他说：“今天是特地来给汪道涵会长请安问候的！”

汪老说：“这几天从电视、报纸上看到连先生在各地的访问非常成功，感到非常高兴！”汪老说话声音有些微弱，但很清晰。

连战说，汪老是为两岸和平交流创造历史的人物，他对此十分感佩。

“实在不敢当，为我们中华民族、为两岸做点事是应该的。”汪老的答话言简意赅。

汪老祝贺连战此次“和平之旅”成功。他说，两岸同胞都是中国人，共同的血缘、文化把我们连在一起，应该推动两岸关系走和平发展、合作双赢的道路，为中华民族的美好未来作出贡献。

汪辜会谈的基础是“九二共识”，双方的话题自然而然地谈起12年前那次举世关注的“汪辜会谈”。

连战说：“1993年辜汪二老在新加坡的会谈受到肯定。1998年辜振甫先生又来到上海与汪道涵会长会晤。两岸不需经第三地就可以交换意见，对两岸关系是很大鼓舞。”

提起不久前去世的辜振甫先生，汪老语调有些悲伤：“我们是老朋友，很谈得来。

对于辜先生的去世感到十分悲痛，他一贯认同‘九二共识’的主张。”

连战告诉汪老，原来访问团曾邀请辜夫人辜严倬云女士一起来，她也很愿意，但医生让她休息，她只好委托连战带了一封信和一幅辜先生生前的画作送给汪老。

对于近几年两岸关系的发展，连战“感到忧心”。不过，他表示，当前是一个历史契机，两岸应秉持辜汪二老当初建立的一个总方向继续努力。

汪老表示，汪辜会谈的基础是体现一个中国原则的“九二共识”，只要在“九二共识”的基础上谈起来，台湾方面关心的问题都可以找到妥善解决的办法。他说，两岸中国人之间，一切问题都好商量。

会谈结束，汪老将一幅名为“江山如画”的国画送给连战。连战随即将辜老生前的一幅画作转交给汪老。连战亲手将辜夫人的亲笔信交到汪老手中，汪老高兴地双手接过信。

“敬重连战”

5月2日中午，连战和汪道涵会见结束后，立刻赶往上海东方滨江大酒店上海国际会议中心，出席大陆台商欢迎中国国民党大陆访问团午餐会。

会议中心位于上海浦东新区。连战一行的到来，吸引了成千上万的市民和外地游客聚集在会场外。连战出现时，人群中出现短时间的骚动，有人喊口号，有人鼓掌。更多的时候，人们只是站在门外静静地等待、静静地观看，现场秩序井然。

午餐会开始，连战向从全国各地赶来的台商协会会长发表题为“经济双赢、互惠互利”的经贸政策演讲。

面对此情此景，面对这么多台湾来的商人、同志和朋友，一向爱动感情的连战想讲的话太多了。对于阔别近六十载的连战来说，此时心中纵有千言万语，恐怕也难以表达他心中的感受。

连战首先谈到对上海的印象。他说，他不到12岁跟家人从黄浦江离开大陆到台湾，转眼之间已经59个年头。世事沧桑，很多朋友问他印象怎样。他说，从前的印象，“和现在完全不吻合了，完全不相同了”。今天，上海以及长江三角洲地区突飞猛进，带领了地区、带领了整个大陆各地方的发展，他非常钦佩！

他说，假如他没记错的话，1990年大陆GDP是俄罗斯GDP的60%，十年之后，结果整个翻转过来，俄罗斯GDP成为大陆GDP的60%。过去十几年来，大陆平均GDP的增长接近10%，在全世界遥遥领先。到今天，大陆GDP已经成为全世界的第六名，这是惊天动地的发展。

他在演讲中，还称赞了大陆开放经贸的政策和成果。他举例说，记得2003年到2004年，大陆进口5 000多亿美金，出口6 000多亿美金，快速成为世界贸易大国，现在已经是第三名或者是更靠前；而国际的投资，以发展中国家的基数来比较，近12年是世界第一，2004年联合国世界投资报告里提到，2003年大陆以吸引外资530亿美金的数字成为世界第一，超越美国。

连战在演讲中引用了一连串的具体数字来反映大陆近年来经济发展的状况。说实话，这些数字对于包括我在内的许多大陆人来说都未必知晓。

“连主席真是有备而来！”我心里暗自佩服这位年近七旬的长者的记忆力。后来听连战自己和他身边的工作人员说，访问大陆之前，他花了很长时间读书、看资料、找熟悉大陆情况的朋友交谈，希望更多地了解大陆的情况。作为一名政治家，连战似乎更懂得“知己知彼”的重要。

在谈及两岸经济、贸易合作存在的问题和障碍时，连战没有直截了当地批评他人，而是巧妙地引用了美国前总统克林顿和他会谈时讲的一段话。克林顿说：“两岸经济的活动非常密切，假如不是政客把事情搞糟的话，两岸的工商企业者绝对有能力来解决所有相关的问题，相互依存就是整个情势的一个基础。”

“经济合作不是一句口号，要一步一个脚印，踏踏实实地走路。”连战认为，两岸应该建立经济合作机制。为此，他在和胡锦涛总书记会谈时提出“共同市场”的理念，最终让两岸经济、贸易达到双赢。他的想法得到胡总书记的正面回应。他认为，大家能够有正面的看法，头一次公开地做到彼此的承诺，“是两岸关系真正地向前迈了一大步”。

“谈了这么多，谁来做？谁来推动？”连战的答案是“必须要有人在那里埋头苦干”。他说，最理想的状况当然是官方的、高层次的、双方面的经济合作，但目前因为种种原因，这只能是一个盼望而已，他希望国民党能够率先推动两岸经贸论坛和两岸和平论坛。

连战在离开大陆前接受媒体采访时还表示，两岸经贸的密切合作将推动两岸关系新局面的产生。他说，经贸的关系会产生很多的影响，两岸今天密切的合作对于两岸人民的影响是难以形容的。他相信共同一致的目标会对两岸整个关系的凝聚提供一个基础。

“前途非常光明，未来非常靓丽。”连战最后说。他认为，只要两岸共同努力，掌握当前，开拓未来，共创和平，共享发展，共谋策略，双赢互利一定能够实现！

连战的演讲，一次又一次赢得在场台商们的热烈掌声。

演讲结束后，为感谢台商们的盛情，连战夫妇给每个桌子的台商敬酒。老友亲朋见面，自然笑逐颜开。

然而，接下来的事情，让我和在场很多人始料不及。

当连战走到比较靠后的一张桌子给大家敬酒时，一位女士开始抹眼泪，继而当场放声大哭。她边哭边拉着连战的手说：“你来得太不容易，做得太不容易了！”

原本是高兴的时候，这位女士竟然哭起来，大家都愣住了。

突然遇到这种情景，连战开始也有些不知所措。他赶紧安慰了对方两句，可那位女士依然哭个不停。连战脸上的微笑随即变成了沉默和感伤。

他紧闭嘴唇，点了点头，仿佛在说：“我明白！”这时，连战心里明白，自己遇到了一位十分感性的“知音”。作为中国国民党主席，在时隔59年后重返大陆，其间经历的艰辛与压力，他心里最清楚。

这位女士的哭声触动了连战的感情底线。

在连战和周围人的劝说下，那位女士停止了哭泣。她抹着脸上的泪水，拉着连战，招呼对面认识的朋友帮着给自己和连战合张影。我连忙举起相机，记录下这个瞬间。相片上，人们的神态各异，有哭、有笑、有苦、有乐。

照相时，连战尽力想显露出作为政治家特有的“镜头感”，然而，他此时的心情完全可以用“感慨万千”来形容。

（选自九州出版社《随访连战的日子》，2007年9月出版，作者：刘卫兵）

国民党进入“马英九时代”

2005年7月16日，台北市长马英九当选国民党主席。马英九的胜出，预告了“马英九时代”的来临。

7月16日晚，台北。

中国国民党主席首次双雄竞选揭晓。台北市长马英九以375 056票，压倒性地胜过“立法院院长”王金平，当选国民党主席。王金平的得票为143 268票。

马英九的胜出，预告了“马英九时代”的来临。

“百年老店”国民党的世代交替将加速进行。几乎可以确定，马将代表在野的泛蓝势力竞逐2008年台湾“总统”，党内外各路人马难撄其锋。

尽管选前民调显示，马英九大幅领先王金平，但面对有30年选举经验的对手，马英九始终不敢轻敌，从3月底即展开南北拜票行程，凭恃超高人气，急速拉抬选举气势；王金平则是在各地运用地方派系做现成桩脚，以绵密的组织系统，形成地方包围城市之势，缠斗激烈。虽然两大阵营事先强调君子之争，但到选战后期，包括黑函、耳语、人头党员、投票部队等黑暗手段全都出笼，种下王马两人不易化解的心结，也为国民党团结投下变量。

第一关：缝合王马裂痕

此次角逐国民党主席的马英九和王金平，也是国民党角逐2008年“总统”大选的两位热门人物——一位是具有群众魅力的台北市长，一位是人脉深厚的“国会议长”，各擅所长。

马英九在北部都会区具压倒性优势，王金平则在台湾中南部实力雄厚，一旦王马共治，将可发挥相加相乘之效。如今王马对垒，让“总统”大选的前哨战提前引爆。

堪称选举老手的王金平，遭逢平生第一次选战的溃败，情绪仍难平复。马英九于7月16日晚间确定当选后，前往王金平竞选总部致意，抵达时，王已上座车。

王金平回绝马英九伸出的手，但马在中国国民党中央记者会上表示，他接任主席后将邀请王金平继续担任国民党第一副主席，落实他在竞选中提出的“王马共治”的政见。先前，王在败选记者会上强调，他将“追随连战主席，做国民党永远的义工”。这为国民党的未来，埋下变量。

有人说，过去10年，国民党每次党内竞争，都以党的分裂收场。前主席李登辉跟两位挑战他权威的副主席林洋港、郝柏村掀起主流、非主流之争，结果，林郝双双遭开除党籍，直到2004年在连战的善意下，才恢复党籍；连战、宋楚瑜的接班人之争，也让国民党再被撕裂，宋另创立亲民党。这次王马争党主席，竞争激烈，让国民党再现裂痕。

但事实上，王马之争并不严重，因为王马的问题，并没有蔓延到国民党支持者。泛蓝支持者并没有分裂，纯粹只是双方干部与“立委”的角力。因此，缝合裂痕并不困难，这正可以考验马英九的政治能力。

马英九的政治能力，过去从来没有机会接受过考验，包括如何处理与自己不同意见者的关系以及与党内外合纵连横的能力等。出任党主席后，马英九如何化解王金平的怨气，让他愿意捐弃成见，共同携手打赢年底县市长选战，这是他面临的首要挑战。

独特的“小马哥”魅力

刚过55岁的马英九，是国民党的新希望。

台湾选风败坏屡受诟病，马英九在“法务部长”任内，强力取缔买票行为，遭取缔者很多是国民党的地方派系。国民党长期藉地方派系在选举时贿选维护政权。虽然身为国民党一员，但马英九的铁腕作风重重踩到国民党的痛处。很多被取缔的地方民代于是向当时的李登辉告状，指马英九强力查贿会动摇国本。马英九因此下台，但却累积了强大的民意支持，成为打败陈水扁当选台北市长的重要资本。

哈佛大学博士出身的马英九，有一张阿兰·德隆的明星面孔，他每天晨跑，一袭短裤、背心，不知迷倒多少女性。虽然台北市府团队的成绩并不突出，从纳莉风灾、SARS 风暴、捷运掀头皮事件、丘小妹转院风波等，无一不暴露市府团队危机处理能力的瑕疵，但马英九的声望却居高不下。民众爱护马英九，主要是对这位“政坛稀有动物”的疼惜，不忍见他受到任何政治伤害。

马英九的形象清新、健康，他以清廉自恃，形成独特的“小马哥”魅力，在污浊暗秽的政坛中，具“政治洁癖”的马英九别具风格。

一次，马英九的“新台湾人基金会”制作了廉价的留言磁铁当纪念品。该基金会董事长、前清大校长沈君山想跟马要两打分送亲友，但马嫌太多，只给了一打，理由是基金会来自民众捐款，不能浪费。沈君山笑问，是不是他拿的这些纪念品还要报账？

但马英九的政治洁癖，却被解读是“不粘锅”，让他得罪不少人。不少国民党立委批评马英九做人差。前民进党立委朱高正一语道出王、马不同的特质：“马英九没有朋友，王金平没有敌人。”这次国民党主席选举过程，就可以看出王、马人脉高下。李焕、宋时选等国民党大佬，以及百余将领都跳出来力挺王金平，反观挺马的政治人物，屈指可数，但他有强大的民意做后盾，让他立于不败之地。

但距离下届“总统”选举日程尚早，马英九表示，王金平与他同样认为，党主席选举与 2008 年“总统”候选人提名是两回事，他就任后，将致力为国民党创造有利条件，让国民党候选人能够获胜，“重要的是把条件创造出来，否则谁去选都没用”。

从 2004 年“立委”选举开始，马英九为了在全台布桩，积极投入辅选。台北政治观察家认为，马英九当选国民党主席，等于取得下届“总统”选举的入场券。

继续“尊王”

王金平和马英九相差 10 岁，在国民党内代表两种不同的思维。65 岁的王金平，长久浸淫在传统国民党的组织氛围中，相信金钱在选举中的力量，请客、吃饭是他常见的动员模式。马英九则是国民党新思维的象征，正直、清廉、诉求改革。他不以请客、吃饭争取认同，而以座谈会阐述理念赢得知识分子的掌声。

落败的王金平，性格圆融、手腕高超、从不树敌。台湾“中央研究院社会学研究所”研究员瞿海源指出，王金平不论在政治权力关系上及政治手段上，都有过人之处，在“立法院”，乃至国民党，甚至在全台湾政治上，都少有人能超过他的。

王金平学的是数学，逻辑清楚，讲话四平八稳，但欠缺政治领袖的魅力。这次选举中，他虽然民调一路落后，但不急着出招，不论议题设定、文宣攻防、组织动员等，都在其所设定的节奏运作，只是对手是台湾人气最高的政治明星，败选实是非战之罪。

王金平本土形象，加上跟李登辉暧昧的关系，使他遭质疑是“蓝皮绿骨”。但王金平登舰走访钓鱼岛附近海域的“护渔秀”，并强调与李登辉划清界限，接连宴请高阶将领并大动作走访眷村，逐渐扭转局面。

台湾合格的“选民”数约1 300万，国民党党员号称有104万，党员结构和民意有极大落差，王、马为了争取出线，全力竞逐在立场极右、有18万党员、但动员力强大的“黄复兴”系统选票。“黄复兴”为国民党退伍军人党部的代号，在台湾是所谓的“深蓝”势力，这些忠诚度极高的老党员像是国民党的铁卫军，投票率至少在六成以上。

但事实证明，王金平争取“黄复兴”支持的策略徒劳无功。台湾的选举经验显示，外省籍的票很难移转给本省籍，他们有强烈意识形态，支持对象可以在一夕之间从新党转移到亲民党，现在又转到马英九身上。这次选举结果证明，王金平两头落空，在所有县市都输，就连自己家乡高雄县，也输马英九近3 600票。

王金平未来的角色可能就是力保“立法院”地盘，暂时放弃2008年“总统”选举。不过，王、马在“立法院”的角力会持续上演，王撮合“立委”取得行政资源的能力，马无法取代。在一段时间内，马的影响力将无法及于“立法院”，而以马低调的个性，也会继续“尊王”，不让王有威胁感。

泛蓝整合是大势所趋

王金平在选举过程大打泛蓝整合牌。但从选举结果来看，就算有宋楚瑜在投票前一天以录像带表态挺王，对王的帮助也非常有限，因为泛蓝支持者早就把希望寄托的对象从宋楚瑜转移到马英九，他们相信马更能代表泛蓝收复执政权。

马英九当选国民党主席，也成为泛蓝新共主。从政经历、出身背景与马英九有很多同构型的宋楚瑜，在“修宪”之后“立法院”改成“单一选区两票制”，从下届“立委”开始，每一选区只选一名“立委”后，小党已无生存空间。再一、二次选举，亲民党面临泡沫化危险。该党“立委”为了政治前途，迟早要另谋国民党或民进党栖身。只是目前宋楚瑜基于个人权力考量，不愿与马英九合作，但从现实来看，已难有回天之力。

王金平多次操盘全台选举，与地方派系关系深厚，输掉党主席后，很多人担心王金平不会全力帮马英九在2008年“总统”选举抬轿。一位民进党要员分析：“那不重要，只要王不帮对手就好了。”王使出五分力或十分力，对马英九影响有限。他认为，王在南部的影响力没有那么大，他所凭借的是“立法院院长”的职位，可以帮“立委”争取资源，但对民间并无影响力，“他并未渗透到对选民的控制”。如果马英九在2008年有胜算，所有政治人物都会见风转舵，包括现在挺王的“立委”也不例外。

展望2008年，马英九的竞选对手不外是“阁揆”谢长廷、民进党主席苏贞昌或“副总统”吕秀莲。但他们三人的社会声望都明显不足，而且没有傲人的政绩，更大的致命伤是他们当中谁出线都还是未定之数。陈水扁是最有资格培养接班人的，但他至今并无明显好恶，放任群雄并起，未来为了争取出线，势必会有一番激烈厮杀，以逸待劳的马英九将居于有利局面。

马英九出线让对手民进党心惊肉跳。一位绿营人士称许马英九是很强的对手，“他讨人喜欢，那是因为一般人并没有机会接近他，而接近他的人却讨厌他”。前述人士表示，与连战、宋楚瑜比较，“马英九的吸引力超越省籍”。

族群不是马英九的重要弱点，“对南部妇女、青年、中产阶级选票都有相当吸引力，因为大部分人离台北很远”。

至于海内外关注的两岸关系，马英九接任党主席后不致有所改变。台中市长胡志强表示，过去两岸在“统”“独”立场拔河，“统”或“独”好像是唯一的选项，不“统”就“独”，不“独”就“统”，但自从连战访问大陆后，“他在北大的演讲，和平和双赢的观念在民众心中浮现，否则连先生不会一回台湾就有那么高的民调”。他认为，连战带回台湾的扭转看法，会是泛蓝最基本的观点，“短期内不会被任何人改变”。

（选自2005年第27期《中国新闻周刊》，作者：邢新研）

“超女”！“超女”！

2004年，湖南卫视推出音乐选秀节目“超级女声”，“想唱就唱”的口号响彻全中国。到2005年第二届，“超级女声”进入了真正大红特红的巅峰状态。一位资深电视人感慨万千地说：“2005年的电视，是属于‘超级女声’的。”

2005年8月26日，深夜。

当李宇春最后一个掀开计票牌百万位上的数字，“3”呈现在所有人的面前，拼出“3528308”这个惊人短信数字的时候，湖南卫视演播厅漫天的金色纸屑旋转着喷洒下来，全场沸腾。

2005年“超级女声”总冠军李宇春怀拥鲜花，向台下或哭或笑抱成一团的已经疯狂了的歌迷们无限感慨地浅鞠了一躬，然后她跌跌撞撞地在汹涌的人潮中冲开一条路，紧紧地拥抱住了自己的妈妈。这个年轻率真的女孩子，从她走上“超级女声”舞台的那一刻开始直到夺得冠军，一路走来，她猜到了这开头，却没有猜到这结局。

没有人猜到这个结局。

李宇春没有猜到，周笔畅没有猜到，张靓颖没有猜到，观众们没有猜到，评委们没有猜到，蒙牛乳业没有猜到，天娱公司没有猜到，全国媒体没有猜到，就连湖南卫视自己也没有猜到。

并不是没有人猜到李宇春会拿冠军，而是没有人猜到，这样一档娱乐选秀活动会如此成功，成功到它已经演变成一场全民的狂欢，一场电视观众的周末盛宴，一场媒体的争夺大战，一次轰轰烈烈的平民造星运动，甚至成了中国娱乐电视业无法抹去的、浓墨重彩的一笔。

“你可以不知道超人，但是不可以不知道‘超女’；你可以不喜欢大米，但是不许不赞同‘玉米’……”这个夏天，几乎所有的中国媒体，都以这样的叙述开头。

2005年8月26日，“超级女声”选手李宇春在年度总决选冠军争夺战中获得冠军。
（图片来源：新华社）

一位资深电视人曾感慨万千地说：2005年的电视，是属于“超级女声”的。

此言不虚。

“超级女声”是一档在2004年由湖南卫视推出的以音乐选秀为外壳的娱乐性节目，提出“想唱就唱”的理念和口号。只要是喜爱唱歌的女性，不分唱法，不限年龄，不论容貌，不问地域，均可免费报名参加，倡导一种“全民快乐”的娱乐方式。

虽然“超级女声”办至2005年已经是第二届，然而不可否认，正是这一届才开始真正大红特红，掀起了更加狂热的浪潮。广州、郑州、长沙、成都、杭州五个唱区轮番上阵。第一阶段的海选在简陋的场地进行，无伴奏，无话筒，无任何辅助设备，参加者清唱自选歌曲，由评委选出入围者。第二阶段则采取选秀淘汰，经过观赏选手演唱及其他方面的表现，由电视观众的短信投票以及31位随机选取的大众评审现场投票，将50名选手逐轮淘汰，最终选出赛区冠军以及最后的总冠军。

“一路风雨一路歌，‘超级女声’何去何从”，从新华社的新闻标题里，我们不难读出这节目背后的艰难和光荣。

什么样的风雨？什么样的歌？什么样的艰难和光荣？

掀开“超级女声”的神秘面纱，我们试图找到一个答案。

“海选”，排山倒海的秀

在“超级女声”的成都海选中，一个身着红色皮衣皮裤的女子乐翻了电视机前所有的人。我们狠命掐自己的大腿，一边擦着眼泪一边看着她声嘶力竭地唱着“故乡啊故乡——”高音唱不上去就继续试，试了一次又一次，直到唱上去为止，末了还“扑通”一声来了个惊天一跪！最经典的是评委顺子已经笑到快从椅子上滑下去了，女子却依旧很认真地指着评委桌上的饮料说:“我想喝你们的那个酸酸乳！”

这个名叫黄薪的红衣女子在一夜间迅速蹿红，电视台将她的精彩表演剪成花絮反复播放。“红衣教主”的名头在网络上一传千里，有无数人兴致勃勃地查找她的个人资料，询问她的最新动向，并签名呼吁要把“红衣教主”留到最后的决赛。

有网友这样描述黄薪:“她高傲，但是宅心仁厚；她低调，但是受万人景仰；她可以将上帝赐予的人的肢体运用得出神入化，可以跳出堪称空前绝后的超级舞姿！她究竟是神仙的化身，还是地狱的使者？没有人知道。但是可以肯定，每一个人都叫她一个称号——‘红衣教主’！”

但是黄薪最终还是离开了“超级女声”，她把本来可以晋级的机会潇洒地抛在了身后，据她说是因为网络和媒体上一些不实的报道以及过分的言语已经严重地伤害了她的自尊心，一句简单的“不快乐了”，就“想走就走”，给她的一众追随者留下了无限感慨和遗憾，还有些许佩服。如果是换了自己，能否做到像她这样，挥一挥衣袖，什么都不带走？

在长沙赛区发生过这样的事：评委们说，姑娘你跑调了。这个姑娘一翻白眼，你才跑调呢！我们在电视机前发出一片叫好声，看到了吗您哪，这才是自信！这才是平等！这才是酷！够劲！看得过瘾！或者，这些才是“红衣教主”们的魅力所在。

而这也是“超级女声”海选的真正动人之处，打动观众的不仅仅是那些古怪出位的举止、出丑露怯的表现，更多的是直达心灵的真实。

事实上，在“超级女声”的海选中，充斥着走调、耍宝、破音、出洋相甚至是口吐脏字等现象，有时连观者也为之汗颜尴尬，不忍目睹。然而就是那粗糙的画面，没有伴奏的清唱，每人短短30秒的表现时间和残酷的淘汰铃声，共同组成了一个大热的节目。而海选的吸引眼球，在某种程度上也为节目形成了一种原始的人气积累。

而为什么有那么多人参加海选？为什么有那么多观众爱看海选？海选的魅力究竟存在于何处呢？原因有三：

“零门槛”的平等竞争参与模式

所谓“零门槛”，即没有任何身份和条件的限制，凡是愿意参与的，人人都可以前去试试这一“免费午餐”，都可以获得录制节目的机会。这就在女性中特别是少女中产生了极大的吸引力。中国的女孩子们从来都没有这样的机会，不需要户口、学历、家庭背景，只需要一张去赛区的车票和歌喉，就有机会展示自己。

一位来参加“超级女声”的女大学生说：“虽然想在这个比赛里脱颖而出几乎是希望渺茫，但是它所具有的‘平等’本身就很吸引我。现在无论在社会，还是在学校，真正‘平等’竞争的机会实在是太少了。”

“报名的时候就觉得身边怎么都是小朋友，当时我就觉得自己好像来错了地方。”海选的时候，成都赛区的参赛选手陶晶群已经超过了30岁，身材胖胖的她来参加海选时甚至不知道有同步录像，穿了工作服便装便去唱歌，拿到pass（过关）卡还不知道自己进了五十强。而她的通过也似乎是在强调“超级女声”的真实态度——没有限制。

“快跑，有人拔枪了！”成都分赛区海选期间，当地各大报纸的文娱类版面头条位置，几乎每天都是“超级女声”的消息，最吸引眼球的大概就是《超级女声现场火爆，一男子插队不成拔枪威胁》。虽然没有任何证据能证明插队的男子拿着的是枪，但人们更愿意以讹传讹进行夸张和渲染。

报名点盛况空前，前来报名的女生们纷纷自备干粮，颇有些“上甘岭”的架势。附近的商贩更是大赚了一笔，饮料、凉面、串串香、盒饭相当畅销，有的甚至租起了小板凳，5元一天。还有专为“超女”们设计发型、设计妆容赚钱的。小吃店更是破了销售纪录，面包几次卖断货，方便面一天卖出两三百桶。据报道，一家干杂店由于提供开水，方便面几乎脱销，在店旁的空地上，吃完的空方便面桶堆成了小山。

每个人都有一个梦想，做同样梦的人也很多，但是能让有同一个梦想的人集中在一起来展示的机会就不多了。

波普艺术家安迪·沃霍尔在上世纪70年代说了一句话：“将来，每个人都能当15分钟名人。”

“超级女声”存在的重要价值之一，就在于提供了一个社会稀缺的资源——平等。

自我展示的平台和通向成功的渠道

四川女孩刘雪和很多女孩子一样，在海选阶段就被淘汰了。刘雪是从重庆坐车过来的，21岁。她说自从看到了“超级女声”这个节目就一直“蠢蠢欲动”想来参加看看，因为平时宿舍里的女孩子说自己唱歌还不错，“有点像阿妹”。来的时候还很高兴，也很放松，觉得就当来玩了，但是到真要唱的时候就紧张了，一看见评委声音都哆嗦了，好在总算唱了出来。

她笑着说被淘汰了也没关系，反正也锻炼了自己，搞不好还能上一次电视。同寝室的女生都很羡慕她的勇气，她们都想来，但是有的是不敢来，有的是没时间。总之，她是代表了她们的梦想，回去可以好好得意一下了，至少可以跟别人说：“嘿！我参加过‘超级女声’！”

一位从外省赶到成都赛区报名的女生在早上8时到达报名点时，发现现场已经有四五千人，等了近九个小时之后，终于报上了名。她妈妈喘着气说：“幸好她报上名了。其实我也希望女儿去见识一下，所以心甘情愿浪费两天时间陪她过来。”

“见识一下”成了很多“超女”报名的最初目的。四川选手张丽说：“我不去想自己会走到第几轮，我只是想，那台上的15分钟是属于我的，就够了。”

“超级女声”并没有丰厚的奖金，也没有诱人的奖品，那么究竟为什么会有如此之多的女孩子乐此不疲？

事实上，这些80后的女孩子们大多是独生子女，她们生活在温室里，不缺乏物质上的满足，但是缺乏与家人的交流和沟通，肩膀上压着沉重的学业压力。对于她们来说，缺乏的是自我展示的真正空间，她们渴望着被他人评价甚至肯定，期待与外界更广泛的交流。能够拥有一个单纯属于自己的舞台，成了她们前来报名的最大动力。

而前文说到的陶晶群大姐则代表了一部分上了年纪的参赛选手的想法："喜欢唱歌的人总想找个表演的舞台、表现的机会，得到肯定。而社会给我们尤其是中年人的空间太少，这就是为什么'超级女声'吸引那么多上了年纪的或是各种各样的人来参加比赛的原因。我一点都不觉得自己傻。"

"超级女声"并不仅仅在于它提供了一个签约歌手的名额，更在于它用最简单的方式，面向大众提供了一个自我展示的平台和一条走向成功的道路。

观众的猎奇心理和审"丑"心理

拿前文提到的"红衣教主"黄薪来说，尽管观众在电视机前看她看得头皮发炸，然而相信没人忍心换台不看，因为你实在太关心她接下来的发展了。

"超级女声"的海选正是抓住了观众的这一心态：真实、坦白、勇敢地展现自我。评审语言苛刻，人际关系冲突激烈，当那些原本神秘的电视选秀画面真实地在人们面前展现的时候，谁又能不睁大眼睛呢？

按电视节目的分类来说，"超级女声"属于真实电视类节目，与香港无线的"残酷一叮"，国外的"幸存者"、"美国偶像"等节目同属一类。2002年美国FOX电视台推出的本土化节目"美国偶像"已经进入了第四个播出季。在这个节目播出期间，最多也只有王牌电视剧例如CSI能超过它，其余的节目根本不是它的对手。包括名噪一时的孔庆祥，虽然在该节目中仅仅作为花絮出现了几十秒钟，但他真诚坦率的态度和无悔执着的信念使其红遍了美国。就形式和内容来说，"超级女声"是非常接近"美国偶像"的，虽然其制片人否认这一点。

这种真实地反映选手的选拔状态的电视节目，实际上已经成为了一场娱乐的真人秀，很多观众试图在观看中找到一种归属感、一种认同感。简而言之，也就是观众会想："如果是我站在上面会是什么样子？""我会不会发挥得和她一样好/一样差？"对于评委的各色评语，观众也会在电视机前肆意地反驳或者赞同。

对于电视机前的观众来说，泡沫剧和大量雷同的娱乐节目已经使他们产生了一种视觉疲劳，已经很难被打动。对比很多看上去虚假无味的电视剧中的情感表演，人们越来越倾向于观赏这种真实的节目。

同时，在这个阶段，观众与自己喜欢的选手开始渐渐培养起感情，也为后来决赛时的短信票选埋下了伏笔。

“超级女声”的评委显然也是最特殊醒目的一群，与我们平日看到的歌唱大赛里正襟危坐的评委们不同，他们中有音乐人，有主持人，有歌手，甚至还有时尚杂志的编辑，他们有的偏重音乐，有的偏重仪表，有的干脆以“找茬”为己任。因此，在海选过程中，观众经常可以看到评委对选手发出各种“稀奇古怪”的评论，使用挖苦讽刺的语言，甚至人身攻击。而所有这些，均被忠实地记录下来，成为节目的一部分。

已经习惯了循规蹈矩的中国观众何时听过这样的评语——

“别人唱歌是偶尔跑调，你唱歌是偶尔不跑调！”

“你以前是干什么的？什么？是美容美发的？那好，你继续去做美容美发吧。”

“嗨，你跳的是第几套广播体操？”

“你连基本的音乐素质都不具备！”

“行了，别唱了，明年再来吧！”

……

当然也有反击的。

在杭州赛区的海选中，一个女孩把歌词开头第一句的“爱”唱成了“海”，评委打断她说，你改词了。女孩歪着脑袋天真地说：“我不能改吗？！我就是要唱成‘海’！我才20岁，我不懂什么是爱，我要唱成‘海’，不行吗？”评委哑然。

更有甚者，在评委按铃淘汰以后，直指评委鼻子恶狠狠地大吼：“我会记住你们！”大有老子要你好看的架势。

……

眼看着电视上的女孩子们或脸一阵红一阵白，或面不改色心不跳，或横眉冷对评委……好一副众生百态，不知道有多少人在电视机前激动得大声拍案叫绝：妙！实在是妙！

电视节目这样做来，恰恰响应了一大部分电视观众的心理，满足了好奇心与猎奇的心理，“看，原来她还不如我。”“唱成这样也敢上台。”“评委怎么能这么说呢，太伤人自尊了——虽然他说得很对。”

观众这些下意识的想法自然大大有助于收视率的提高，但是也容易引发争论，而这些争论在操作者的手中又可以巧妙地成为炒作的构成元素，为操作者服务。这正是操作者的成功之处。

关于“超级女声”海选的批评报道一度也是不绝于耳，骂得最厉害也最出名的评论当数那句“践踏着少女的尊严舞蹈”。作者大声呼吁：“我们怎么可以在大众传媒上剥夺孩子们的自尊？我们怎么可以用践踏尊严的方式大行‘娱乐’，赚取收视率和广告利润？”

而一篇《万人逃课只为报名“超级女声”》的报道也引来一场媒体的大讨论。尽管湖南卫视方面对于“万人逃课”的说法进行了严正申明，并说明，所谓万人，是指成都赛区第一天的报名人数大致估算为万人左右，而且报名时间大都选在课余，但是“超级女声”的海选已经使得所到之处的女生们为之疯狂，这一点是不争的事实。

还是那个写“践踏着少女的尊严舞蹈”的作者，在她的文中，我读到这样一段话：

> 一位在电话里接受调查的先生反问我说：“这些表演者知道她们会被直播吗？她们是免费参加比赛的吗？她们知道评委的风格吗？”当他的反问得到肯定的回答后，这位先生很坦然地说：“OK！这很公平。没有什么不妥。我完整地看过这个节目，我的态度十分中立。”

看来，无论评论家们是如何地痛心疾首，这个社会的态度却已经十分明朗。无论是“践踏”还是“剥夺”，甚至“赚取收视率和广告利润”，这些都不是电视机前的观众所关心的，他们早想甩开一切的故作姿态与道貌岸然，放纵自己的思想，随心所欲地或笑或骂，其他一切，与己无干。

而这，也许正是“超级女声”海选最受欢迎、最吸引人之处吧。

决选，诱人的潘多拉魔盒

成都妹子李宇春在一个炎热的下午，面对着数千人的长龙，打起了退堂鼓。她正要转身离开的时候，被小师妹何洁拉住了。何洁问她干吗不报名。她说人太多，自己又没带照片和身份证。何洁问她记不记得身份证号码。她说记得。何洁说那就好办了，把学生证上的照片撕下来报上吧，既然来了就别白跑一次。

于是，李宇春就交上了一张还带着钢印的照片，贴在了报名表上。

在李宇春拿到"超女"总冠军的那个夜晚，坐在大众评审席上、已经拿到全国第四名的何洁看着自己的师姐灿烂地笑了。没有人说得清那笑容里的内容。也许那一刻，她又想起了那个炎热的下午，自己拉住李宇春的那一只手。只是那轻轻一拉，就改变了她和李宇春的这个夏天，甚至，改变了她们的一生。

有人说，"超级女声"的比赛像一部完美的偶像剧，它具备了一切偶像剧所应拥有的要素：煽情、悬念、竞争、友谊、歌声和美女。如此这般，想不红都难。

值得佩服的是，"超级女声"在脱离了海选"原生态"娱乐的噱头——新鲜、猎奇等一系列直观的刺激以后，其收视率居然不降反升！并且，随着节目的不断进展，"超级女声"的声势越来越大，有更多的人参与到这个节目中来，网络上的讨论热潮一浪高过一浪。

而媒体的舆论导向也随着"超级女声"比赛的进展，相当微妙地由当初的抨击讽刺、冷眼相看，渐渐转为对其正面效应的挖掘和对其热播的理性思考，"黑幕说"、"选手签约问题"、"低俗节目"等争论与"精神文明建设的'奇葩'"等叫好声齐齐亮相，可谓毁誉参半，乃至到最后全国媒体齐聚长沙，趋之若鹜，想采访一个"超女"都不得其门而入的空前盛况，实在令人目不暇接，感慨万千。

"超级女声"究竟是如何一路破冰前行的？它用什么创造了这样一个奇迹？又是靠什么将一场又一场比赛推上更高的台阶，博取更高的收视率的呢？

透视"超级女声"的决选之路，我们可以看到以下的10个词汇在"超级女声"中有着举足轻重的位置，也铺就了其一路的成功。

词汇一：PK

从"海选"开始，"超级女声"各个唱区的评选依次为50进20、20进10、10进7、7进5、5进3、3进1。加上长沙"超女夏令营"决赛的六场选拔，选拔的晋级过程采取逐步淘汰方式，而最激动人心的，就是PK机制了。

PK的原意为“player killing”，指让两名选手对垒，淘汰其中一人，多指网络游戏中玩家之间一对一的对决，即“单挑”。这个机制被引进“超级女声”，却出乎意料地成了最吸引人的赛制内容。

根据规则，由评委选出一个演唱最差者，再与大众短信支持率最低者进行PK，演唱各自的PK曲目，最后由现场的31位大众评审投票决定选手去留。PK赛往往扣人心弦，看上去似乎是观众操纵了选手的生杀大权，现场充满变数，让人不由与选手同呼吸共命运。如果是自己喜欢的选手上了PK台，那就更是浑身紧张。

当待定的两名选手眼含泪花，战战兢兢地面向31位大众评审唱出自认最拿手的歌曲来换取一个晋级的名额时，相信电视机前的大部分人都会被那种紧张的空气感染得有些窒息了，选手的去留决定于那一刻，结果无论如何都是令人感叹的，一个又一个选手离开舞台。PK，实在是个残酷的字眼。

本届“超级女声”的赛程设置明显只为多加赛次，选手晋级和淘汰过程往往被刻意加长。对于这种赛制，北京大学中文系教授张颐武称，这种淘汰过程的刻意延长是必然的，这也是这个节目商业性的一部分。这种命运互动的环节能够充分体现出评委和选手之间那种微妙的敌意。而作为选手，她们的处境非常微妙，除了要讨好评委，还要有所抗争。这种微妙的张力体现出了一种非常有趣的互动关系。

词汇二：煽情

一场只有残酷竞争的比赛是无人问津的，为生活而奔波忙碌的都市人更需要一个宣泄情感的渠道，而“超级女声”除了PK，最吸引人的地方，就是主办方用尽方法让选手表现出最真实的情感状态，也使得这种娱乐的真人秀更加具有可看性。主办方最惯用的方法正是“煽情”，成功地煽落选手的眼泪，节目也就成功了一半。

以总决选最后几场比赛为例，我们可以看出，湖南卫视显然是在煽情上下足了工夫。

超女PK台流泪拉票

这是最直接的眼泪。很多选手上了PK台之后，由于面临着强大的压力，往往会在拉票时泪流满面。当然也有因为两个选手之间感情深厚而流下不舍的泪水。我们看到的最感动人的场面常常是两个选手已经哭得妆都花了，还手拉着手等待着大众评委投下每一票。

选手精彩画面回放

电视台将选手从海选一路走来的精彩画面剪辑一番，配上催人泪下的音乐，相信每个被淘汰的选手在看到这样的回放时，都很难忍住感慨的眼泪。

淘汰选手朗读自己提前写好的离别感言

长沙选手赵静怡被淘汰时，打开自己写下的信，一边哭，一边读："小莉子，请允许我特别对你说几句话，你要加油，我要是被淘汰了，长沙赛区就只剩下你一个人了……"镜头扫到台上台下，所有人都哭成一团。这是湖南卫视事先安排好的环节，每一轮被 PK 掉的选手在离开时强忍着泪水诉说离别感言时的场景，会引出更多的泪水。

一位"超女"迷评价道："在现在的荧屏上，我们看到的往往是虚假的眼泪和刻意的动情，比起那些演员们老练的泪水来，'超女'们真实流露的眼泪，让我们有一种久违的、直达心灵的感动。"

词汇三：短信

尽管舆论一再批评"超级女声"的赛制并不完善，短信投票的制度并不透明，这样的规则没有合适的法律监督等等，然而更多的人还是在一边批判着一边以更大的热情投入到这场游戏中来——这是一个有着很多漏洞的游戏，但是只要你参加，就必须要遵守游戏规则。何况对于国人来说，简单的短信投票拉票，已经比他们所看到的很多事情要民主得多、简单得多了。

据报道，仅仅在 8 月 19 日"超级女声"5 进 3 的比赛中，人气最高的李宇春就拥有近 190 万的短信票数。全国观众短信票数总量达到了 4 925 033 票，投票人数为 875 420 人。也就是说，那天有 87 万多人为了这场娱乐盛宴抛出了几百万元人民币。

在最后的总决赛中，几乎所有“超女”的得票数都翻了一番，李宇春350万的短信票数，用某评委的一句话来形容——“所有人都能听到钱从天而降的声音。”这是赤裸裸的人气和金钱，无可争议。

专门负责“超级女声”节目电信增值服务的运营商透露，2005年“超女”开唱以来，单短信投票、声讯电话投票这两项业务，每月就带来2 000万元的营业额。

在“超级女声”的比赛中，主持人时不时负责任地提醒你：“我们的投票通道马上就要关闭了。”“喜欢她，就留下她！”粉丝们一边不停感慨“湖南卫视用短信决定冠军目的就是收钱”，一边拼命发着短信。她们说：“我们还是只能上当，用我们的短信把××推上冠军宝座！”而有的歌迷则呼吁湖南卫视将所有的短信收入捐给希望工程，“我们有权利让自己的钱花得更有意义！”

湖南卫视压力之下不得不发表声明解释短信收益问题。据《天府早报》8月26日报道：湖南卫视拓展部某负责人24日首次称，“‘超级女声’的短信操作是完全符合国家规定的按章出牌。”

该部门的易主任还认为，现在媒体出现关于“超女”靠短信发财的说法都是建立在对短信业务知之甚少的基础上，有的则是别有用心恶意攻击，但可以保证的是，湖南台肯定会按照国家有关规定办事。至于湖南台是否会把短信收益捐给希望工程，湖南卫视总编室主任李浩则表示台里会统一安排。

词汇四：中性

应该说，李宇春是幸运的，她成了2005年“超级女声”最后的胜利者。且不论那永远是高居第一的短信数量，单单她的个人网站，就已经有三万余人注册，每日的发帖量都有几千帖，这个数目是王菲、刘德华这些大牌明星网站的几倍甚至几十倍。在“百度帖吧”，“李宇春吧”超越了所有明星吧的发帖量，跃居“超级女声吧”以外的第一位。

很多人在纳闷，为什么这个看上去有些男性化的女孩会这么受欢迎？

社会学家李银河说：“英文里有个专有名词：transgender（跨性别）。我认为李宇春就跨越了传统的性别界限，有点Tomboy（男子气的女子）的气质。”

中性，成了2005年“超级女声”的致命法宝。

2005年的“超级女声”以最快的速度缔造的第一个家喻户晓的名字是周笔畅。这个小女生戴着一副黑框眼镜，中性化外形和良好唱功所带来的超人气绝对不容小觑。“笔迷”们高喊着“知己知笔，畅所欲言”，一路将周笔畅送上了广州分赛区的冠军位置。

然而，“笔迷”们在看到李宇春的时候不由哀叹：既生笔，何生春?

对于周笔畅来说，李宇春的横空出世无疑是一个巨大的打击。对比周笔畅还有些可爱卡通的中性化气质，李宇春高挑的身材，迷人的笑容，举手投足间的干净利落，优雅大方，再加上且歌且舞中恰到好处的小动作，无疑中性化得更加完美。男人觉得她可以做“哥们”和朋友，女人则迷恋她、崇拜她。

一个女“玉米”不无感慨地说:“就冲‘冠军帮帮唱’里李宇春向张靓颖那一伸手的翩翩风度，便是天涯海角，也随她去了。”

2004年的“超女”张含韵被叫做“韵乖乖”，乖巧可爱的甜美形象获得了很多人的认同。再看看2005年的“超女”，能叫“乖乖”的，在十强里面一个也没有。带一点男孩气质的小姑娘黄雅莉轻松地把充满女人味的叶一茜淘汰。而到了前三甲，有两个都是中性风格的选手。不能不说2005年的中性风实在是所向披靡。

词汇五：歌声

似乎将这一词汇排到第五实在有些不妥，毕竟说的是“超级女声”，注重得更多的应该是声音。然而对于这样一个商业化、娱乐化的电视节目来说，单纯一副好声音是无法吸引更多人的注意力的。当然，没有好的声音也不可能走得更远，只是声音的地位在整体中，并不占据着绝对的优势。

几乎大部分的网友都认为2005年的“超级女声”成都分赛区是整体实力最强的一个赛区，无论是舞台表现力超强、人气极旺的女中音李宇春，活力四射、甜美可爱的何洁，唱功绝佳、女人味十足的张靓颖，还是胖胖却自信美丽的文瑶，气质独特、沉静大方的冯家妹，甚至是前几轮被PK下去的张丽、邓涛……都各自拥有大量支持者。在最后的几场比赛中，评委常宽和顺子说:“我们已经不是在担任评委，而是在享受一场音乐的盛宴。”

如果说周笔畅掀起了2005年“超级女声”的第一个高潮，那么成都唱区的集体出彩就当之无愧地被网友们称为2005年的“精品赛事”。这些年轻的女孩子们带给了电视机前的观众们属于她们的独特声音，她们在唱功甚至是舞台表现力上居然毫不逊色于当前的一些著名歌星。

而明眼的观众在欣赏的同时也发现，在“超级女声”中唱得真正好的可分为两类：一类是专业院校出身，经过正规的学习，譬如就读于四川音乐学院的李宇春与何洁，星海音乐学院的周笔畅和易慧；另一类则是曾驻唱酒吧的歌手，这种选手经验丰富，唱腔灵活，张靓颖便是此类的领军人物。杭州唱区的纪敏佳以及饱受争议的韩真真也都是个中高手。

而有些外形出众的女生演唱技巧并不是很好，却也能凭借自己短信的高人气走出很远，譬如杭州赛区的卢洁云、成都赛区的陈西贝、杭州赛区的郑靖雯……她们即使最后没有拿到非常靠前的名次，也会有许多公司趋之若鹜。毕竟外貌是先天的，演唱技巧却是可以培养的。经济公司在这一方面的算盘可精明着呢。

词汇六：粉丝

这是最痴情和疯狂的一群人，与那些每到周末就炒几个小菜、一边聊天喝酒一边看“超级女声”顺便发几个短信的电视观众们不同，“粉丝”们将对于“超女”们的热爱完全倾注在了自己整个生活中，甚至作为一种职业和工作来做，倾注了全部的精力、财力和情感。

“粉丝”，英文“fans”的音译，即歌迷。而“伪粉丝”，是指喜爱歌手却拒绝为其投票的支持者。“超女”们各自的“粉丝”有着各自的称号，听起来别出心裁。

“玉米”:“宇迷”的谐音，即李宇春的“粉丝”。“玉米”构成以大学生和白领女性为主。

“凉粉”:“靓粉”的谐音，即张靓颖的“粉丝”。“凉粉”年龄偏大，性别比例比较平均。

“粉笔”/“笔亲”：周笔畅的支持者。“笔迷”构成以18岁以下的未成年人为主。

“盒饭”：何洁的“粉丝”。

“佳迷”：纪敏佳的支持者。

“荔枝”:“黄雅莉支持者”的谐音。

"茨粉"/"QQ糖"：指叶一茜的支持者，因网络上有人诋毁叶一茜为"二奶"，叶一茜的"粉丝"也一度被诋毁为"奶粉"。

"爽身粉"：林爽的支持者。

"粽子"：即混在己方阵营的敌方"粉丝"，一般通过制造谣言扰乱人心、打击士气。

……

在最后一场总决赛中，"凉粉"们送给张靓颖的一个以她本人为范本制作的娃娃，据说是花了3 000余元特别定做的。而张靓颖始终怀抱着的一大束"蓝色妖姬"鲜花，据说是"凉粉"专程从外地空运过来的，价值10 000余元。李宇春的美国

2005年8月26日，"超级女声"选手张靓颖的歌迷在年度总决选冠军争夺战中为张靓颖加油。（图片来源：新华社）

“玉米”在国外花了几千元为其购买了新款的iPod（MP3），并刻上了“春春”的字样。一位署名“赵阿姨”的“玉米”则相当大手笔地送了李宇春一台黑白反色的绝版MIDI键盘“UFSE8”，据说，李宇春也是全世界第一位获赠该键盘的女性。这份礼物的价值，恐怕是金钱也难以衡量的了。

还有更让人感动的。据《都市快报》报道：李宇春的铁杆“玉米”们为了一个素不相识的贫困女大学生“尹雯”集资捐款，帮她凑齐了5 418元的学费。这件善事是一个网名叫“大象像朵花”的“玉米”提出来的，她目前正在英国攻读博士学位。另一位名叫“曼宁”的“玉米”实施了全部的捐助计划，让“尹雯”可以顺利地迈进大学校门。当记者问道“为什么这么做”时，每个人的答案都很简单：“为了春。”“因为我们爱春。”“想把爱她的心拿出来爱更多的人。”所有的“玉米”都记着

2005年8月20日，“超级女声”的歌迷们在选拔赛的赛场外等候入场（图片来源：新华社）

一件事。李宇春在成都赛区决赛上，问了评委常宽一个问题："怎样才能成为一个专业歌手？"常宽回答她："坚持最初的梦想。""玉米"们说，春的梦想是音乐，所以她参加了"超级女声"，这一点打动了他们，他们为她投票，支持她实现最初的梦想，但这还不够，每个人都有实现梦想的权利，他们想帮更多人圆他们的梦。

当然也有各色负面新闻。有的狂热"粉丝"失去理智，在网络上为了偶像吵得不可开交。"玉米"和"笔迷"，"凉粉"和"盒饭"，同盟与分裂，争斗与和好，闹得不亦乐乎。有些"粉丝"不惜以辱骂"超女"和造假消息、假照片的方式来人身攻击其他的选手。网络上曾经流传的李宇春"同性恋图片"后经证实是另一位网友的照片，却被某些"粉丝"拿来大做文章，对李宇春进行人身攻击。

在现实生活中，"超女"迷们在街头拉票也常常会"针锋相对"。总决赛之前，网络上便爆出"玉米"和"笔迷"在上海街头为了拉票发生争执的事，一些"玉米"还展示了自己被打的伤口。

即便如此，"粉丝"们还是坚持着捍卫自己的偶像，对于他们来说，不遗余力支持自己的偶像就是最大的快乐，其他的，吃再多的苦也不重要。尽管可能得不到更多的认可，然而这个社会的我行我素、随心所欲已经占领了一切，对于"粉丝"们来说，"自己喜欢"才是最重要的。

当高高支着印有"请投08号李宇春一票"宣传板的助力车缓缓驶过市区的时候，我们知道，一个属于"粉丝"们的"超女时代"来临了。

词汇七：黑幕

"黑幕"一说早在"超级女声"开播以来便有陆续传闻，然而真正甚嚣尘上却是在杭州赛区韩真真被淘汰以后。有着独特嗓音的韩真真海选时以一首《叶子》技惊四座，引得黑楠在没有PASS卡的情况下情不自禁为她送上一朵玫瑰花。50进20时，她抱着吉他一脸冷傲地翻唱Norahjones（诺拉·琼斯）时的歌声更是令人啧啧赞叹。然而，20进10时，一首《暗香》选曲严重失误，她竟然犯下低音唱破的低级错误。

即使如此，很多观众也觉得韩真真在PK赛中应该可以稳稳地赢过对手成功晋级。可是没人想到，评委竟然以"偶像派可以走音，而实力派不可以走音"的原因让三个“偶像派”选手先行晋级，留下实力最强的选手纪敏佳与韩真真PK，最终导致韩真真出局。

如此结果一出，在网络上顿生轩然大波，韩真真的粉丝们甚至放出了“为什么让两个实力派PK，到底是主办方的意思还是评委的恶趣味”之类的狠话。虽然粉丝们没直接说出“比赛有黑幕”的论断，但网上的板砖不会讲情面，于是关于杭州赛区“黑幕”的诸多版本便横空出世，诸如黑楠是纪敏佳的经纪人、主办方想保实力派一类的流言一时间风生水起。

而在网络上流传的“黑幕”中，以下部分比较具有代表性，也引起过很大争议。

黑幕一：沈嫔嫔事件

据《都市快报》报道：在杭州分赛区10进7的淘汰赛中，在3号、6号、9号三位选手通过场外观众短信票数决定去留时，3号沈嫔嫔经历了“超级女声”开赛以来选手所面对的最大落差——在全国亿万观众面前从“待定”变为“淘汰”。

当她被宣布“待定”走下台，6号郑靖雯掀开“淘汰”字样时，场内一片哗然。紧要关口，戏剧性的一幕发生了：总导演王平冲进直播厅，高喊：“公布短信票数，以即时短信票数为准！”主持人汪涵愣了一下，说：“好，以即时短信票数为准。”在等待了漫长的30秒后，现场公开的、依然在跳动的计票器显示：郑靖雯短信票数遥遥领先，何豖言居第二位，沈嫔嫔居末。沈嫔嫔被淘汰，郑靖雯和何豖言待定。

比赛结束后，沈嫔嫔的妈妈激动地在直播厅向总导演王平大声质疑。沈妈妈激动地表示，女儿和亲友团都已做好被淘汰的心理准备，但还是很难接受主办方关于拿错牌子的解释。“3号和9号怎么会错？”公正性何在？为何不在30秒内公布票选数据？为何先揭晓答案再公布数据？

面对沈妈妈的强烈质疑，王平含泪承认了工作的失误。事后，记者了解到，这个小插曲是由于工作人员的差错造成的，为了不造成“将错就错”的大错，主办方决定当场“改错”。主办方湖南卫视方面回应：沈嫔嫔事件纯属工作人员的差错，淘汰已成定局，不可更改。

一位不愿意透露姓名的业内人士也表示，发生在沈嫔嫔身上的风波是工作失误而非“黑幕”，但对于已是第二年举办的成熟电视节目，这样的错太低级，“滞后的

30 秒”给观众的遐想空间实在是太大了！

黑幕二：黑楠签下纪敏佳

6 月 15 日，一个署名为“北美猎人”的网友在网上公开爆料：“黑楠早帮纪敏佳灌过唱片，是去年底在香港灌的，接着春节过后又组织她参加了一次‘同一首歌’。”另外也有传闻说黑楠是纪敏佳的经纪人，所以才一路力挺她。随后，黑楠的经纪人辟谣说并无此事，还声称：“如果真的遇见纪敏佳那么好的歌手，早就出唱片了，哪里还用她来参加‘超级女声’？”

黑幕三：都很有后台！

不知从什么时候开始，流传“超级女声”进入十强的选手都很有后台的说法，从张靓颖进入十强赛事起，就有“知情人士”称“张靓颖有华纳为她撑腰，所以拒签天娱”。此外，其他几位选手的亲人也被搬到台前。据说，湖南唱区冠军赵静怡的父亲是长沙市政府高官；美女叶一茜被 PK 出局时哭着要感谢“哥哥”，据说，这位非亲非故的“哥哥”与湖南卫视关系非常好；李宇春的父亲据说也是某公司董事长，为“超女”比赛出力不小；后来又盛传周笔畅父亲“曾在湖南政府部门任职，属于某宣传部门颇有名气的笔杆子”……

对此，“超女”们纷纷回应反击。张靓颖曾公开回应“华纳撑腰”的说法，表示那是“不可能的事，签约华纳是歌迷美化我的形象”。李宇春也公开辟谣：“我爸爸只是一个普通警察。”

黑幕四：“名次已定”说

就在“超级女声”5 进 3 的比赛前，一篇《“超级女声”会议纪要，曝光前三甲人选已定》的文章在网上流传，前三名被猜测为周笔畅、李宇春、张靓颖。而当前三强揭晓时，纪敏佳和何洁果真被淘汰出局，网友预言的准确性令人惊讶。

黑幕五：签下八年“卖身之约”

这也是流传最广、最公开的“黑幕”。甚至由于它的公开，已经由“黑幕”转为了“白幕”。

据报道：从“超女”总决选入围赛开始，进入“超级女声”全国 15 强的选手均与参与“超级女声”节目制作的上海天娱公司签订了一份有效期长达八年的文本。其实早在地区赛的时候，“超级女声”就规定，晋级的选手都必须和天娱签约，如果“超女”违约私下与别的公司签约，要支付 500 万元的违约金，而如果要解约，就必须答应解约后永不踏入娱乐圈。

可以不签吗？当然可以。但是请注意，如果不签，后面的比赛就没有意义了。据报道，在杭州赛区，10 个女孩子中的一个曾经打定主意说不想签，于是，天娱方面就直接当着其他家长和选手的面说，后面的比赛就不要比了。最后，女孩子在其他家长的劝导下签了。她告诉记者，天娱说如果不进前三，可以退合约，进了前三据说也可以退。已经走到这一步，她想天娱也不会太难为选手，狠狠心，签了吧。

据一位曾与天娱签约的“超女”介绍，天娱提供给“超女”的这份名为“经纪人代理合约”的文本共 6 页，分 11 个条款。该“超女”称，最让她感到不合理的是合约对演艺经纪的规定及经纪人佣金抽取的规定。合同中规定，前四年，天娱要抽取 60%，后四年，抽取比例下降到 40%。该“超女”认为，最让她痛心的是那条“超女”违约赔偿金额为人民币 500 万元的条款。“合同里并没有承诺给我们投资多少，也没有提到什么时候发唱片、拍多少电视剧以及其他，可以说没有一条条款是对‘超女’有利的，但却规定了如此巨额的赔偿金，它是参照什么来制定的我们也不知道。”

7 月初，某“超女”向天娱提出了解约。天娱的工作人员说，解约可以，但必须写下保证书。该“超女”保证书刚写到一半，天娱的工作人员又改口了：“保证书上必须写明一条：解约后不准再出现在娱乐圈。”

8 月 12 日晚，央视“社会与法”频道播出了“超女”签约事件的访谈。法律专家指出，天娱与“超女”签订的合同是无效的。央视的介入使得这一事件引起很大的社会反响，最终，在媒体与舆论的支持下，一些“超女”终于顺利解约。据悉，天娱公司也并没有多加为难。

而在“超女”比赛落幕后，获得本届比赛第三名的张靓颖也在谋划与天娱解约。据一位知情人士透露：“张靓颖是个生活很随意的人，她不喜欢受约束。”

在漫长而越来越激烈的“超女”比赛中，“黑幕”这个词汇的使用频率也越来越高，只要上网查找“超女”的消息，无数条“黑幕”就出现在面前——“惊爆黑幕！ ×× 不为人知的事”“我所知道的黑幕”“舞美师爆料黑幕”……乱花渐欲迷人眼，“黑幕”已经不单单是一种揭发、一种披露，甚至已经成为了一种炒作、一种吸引眼球的方式，诸如 ×× 可能要被踢出局，×× 有可能因为某种利益关系而直接晋级……怎样能让一些话题广泛地进入人们的视野？怎样让一些话题引发人们的兴趣却不会引起反感？湖南卫视在这点上无疑是高手。

对于“黑幕”的操控更加可见湖南卫视的厉害之处。“黑幕”是最容易引起人们委屈、愤怒、逆反心理的，而所有的这些心理，都可以被利用转换成商业上的成功。

不过回想起某青年歌手大奖赛，哪一年的黑幕不让人恨得牙根痒痒无处伸冤？至少湖南卫视的“黑幕”算是顺应民意的“黑幕”，属于民众的“黑幕”。

短信体现意见，在电视台看来，“黑幕”的真谛就是为娱乐服务。没有人愿意和观众过不去，和自己过不去。

词汇八：评委

“超级女声”的评委是一把双刃剑，一方面让评委出尽风头，甚至蹿红为大众偶像，收获了最大的人气利益，另一方面也扰乱了他们平静的生活。

在“超级女声”之前，没有多少人知道黑楠的名字，复出的柯以敏也无甚声势，常宽和顺子两位在歌坛都半红不紫。这些评委原本都是娱乐圈内的幕后工作者和音乐领域的专业人士，一场“超女”，让他们纷纷登上了娱乐新闻头条，你方唱罢我登场，好不热闹。就连没有担任总决赛评委的科尔沁夫也随着他对柯以敏毫不客气的抨击，在网络上人气直升。

海选中以及后面的淘汰赛中，以柯以敏和黑楠为代表的评委几乎成了比选手还炙手可热的追逐对象，网友冠以“柯楠”组合之名，在 20 进 10 比赛后，柯以敏激动地趴在黑楠肩上痛哭的一幕让人印象深刻，一度盛传二人擦出火花。

有人在网络上搜集了柯以敏的“评委语录”，柯以敏那夸张的手势和表情，仿佛就在这些熟悉的语句中——

1. 你拯救了音乐界！（对周笔畅）
2. Very very very very very good！（对黄雅莉）

3. 李玟她会感到危险的！（对何洁）

4. 你知道吗，你是最棒的。（对将要被淘汰的选手）

5. 答应我，好吗？（对所有选手）

6.（在教导一番后）这个才是你，懂吗？你可以的！（对所有选手）

7. 你们可要听好了！唱得好，不表示一定能成功，个性决定命运。学习专业歌手唱歌的方法，不是唱法。记住了，物极必反，乐极生悲，有得必有失，有上必有下。不管结果如何，柯老师，柯以敏，Mindy（柯的外语名字），祝福你们所有的“超级女声”都有一片天。因为，你们全都是我最爱的宝贝。I love you！

8. 心痛，你需要更心痛，懂吗？（对郭慧敏唱《心痛的感觉》）

9. 就好像蒙牛酸酸乳那么好喝，就像柯老师代言的龟苓膏这么好吃。（某一场比赛听了选手歌唱后）

10. 月亮代表我的心。（印象中柯评委几乎每场必唱的歌曲）

“超级女声”的评委，这个烫手却美味的山芋，要是能真正做到令人无可挑剔，那才应了那句经典评语——

牛！猛牛！（蒙牛）

词汇九：舆论

一位媒体记者在报道中兴奋地说：“李宇春为我们内地终于争了一口气，以前都是我们跟在港台记者后面去采访港台明星，而现在，终于轮到他们跟在我们的身后，来争着采访我们本土的明星了！”

事实上，“超女”们的迅速走红与媒体争先恐后的报道让我们可以联想到几年前与之类似的小燕子赵薇，只不过这一次是纯粹的本土造星，更具有一些亲和力。据说“超级女声”结束后，“超女”们前往北京宣传，北京各大媒体排着队等着李宇春的“接见”，连著名杂志 *ELLE* 也在争夺李宇春的专访，其火热程度可见一斑。

为了争夺市场，2005年这个火热的夏天，关于“超女”的报道层出不穷地出现在大小媒体上。这年头，只要沾上“超女”的文字就会吸引无数人一探究竟。科尔沁夫不过是骂了柯以敏几句，他的博客就几乎人满为患。DJ吴继宏在电台里毫不掩饰地宣称“我喜欢李宇春讨厌周笔畅”，让很多人一夜之间知道了这个从未听说过的名字。这是个借位出名的年代，只要你能抹下面子去借这个位。

最有趣的是，明星们出席各种活动，被问得最多的也是“超女”的话题。评委之一何炅在上海为新专辑做宣传，媒体却只问“超女”不理新专辑，让何炅颇为尴尬。羽泉的签售会上，他们一边挥汗如雨地签名，一边还要回答关于“超女”的问题，声称看好李宇春夺冠。崔健在内蒙古参加摇滚音乐会，被记者问到“超女”，却一问三不知，结果报道被冠以大大的标题——“崔健不知‘超女’为何物”，一代摇滚巨星顿显落寞。连刘德华也被恶作剧地弄成“华仔要办‘超女’选秀活动”，气得刘天王忙发声明辟谣。

名人中也不乏“超女”迷。徐静蕾就曾经亲自给“超女”纪敏佳打过电话，对她表示支持，然而对于媒体的炒作却颇不以为然，声称自己最喜欢的还是张靓颖和周笔畅，其次才是纪敏佳。黄健翔声称自己是“凉粉”，喜欢张靓颖的歌声。著名体育评论人李承鹏更是旗帜鲜明地宣称：“我十分想见李宇春！”

当然，并不是所有的舆论都对“超级女声”一边倒地赞美和追捧，2005年8月，中国广播电视协会播音主持委员会在北京座谈并发出倡议书，号召全国同行抵制广播电视文艺娱乐节目低俗化，矛头直指势头正旺的“超级女声”。著名主持人崔永元、朱军、李咏等人更是针对“某些娱乐节目低俗化倾向”问题发表意见，认为“片面追求收视率是万恶之源”。与会专家则把“超级女声”当作“恶俗娱乐节目”的“活标本”，并提出了公众监督的“治娱妙方”。中国社会科学院新闻研究所研究员时统宇表示，“边缘新闻主流化”是造成低俗化倾向的原因之一：“比如‘超级女声’是很恶俗的节目，只有降低这些节目的播出量，并在黄金时间增加新闻、社教类节目的播出量，才能解决节目的低俗化问题。”清华大学新闻传播学院副院长尹鸿则认为：“让公众参与到如何避免低俗化的讨论中来，像听证会一样，应该让公众来衡量什么是低俗，低俗的表现是什么，形成舆论监督。”

词汇十：利润

明明1票就能表明的立场，为什么让我们发15票来证明？

2005 年 8 月 20 日，“超级女声”五强在 5 进 3 的比赛中。

2005 年 8 月 25 日，进入“2005 超级女声”年度总决选的李宇春（中）、周笔畅（左）和张靓颖在参加总决选彩排。（图片来源：新华社）

这是一位“超女”迷质问主办方的话，自然是得不到回答。

其实根本不用回答，这样的问题只有一个答案，此前所有的操作，所有的炒作，所有的用心良苦，都在受到一个词的驱使——利润。

据业内人士透露，“超级女声”仅在短信参与这一项上，一档比赛下来，电视台收益的短信费就超过百万元人民币。短信参与是由三个机构共同合作完成的——运营商，即移动与联通；增值业务服务商；电视台。所以，最终这笔短信收入将通过分成的方式纳入各自囊中。

由于湖南卫视已与某网站合作，拥有SP资格，不需要另外向SP运营商付费，所以，湖南卫视只需要向移动与联通付15%到20%的费用，另付0.8%的频道占用费，余下的收入便可归自己。以10强赛每场约300万张选票计，每15条短信1元，共20万收入，这在湖南卫视、移动与联通、SP运营商三方之间分配。而短信利润的真正大头，是之后向观众发送有关“超级女声”以及卫视节目的信息，每条收费1元。照此算来，湖南卫视大约能从每场的短信收入中分得100万元左右。

而与高额的广告价格比起来，短信的收入又显得是九牛一毛了。由于“超级女声”的火爆，直接提升了湖南卫视白天时段的广告价格。根据索福瑞调查统计，“超级女声”白天时段收视份额最高值突破10%，居CSM31城市同时段播出节目收视份额第一。2005年总决赛的广告报价为5秒插播价4.8万元，10秒插播价7.95万元，15秒11.2万元。而央视一套3月的报价，最贵的电视剧贴片广告的15秒价也不过11万元。

当然，得利的并不仅仅是一方，“超级女声”和“蒙牛酸酸乳”在2005年夏天的热烈配合，再次显现了企业对于品牌管理的认知和面对市场惯有的急迫。张含韵“酸酸甜甜”的歌声一夜之间响彻全国上下，“超级女声”与蒙牛的联姻，也被公认为是国内目前最成功的市场整合营销的案例。蒙牛乳业投入了约2 000万元以购买“超级女声”节目冠名权；随后，又追加将近8 000多万元，投放有“超级女声”标志的公交车体、户外灯箱、平面媒体广告。而最初，湖南卫视对冠名权的标价仅为300万元。

蒙牛的腰包掏得很值得。据蒙牛乳业副总裁孙先红称，“超级女声”活动开始后仅20天，蒙牛酸酸乳所有库存和当月产品均销售一空。后来新增了两条生产线，但仍然供不应求。

“天娱传媒”的董事长王鹏毫不避讳“超级女声”在商业利润上的诉求：“整个赛

程的安排完全是从商业的角度进行设计的。”的确，我们在“超级女声”的每一个阶段都嗅到浓浓的商业味道。

而这场“超女”运动的最大赢家，当属湖南卫视。大手笔和大投入，电视台为的是打造品牌。而品牌的背后，就意味着巨大的商业利益。

这种无形的利益，才是一棵长期的摇钱树。

对于主办方、“超女”和她们的“粉丝”们来说，“超级女声”的年度决选无疑是属于2005年夏天的一个神秘的潘多拉魔盒。在所有人充满期待打开的时候，飞出的是无数的欢乐和泪水，也有黑幕、谩骂、攻击和无数的流言，但是当这一切都四散开来，我们惊喜地发现，在盒子的底部，还有最后的礼物——希望。

的确，“超级女声”是有着无限希望的，它的成功是偶然的也是必然的，作为中国电视史上一个划时代的节目，它的意义已经不仅仅是一个简单的娱乐节目那么简单了。这一场本土造星运动史无前例的成功，使众多的观众对“超女”们未来的发展也充满着信心。

“超级女声”，敢问未来路在何方

2005年夏天的“超级女声”堪称一场电视史上完美的商业运作，相信也将从此改变内地娱乐传媒产业的生态。“超级女声”对大陆娱乐传媒业的第一个启示是：大陆终于诞生了自己的偶像，而且不是一个，而是一批！甚至，确切地说，诞生了自己的造星模式。这对娱乐圈来说，影响当然是十分深远的，尽管它的意义也许要几年后才体会得到。

而对于一口气签下大量“超女”们的天娱公司来说，当务之急就是如何好好为这些崭新的偶像们策划一个未来。

冠军李宇春前往北京宣传，机场300余名“玉米”接机，苦等十几小时却没有见到偶像——天娱公司怕引起混乱，悄悄安排李宇春从VIP通道离开了。

据说，特意穿了北京“玉米”为她设计的会服，想让“粉丝”们高兴一下却没能如愿以偿的李宇春听着机场里“玉米”们齐声高唱《我的心里只有你没有她》，在车里无声地哭了。

也许正是从那一刻起，她才意识到自己已经真正成为了一个明星，已经开始有身不由己的苦衷。

2005年9月，天娱公司发行的“超级女声”首张大碟《“超级女声”终极PK》在京举行了首映仪式。据唱片发行方美卡音像透露，本张专辑仅仅在预售阶段就突破了65万张，可谓不小的奇迹。大碟上市第一天就全面脱销，补订量达到百万张。这对于低迷的大陆唱片市场来说，无疑是注入了一针强心剂。

2005年，首本由“超级女声”官方授权的图书《“超级女声”宝典》也于9月上市，与此同时，“超女”们在全国几个城市举办演唱会，并同步举办该书的签售活动。几位“超女”的个人专辑也很快发行。这对于“超级女声”来说，也算是一个相对比较完美的后续报道。

然而我们依旧担心，这些“超女”们究竟能将这种迅速的蹿红延续多久？她们是否会是昙花一现？比赛中，她们也许情同姐妹，将来的路却还是要自己走。包装，定位，还有那八年的签约书，都是“超女”们所要操心的问题。

在总决赛中，2004年的“超级女声”冠军安又琪和季军张含韵出现在晚会上。张含韵算是2004年“超女”中发展最好的一个，然而当其现身时那礼貌且零落的掌声，与2005年的三甲追逐者们的疯狂呼喊、掌声雷动形成鲜明对比。这难免让人担心，今年的“超女”明年会否遭遇同样的命运？

对于天娱公司来说，靠这些年轻的女孩子们可以在短期内赚到一笔丰厚的利润，然而长期的发展究竟路在何方？恐怕连他们自己也说不清。

不久，“美国偶像”制作公司声称，“超级女声”抄袭了“美国偶像”节目，侵犯了原创者的知识产权。

此消息一出，即有媒介资深人士表示，电视节目模板的盗版很难裁定，目前电视内容的同质化只是中国电视发展的必经阶段，通过对海外电视节目的学习，可以缩短与国际电视产业的差距。

虽然自身难以摆脱模仿“美国偶像”的阴影，但“超级女声”却还在害怕辛辛苦苦创意的节目很快被模仿与跟风。比起打一场侵权的官司，越来越多的地方电视台的激烈竞争看上去才更加头疼。对于“超级女声”的节目品牌来说，发展前景也有着重重的迷雾。如何保持住节目的新颖与火爆，一年办得比一年精彩，保持住这个品牌的优质，都是需要解决的问题。

尾声：这个夏天，属于我们的感动

“超女”结束了，这个喧嚣的夏天即将过去。MSN上的朋友把名字改成了：明年没有“超女”的夏天还会这么火热吗？夏天炎热与否其实我们并不真的关心，我们关心的是自己的心情能否再次被这样激情点燃。

有时回头想想，我们为什么会这样被轻易地征服？我们将比看世界杯更大的热情、比关注奥运会更投入的心思奉献给“超级女声”。真心想为所有的“超女”喝一声彩，因为她们带给了我们无限的快乐和期待。

我们早就仇恨起那些电视娱乐节目里一声声的“大家给点掌声好吗”“请跟我一起向他们致以深深的敬意”……更不用说那些所谓的“领掌员”和“欢呼员”忽然闪现出的身影，蓝色方阵红色方阵黄色方阵，谁家的妈妈姐姐和根本认不出长相的老同学忽然现身，嘉宾没哭主持人先眼泪汪汪，节目结束了鼻涕一甩大吼一声某个方阵可以去领一块罗希尼手表外加价值999元的鸭绒被。我们面无表情地注视着千篇一律的电视荧屏，泪水和掌声如此廉价，唯有麻木而习惯的付出。

我忽然又想起“超级女声”5进3的PK台——原谅我一次又一次地提起那个悲壮然而堪称经典的场面：直接晋级的李宇春瘦弱的手臂紧紧地拥抱着何洁和张靓颖，仿佛只要一松开就会天涯海角再不相见，何洁始终甜甜笑着的小脸在瞬间泪水纵横，张靓颖拼命地推开李宇春，连成都话都冒了出来：“快点下去快点下去。”——我知道她怕再多说一句话自己也会泣不成声。

这些年轻的女孩子们在舞台上尽情释放着自己的情感，开心，悲哀，激动，平静。短短几个月的时间，她们从平凡到不平凡，那无数坎坷起伏相信是很多人求之不得的人生洗礼。难得的是，我们还能在她们疲惫排练的脸上看到我们年轻时那些恍惚的灿烂纯真。

……

张靓颖说：“我希望今天在这个舞台上，大家都是开开心心的，就像何洁刚才说的一样，不管谁离开这个舞台，我们都很棒，没有谁是失败者。所以这是所谓的

'超级女声'，因为能走到今天，大家都是非常不容易的，谢谢你们。"

李宇春说："名次和音乐比起来，太渺小了。"

周笔畅说："你们应该把掌声给自己，没有你们就没有今天的我。"

何洁说："走到今天，我们谁差了？你们说，谁差了？"

李宇春淡淡地笑："什么都不用多说了，唱歌吧。"

……

有一位老作家在家人的劝说下勉为其难地看了那场比赛，看完后，他却被深深感动了。他说，这些女孩子在这个舞台上真正地参透了人生。

我又想起了一个故事：

"超级女声"总决赛以来，李宇春只回过一次家。有一次，她晚上9点多到家，第二天一早醒来，为父母泡完茶就要赶飞机。春妈心疼，出门前，往她包里塞了一个苹果。李宇春心情不好，提着两包行李，不耐烦地说："别再增加我的负担，时间来不及了！"春妈不高兴了："春春，你怎么这样说话？"

一路沉默。上车前，李宇春突然流下了眼泪，她抱住妈妈，亲了妈妈一下，一转身便钻进了车子。

女儿远去，春妈的手机响起，是女儿的短信："好好保重，注意身体。"

——勇敢地面对所有即将到来的挑战。

——胜负并不重要。

——抓住每一次秀出真我的机会。

——亲情和友谊是生命中值得珍惜的东西。

……

这些被迫要在枯燥书本中读到、也不耐烦学习的真理，当它们被如此直观地呈现在我们的面前时，才真正地深入心底。

如果要上一堂人生的思想品德课，那么，这才是最完美的教育。

比起"超级女声"舞台下那一浪高过一浪的自发掌声，主持人几度压都压不住的欢呼，比拼似的喝彩，甚至给演唱者自动配唱的观众……更多的电视节目也许应该深深地惭愧和反思。煽情不需要主持人一边朗诵一边流着泪主持，主持人真正的工作是让冲上台的"粉丝"不要太激动而不是示意大家快多给点掌声。

湖南卫视在这场娱乐活动中收获得盆满钵满，但是它值得这些收获，至少“超级女声”给了中国电视观众一次狠狠的冲击，而这种冲击和惊喜是无价的。

对于“超级女声”的评论始终是褒贬不一，保守者哀叹这是全民素质的倒退，开放者赞叹这是草根文化的胜利。窃以为，这或许还将是一场关于娱乐的彻底革命，一个时代的象征，一个社会前进的必然阶段。

多少年来，我们已经习惯于唱《浏阳河》一定要配一排红衣绿裤长辫子的舞蹈演员，唱《阿里山的姑娘》一定要身穿民族服装浓妆艳抹还要做纯情状，前面在高歌《我和我的祖国》，后面上百个伴舞挥着金灿灿的大裙子风起云涌。真正的平民歌声少之又少，观众只能被迫接受电视台和经济公司包装出来的偶像，那些打包给我们不由我们不接受的形象和声音。在消费者的角度来说，这是真正意义上的捆绑销售。

所以人们厌倦了，冷漠了，麻木了。当内心反叛的情绪越积越多，压抑得急需一个出口的时候，“超级女声”出现了。

这是一场真正属于民众的狂欢，普通百姓终于可以好好地颠覆一次，选择自己想要的东西了。而当他们按动手机发送短信为自己喜爱的选手投上一票时，他们觉得已经赢得了这样一场庶民的胜利。

也许“超级女声”并不能承担起这么沉重的娱乐改革的任务，但是它毕竟捅破了那层欲遮还羞的窗户纸，开始拉近娱乐与民众的距离，告诉他们：想娱乐就娱乐，好好地娱乐，自由地娱乐，随心所欲地娱乐！

2005年8月26日，“超级女声”决赛的最后一夜，正如本文开头所述，完美地落下了帷幕。全国的电视观众见证了许久没有的万人空巷，无数“粉丝”见证了对三个平民女儿的牵肠挂肚。不管谁赢了，大众都闹哄哄地欢喜，大众欢喜，“超女”就胜利了。

一个炎热的夏天终究要过去，不论“超级女声”带给了人们多少谈资，带给了观众多少娱乐，带给了电视台多少收视率，带给了那些“超级女声”们多少梦想，都将在这个夏天的末尾画上一个暂时的句号。每个时代的人都会拥有属于他们的记忆，而走过2005年的我们注定要记住“超级女声”这样一个名字，这一道生命的烙印，在多年以后回味起来依旧余韵悠长。

对于那些曾经带给我们快乐和感动的“超级女生”们，我们也唯有衷心地祝福，祝福这些年轻并怀着梦想的女孩子们一路走好。她们拥有着发自内心的无数掌声与喝彩，她们带着那么多人的牵挂，她们应该幸福。

正如在最后一夜总票数揭晓之前，年度三强在台上共同唱起的那首歌一样——

掌声响起来，
我心更明白，
你的爱将与我同在。
……

也正如科尔沁夫评委说的：内心纯洁的人前途无量！

也许在若干年后，当“超级女声”已经走向没落，“超级男声”、“超级童声”等节目纷纷出炉，我们还能记得这样的一个夏天，曾经如此热情地投入一场全民的狂欢，曾经见证了这样一股值得纪念的社会文化风潮。

想唱就唱，一个开放的社会也必将前途无量。

“超级女声”，我要说，你拯救了娱乐界，你“very very good”！请好好地发展，你可以的。

答应我，好吗？！

（选自 2005 年第 10 期《报告文学》，有删节，作者：吕辉）

“千手观音”是这样练成的

由21名聋哑演员表演的舞蹈《千手观音》是2005年春晚最受欢迎的节目。传说中的“千手观音”被演绎得如此动人，天光人舞呈现出如此的祥瑞，观众们看到的是舞蹈，感受到的是一种巨大的沉静与安详，一种灵魂的涤荡与净化的境界。那么，“千手观音”是如何练成的？

接到春晚剧组邀请电话

2004年12月10日，这是个再普通不过的日子，深圳的冬天仍然是暖风轻轻地吹着，城市依然忙碌喧嚣，街上车水马龙。如果硬要说有什么不同的话，那就是它是星期五，接下来是周六周日，可以休息两天了。商店里圣诞和新年的气氛营造得十分浓厚，让人忍不住有上街转转的欲望。10点多钟，我的手机响了，我一看，区号是北京的，电话号码并不熟悉。电话接通了，对方说是春节晚会的导演杨东升。哦，是我的好友。他通知我说，打算请中国残疾人艺术团的《千手观音》上2005年的春节晚会，让我尽快约我的老同学《千手观音》的编导张继钢，具体谈谈春晚剧组对《千手观音》的修改意见。

什么？《千手观音》要上春晚？天哪，这是不是真的？放下电话，我高兴得甚至怀疑自己是不是得了幻听。因为我太清楚上春晚对《千手观音》意味着什么，更清楚上春晚对残疾人艺术团意味着什么。

因为，在这之前，人们很少会看残疾人艺术团的演出，不知道残疾人艺术团里有个叫舟舟的智障孩子特别喜欢指挥，有个非常非常漂亮的“玉观音”邰丽华，还有一个世界上唯一的聋哑主持人姜馨田，她是1952年以来“环球小姐”赛史上第一位聋哑选手。而更多的人不知道2004年雅典残奥会的“中国八

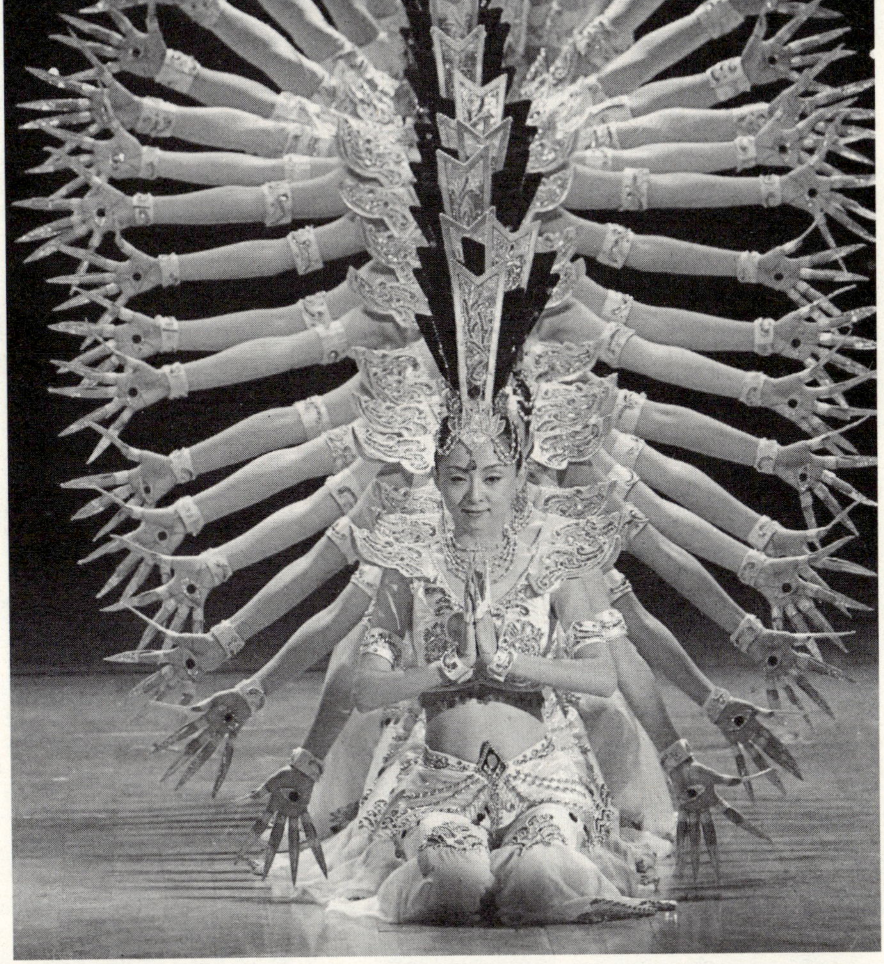

舞蹈《千手观音》。（刘广铭/摄，图片来源：新华社）

分钟”，这八分钟就是指中国残疾人艺术团的舞蹈《千手观音》和盲人器乐演奏《中国风情》，它们在国内国际艺术界引起了极大的反响。看来，这个反响终于要蔓延开来了！

据说，《千手观音》是唯一不用通过审查就进入春晚的节目。这是春晚举办23年来第一次出现展示残疾人特殊艺术风采的节目，而《千手观音》的演员们将成为中国6 000万残疾人的代表。

对《千手观音》来说，上春晚是个很好的机会，可以让全国人民了解中国残疾人的现状，让更多的人来关心中国的残障人士。春晚对我来说也是一个挑战，是一个艺术工作者艺术实践的最好舞台，更是一个文艺工作者的追求。能上春晚，没有谁不激动，不兴奋的。在激动兴奋的同时，我感觉自己身上的担子很重很重，我们要给全国人民提供一道精神大餐，让全国人民满意。

12月12日，春节晚会的导演第一次与中国残疾人联合会的刘副主席见了面，一谈就是三个多小时。刘副主席向他介绍了残疾人艺术团的发展史和演员情况、在国内外的知名作品、观众反响和未来设想，以及《千手观音》的编排历程和在雅典残奥会上的演出盛况。杨东升导演也谈了春晚对《千手观音》的要求，他们的要求很简单，就是要我们奉献纯艺术的精品。

12月18日，杨东升和我到中国人民解放军空军总指挥部找张继钢导演具体谈《千手观音》上春晚的操作问题。当时，张继钢导演正在“空指”担任每年一度的“双拥”晚会的总导演，白天根本不能外出，也没有时间外出。我们是经过多少道手续才进入“空指”剧组现场的，我已经记不清楚了。只记得那天下着很大的雨，天冷得可怕，我们打着伞，不停地向警卫出示各类证件：身份证、工作证、单位介绍信，甚至连我随身带着的我和“千手观音”在雅典残奥会上的合影，包括艺术团的画册，都用来证实我们的身份。进一道门，出示一遍，进一道门，门卫向上级请示一遍，和上一环节核对一遍。终于，我们进到“空指”二楼暖洋洋的贵宾厅，在那里见到了张继钢。

我们刚坐定，说了三句话，张继钢便被叫出去了，是执行导演来请示节目安排的。张导回来，谈了没几分钟，电话又响了。我们的谈话就在无数次被打断后终于告停，张导接到电话，请他去开个短会。我们只能等。张导开完了15分钟的短会后，谈话得以继续。这次，张导关了手机，非常认真地记录了杨东升导演提出的每一项要求。听完杨东升导演的话，张导自信地说：“完成春晚的要求完全没有问题，你们所要的东西，我们都能完成，甚至是高质量地完成。”张导说。

听了张导的这番话，我心里有谱了。张导不愧是大导演、大艺术家，他肯定已经有思路了。

张导表完了态又对我说：“服装、舞美、灯光、道具这些都要进行修改，训练要提前开始，要拿出一个具体的训练排练计划，最好拿出个倒计时表来。这些都由你来负责。”

全社会都支持《千手观音》

回到深圳后，我开始酝酿、设计从1月8日到2月8日这一个月的详细计划。主要出了五个大方案：第一，训练方案；第二，编导排练时间方案；第三，修改道具方案；第四，服装修改方案；第五，全团工作人员配合及做好餐饮安排的后勤保障方案。我2004年12月3日飞往北京参加国际残疾人日“集善嘉年华”活动，顺便汇报了以上方案。12月6日，方案全部成型。12月7日，email传到北京，北京提出修改意见。12月29日，修改方案完成，再传真给张导。2005年1月5日，修改方案最后成型。

1月7日，春晚剧组给我打电话，让我速到北京。我一算，距2月8日也就是大年三十的春节晚会只有一个月时间了。时间真的是挺紧张。

接到电话后，我决定马上报单位请假。几年来，我一直在中国残疾人艺术团无偿帮忙，平时我去北京，都是周五晚上去周日晚上回来，这样既不耽误我的本职工作，也兼顾了残疾人艺术团那边的义务工作。但是这次去，一待就是一个月，再也不能像平常那样当“空中飞人”了。我的心里一直都在打鼓，因为临近春节，本单位文化局的群众性文娱活动是最多的，也是最忙的时候，一个月不上班，恐怕难度很大。

让我颇感兴奋的是，我的请假出奇地顺利。那天，我拿着央视春晚的邀请函找福田区文化局的局领导请假。在进他办公室之前，我设想了好多个结果，也想了好几个对策，心里只在想：领导同意，一切OK，领导不同意，我要这样这样，那样那样……打定了主意，我才迈进领导的办公室。没想到，我的那些心思都白费了。局领导看到了我的邀请函，二话没说，在请假条上批了一行字：同意，参加残疾人艺术团春节晚会演出，这不仅是中国残疾人的光荣，也是深圳福田区的荣誉，更是群众文化艺术的展示。顺利地请下了假，我特别高兴：看来，全社会都支持残疾人事业啊。简单地收拾了行装，和太太道了个别，我就飞到北京了。

1月8日晚上，我和刘副主席就加强演员素质训练、提升舞蹈表演水平、更换服装道具等具体情况进行了长谈。我是不当家不知柴米贵，按照张导的要求，我尽可能地把节目计划得尽善尽美。可刘副主席不同啊，他必须对全团的每一项活动和支出作出缜密的考虑。刘副主席不愧是位有魄力有主见的领导，他也最了解我，因为长期以来，我担任艺术团的艺术总监是分文不取的，因此他对我的意见非常重视。他知道，我所说的、我所做的一切，肯定都是为了这个节目。很快，他决定按照我的提议来重新考虑一些具体问题，并且要在第二天开个动员大会。

细心的观众可能会发现，春晚中"千手观音"穿的衣服和雅典残奥会上的衣服不同。雅典残奥会后，艺术团参加了不少演出，演员们的衣服由于是丝绸缝制的，磨损特别厉害。如果穿原来的衣服上春晚，会显得很旧。我们重新做了"观音"的衣服，把他们雅典残奥会上穿的"中国黄"的衣服改成了明黄，裙子下摆下垂的亮片全都改用古铜透亮色，这样显得服装更凝重大气。演员的帽子加高了，"观音"的指甲也进行了重新设计，加上了银光亮片，每个"观音"手指间及手心里的"眼睛"增加了夜光功能，能在最暗的灯光照射下反光。在雅典残奥会上，"观音"坐的莲花台上铺的是西式地毯，春晚表演时，我们把地毯换成了绸缎，撒上了金粉，颜色是偏向于"中国黄"的古铜色，在灯光的配合下，特别符合春节喜庆祥和富丽堂皇的氛围。

雅典"千手观音"的拱门上是2008年的残奥会会标，我们上春晚则设计了20个不同字体的"春"字，但在彩排的时候发现"春"字太大了，有点喧宾夺主，就索性把"春"字拿掉，换成了一颗闪亮的佛珠。

1月9日，艺术团召开了全体员工大会。刘副主席在大会上说的第一句话就是："同志们，我们团将进入第二次备战状态，我们要为2005年的春晚奉献一场最完美的表演。"会上，刘副主席布置了方方面面的工作，安排了训练计划，并要求我做备战总指挥，该团刘团长、尤团长、王团长配合我的工作。

体形是这样练成的

1 月 8 日，我到了北京，到了残疾人艺术团，见到了 21 位演员，也就是舞台上的 21 个“观音”。孩子们欢天喜地地跑出来迎接我。我在高兴之余，意识到了一个很大的问题。孩子们比从雅典回来的时候胖多了。身高 1.72 米的姜馨田体重都快 60 公斤了。这个体重对一般的一米七几的女孩来说，可能不算胖，甚至可能还会显瘦，

舞蹈《千手观音》。（刘广铭 / 摄，图片来源：新华社）

但对一个舞蹈演员来说就胖了。电视有一个横向拉伸的作用，脸瘦的，在电视上会显得比较合适，脸庞不大不小的，上了电视就会显得胖。除了姜馨田，其他“观音”也胖了。我给他们称了称，他们的身高是 1.62 米至 1.67 米不等，他们的体重平均都超过了 46 公斤，而较理想的体重应该是 40 公斤 ~ 42 公斤以内。我一看，有点急了，减肥成了我们的首要任务。

我把我的想法和张继钢一说，他表示特别认同，备战春晚 30 天，演员首先应该解决体质体能问题。他说，21 名演员的手臂粗细一定要统一，切不可轻视，如果演出的时候突然从后面伸出一条白花花的特别粗的手臂，那就非常难看了。

对于减肥，我们有绝招。因为这些孩子们本来就不是专业演员，之前，我们对他们的形体就有过很多训练。

为了美观，我们要求胳膊粗的演员迅速减掉手臂上的肉。我们决定用我们的老办法，那就是用保鲜膜。训练的时候，我们拿来几卷保鲜膜，把那些比较胖的手臂裹起来，这样可以加强手臂的收缩力，让手臂出汗。训练的时候，一直这样裹着，慢慢地，就会减细他们的手臂。

对于减掉身上其他部位的多余脂肪，我们也想了不少办法。孩子们把我们的训练方法叫成魔鬼训练。所谓的魔鬼训练，就是大运动量地跑步、学猴子走路、学青蛙跳、在地上打滚和极限跳步等等。这种训练十遍百遍几十小时后果然见效，胖一点的孩子以每天 750 克的速度减掉体内多余的脂肪。但有的孩子太急于减轻体重，在指导老师不在的情况下还自己进行训练，姜馨田在地上打滚减肥时腰椎就受了伤，只好去医院看医生，请专家推拿复位。

观众看到演员们在舞台上近乎完美的表演时，没有人会想到他们都是聋哑人，更没有接受过专业的舞蹈训练，包括如今已经举国闻名的舞蹈家邰丽华。当他们来到中国残疾人艺术团时，大部分人都已经错过了舞蹈专业训练的最佳年龄。现在，他们中年龄最大的已经 28 岁，最小的 13 岁，平均年龄都有 20 岁了。为了尽快增强队员的身体素质，提高他们身体的灵活性和控制能力，我们的演员一开始接受的便是强化式的“魔鬼训练”。一般，舞蹈演员都要从基本功学起，学舞要练身段，训练身体协调控制能力要压腿、踢腿、旋转、跳跃等，可我们没有那么多时间，我们就发明了“拔苗助长”式的训练方法。

要做到“拔苗助长”，最关键的是体质锻炼，有了好的体质，演员在静态和动态的时候才能站得非常直，动作才能出得有力、准确。

《千手观音》中有很多站姿动作，演员们首先就要练习站功。而这个站，也不是干站着，我们要求每个演员都要根据自己在队形中的位置练站，站的时候，手的位置是通过一定的刻度固定的，一站就是几个小时。

2004年8月25日至9月20日，我们赴土耳其巡演，走了10个城市，演出12场。那些天，我们几乎每天都要在颠簸的长途汽车上坐几个小时。你可别说，就是因为路途颠簸，练就了演员们一身好的站姿。有次外出，我坐在车后排。一个演员站起来取东西，他一手扶着座位，一手伸到行李架上。这时，车剧烈地颠簸起来，那孩子身子一歪。我想，坏了，肯定得摔跤，而且摔得不轻。没想到，那孩子顺着车子颠簸的弧线，稳稳地站着。看到这，我忽然有了一个灵感。我对演员们说：“看到汽车中间的那个纵排了吗？咱们做个游戏，你们左手抓着座位，右手练静止，或者尽量控制和快速伸缩手位，看谁的平衡和力度掌握得最好。规则是汽车动，人不能跟车一起动，相互之间保持位置。”孩子们似乎很喜欢这个游戏，颠簸让他们找到了平衡。看到孩子们这么辛苦，我的心里倒生出不少歉意，真不该让孩子们练得那么苦。

“千手观音”中的第21位“观音”，个子最高，手伸得最长，因为是最后一个，他的动作相对比较难，练得也最辛苦。他每天练得最多的就是站直，两手合十上举。有一天，训练下来，我看他练得不错，用手拍了拍他的肩膀表示鼓励。让我意外的是，我碰到的根本不是胳膊，而是“石头”，他的胳膊已无比僵硬。我马上找来保健医生给他按摩。

备战春晚的分分秒秒

1月10日，备战春晚的第一天训练开始了。我们的要求是：早上6时，21位“观音”加上4位手语老师集合到户外长跑1公里。5时55分，我等在大门口，那时天还没亮，天上飘着鹅毛大雪。我心里在犯嘀咕：下这么大的雪，跑出去万一摔了跤，受伤了怎么办？孩子们跑步的时候出汗，回来着凉了，又怎么办？看着三三两两的孩子打着哈欠懒懒散散地走出来，我猛然下了决心：一定要走出这一步，既然计划制定了，就是要执行的。

果然，孩子们看着满天飞扬的雪花，都不想往外走，有几个男孩子先冲出去，可雪太大了，他们很快又被大雪顶了回来。团里最小的13岁的演员用手语央求我："干爸，咱们今天别跑了。"看到她的小脸冻得通红，可怜巴巴地往小手上呵着暖气，我的内心有些动摇。这时，邰丽华带着几个小演员默默地跑出去了。她们跑了100多米后，几个男孩跟着出去了。看到大家都跑出去了，剩下的几个孩子也出去了。我在孩子们中间前后鼓动，心里百感交集，真要感谢邰丽华，她给大家做了表率，也给我上了一课。

一般来说，正常的舞蹈演员每天排练最多4个小时，而我们的残疾演员每天训练的时间是正常演员的几倍，甚至十几倍。我们在备战春晚期间，孩子们每天最少要排练12小时，不少孩子还要求我们额外加4小时的单独辅导。

给我印象最深的是一个男孩子。他做的动作比别人差点，学东西也比别的孩子慢，可以说他的悟性并不高。我偷偷地观察了他好几次，别人练习的时候，他跟在大家后面一起认真练，别人休息的时候，他也练习。别人睡觉的时候，他也得睡觉呀，怎么办？他想了个不是办法的办法：睡觉的时候，他请同寝室的孩子把他的手用绳子捆上，一捆就是一个晚上，让自己的手臂时刻保持上举的姿势。

孩子们训练很自觉也很刻苦，一个简单的动作，他们一天至少要练100遍。孩子们练形体，蹲在地上负重跳，练一个来回是200米，一练就是几个小时。汗水把他们的训练服打湿了，把地板也打湿了，他们究竟流了多少汗，只有他们自己知道。演员们对艺术的完美追求是常人无法想象的。一次，有一位男演员由于排练动作不到位，失误了十多次，为了表示对大家的歉意，他竟然向大家跪了下来。这一场面深深震撼了我和在场的所有人。他们有一颗永不服输的心。他们认为，残疾不是自己的过错，但练得不好，赶不上别人，就是自己的错，是自己的努力还不够。

在《千手观音》复排的日子里，我每天的工作时间超过16小时。虽然工作很辛苦，但在训练的时候，我时常会被这些孩子打动。孩子们的聪明才智让我常常自叹不如。为了训练和感知自己每个动作的高度，孩子们想了很多巧办法。有一个孩子悄悄地告诉我他练习的窍门：他每天早起站在镜子前抬起手臂刷牙的高度，就是自己在舞蹈中出手的高度。

神韵是这样练成的

“千手观音”的动作刚柔相济、柔中带刚。刚的动作对九个小伙子来说比较容易，可柔的动作就让男子汉们十分为难了。尤其是练兰花指。最初让他们练兰花指时，他们怎么摆都是粗粗傻傻的，编导张继钢给他们下了死命令：“必须把兰花指练得跟女孩子一样，谁练不好谁就走人！”

为了帮这些小伙子尽快找到感觉，我们让这些男孩学女孩的表情，让九个男孩找九个女孩对练站姿、手姿、舞姿、足姿及表情，你怎么跳，我就怎么跳，你怎么笑，我就怎么笑。刚开始练习男女对视的时候比较困难，他们很容易走神。这个时候，我们就教他们控制自己，排除杂念。尽管这九个男孩子常被取笑成“东施效颦”，但就是通过这种方法，他们的一颦一笑，举手投足，都有了些许女性的风韵。

有了女性的神韵，再学女性的姿态就比较容易了。女孩子们手把手地教他们兰花指的手姿，同时，女生也学会了出手力度的技巧。他们一起揣摩观音的形和神韵，揣摩怎样表现慈悲的善良美、怎样才能柔手、柔开手的软度该如何把握，就这样，从最简单的压手腕开始慢慢完全掌握。

男孩子的灵活性显然没有女孩子好，出手的时候，他们老是犯错。当队伍排成纵队时，谁出手不到位，老师看得很清楚，但任凭你怎么喊，他们也听不见，因为他们是聋哑人。怎么办呢？我们不能按照健全人那样训练他们，于是就在前面摆一台摄像机，把每次的排练都拍摄下来，一目了然。哪个位置出了问题，老师就在这个演员的手腕上用水彩笔画一道。几乎每一个演员都被老师画过彩笔，最多的被画到三四十道。老师为什么要这样干呢？因为你没有时间来批评他。即使你有时间批评，还要通过手语老师来传达，老师说：“孩子们自尊心都很强，被画多了，哭鼻子，就会反复苦练。”

我们还有个规定：被画的道道不能擦洗，要留给大家看。一天下来，有的男孩子手上、胳膊上甚至脸上都被画满了道道和“手表”。常犯错的男演员情绪特别低落，特别自责，因为他错一次，就害得大家陪他多练一次。可大家并没有怪他，还连比带划地帮助他。

终于，经过苦练，你可以不看演员的脸了。只看手，男女的手姿已区别不大，而从侧面看，男孩们的表情跟女孩也差不多了。男孩子们凭着刻苦努力，和女孩们一起演练成了浑然一体的“千手观音”。

春晚过后，有朋友问我：听说“千手观音”里有好几个男的，是不是真的？我反问他们：你们觉得呢？他们说：不可能，怎么可能呢？看来，九个男孩子几乎以假乱真，瞒过了观众的眼睛。

看“千手观音”表演的观众，无不惊叹于21位演员美轮美奂、天衣无缝的表演，惊诧于他们动作的整齐划一、协调一致。“千手观音”中不能有个性，只能有共性。这个共性就是形体的一致性。从排练最初一直到进场之前，老师都在要求手的动作不能出错、不能出错。整个表演过程，手一直处于变动状态，依次出手、左右半边轮换出手、前后不规则出手……21个人身体紧贴，手与手之间的距离还不到1寸，但他们要在1个节拍，也就是1秒钟内完成每个动作，同时还要保证整齐、统一、漂亮地展示千手的神韵。

为了达到整齐划一的目的，演员必须细致到一点一滴，在排练时对每一个动作、每一个手势甚至每一个表情都认真琢磨，确保准确无误。比如编导要求队形成一纵队时，后一个演员的脚趾必须顶住前一个演员的脚后跟，鼻尖必须顶住前一个演员的后脑勺。这句话说起来简单，其实做起来非常有难度。一般人连几分钟都坚持不下来，但是他们排练时一站就是几个小时，一动不动。只有这样严格的训练，才能保证21位“观音”在5.6米的莲花台上站稳。

为了让演员们感受到整齐划一的力量，我们还专门带他们去天安门广场观看升旗仪式，让他们看看国旗仪仗队的整齐所带来的震撼。同时，让他们看到在旭日中冉冉升起的五星红旗，增强他们的团队精神和自强不息的力量。

圆环形观世音的慈善造型，是我们训练中最难的动作。这个动作要求每个队员的手都在固定的位置，伸出来既不能高，也不能低，女孩的动作柔美变化，收回要整齐，刚柔相济。仅仅这样一个动作，队员们就练了上千遍。为了帮助孩子们练习这个动作，我和手语老师帮这些孩子想了很多办法。我们把每个人手的位置用尺子量好画在墙上，让孩子对着墙上的刻度练习。我们把每次排练的情景用DV拍摄下来，训练过后放出来和大家一起看。孩子们自己看自己表演，自己给自己找差距，然后大家一起讨论，一遍一遍地纠错。

张继钢导演说，做到整齐是第一个阶段，是一个初级阶段；把它做成细致，是第二个阶段；把它做成神韵，就是整个形神贯通一致得像一个风筝一样，放出去再远它都牵在一条线上，这个是高级阶段。队员们都是朝这个高级阶段努力的。

音乐的节奏是这样练成的

为了在春晚上有更好的表现，我们在排练厅正上方挂上一个时钟，两侧还贴着标语:“分秒必争、秒秒精彩!”门口挂上了倒计时的牌子。演员们从1月10日早上起来跑步晨练开始，一个月中，风雨无阻，一直到彩排的那天，还在跑步、排练。许多演员在排练过程中不敢喝水，怕上厕所影响大家的排练，一整天下来常常口干舌燥。

尽管大家都很努力，但改版后的《千手观音》排练效果却不让人满意。每次排练下来，给人的感觉就是散，没有一股向心力。是领舞出了问题，还是配合出了问题？是节奏出问题了，还是手语老师和大家的交流出问题了，抑或是动作本身的编排有问题？我们坐下来研究了多遍，具体哪个环节出了问题，谁也说不清楚。可这时，距春晚的审查还有不到一周的时间。

我们急得愁眉不展，茶饭不思。孩子们看到我们着急，也跟着急，围在我们身边一遍又一遍地温习新动作。单个动作做起来很漂亮，合起来也很整齐，问题很可能就在节奏的把握上，因为孩子们听不到节奏，只能靠手语老师的手势。是孩子们对手势和节奏的理解有误？还是对动作太熟悉习惯性地抢节奏、拖节奏?

音乐是舞蹈的灵魂。健全人领会舞蹈音乐的内涵尚不容易，何况让这些听不到音乐的聋哑舞者去体会音乐的动感?

为了让演员感受到音乐的节奏，准确地在美妙动听的音乐中舞蹈，手语老师是关键。她们为演员传递信号，用手语告诉演员舞蹈中的一招一式。演出时，四位手语老师分别站在舞台四个角，她们成了聋哑演员的耳朵，手语传达出音乐节奏，聋哑舞者便在“节奏”中舞出神奇而曼妙的姿态。

这21个孩子都没有听力，平时训练只能通过看手语老师的指挥来把握节奏，但聋人舞者有着先天的悟性，在排练舞蹈时，只一个手势就能跟他们交流。为更准确地掌握动作，他们努力用自己特殊的方式感受音乐，让自己的身体形成一种对音乐对节奏的强制的习惯性的记忆。

有一天晚上，训练还没开始，我刚走到训练大厅的走廊里，便听到了震耳欲聋的音乐声。我特别意外，和他们在一起，我早已习惯了无声的世界，他们常常是安静得鸦雀无声，连和他们说话我都用手语，弄出这么大的声音，可能是谁不小心碰到了音乐的开关。我三步两步跑到排练厅，只见四个女孩子坐在大音箱旁，耳朵紧紧地贴着音箱，表情困惑地打着手语。看到这情景，我的眼泪一下子涌了出来。我什么都明白了，孩子们是想通过音箱的震动来感受音乐的节拍。

孩子们的举动忽然给了我灵感，我把团里的摄像机拿来，架起银幕，把音响的声音放得很大，让他们趴在地板上，用身体通过地板的震动感受隐约的律动。一些节奏不太完整的段落，我就一小节一小节地给他们分析，通过影像让他们慢慢感受节奏是什么。有的孩子想出了更直接的办法。音乐响的时候，他们把手和脸放在音箱上，感受节拍和鼓点。在无数次的排练之后，音乐已经融入了他们的身体，融入了他们的血液。

因为张继钢编导在排练“双拥”晚会，非常非常忙，所以他每次来中国残疾人艺术团指导编排，都是在晚上。最早都是在晚上 23 时、24 时，有的时候，要排到凌晨 2 时到 3 时。张导来的时候，演员大都趴在凳子上睡着了。但一看到张导来，孩子们马上爬起来，鼓掌欢迎张导。孩子们特别渴望张导对他们的指导，因为孩子们知道，并不是每个名导演都愿意在残疾人身上下工夫的。而张导，他是乐于把自己创造的艺术教给这些孩子们的。

在中国残联艺术团的排练厅里，张导不止一次地告诉大家，春节晚会可以留下一首歌，一个小品，这次注定要留下一支舞蹈。演出后的轰动证明了他的判断。

张导曾对我们说:“看着孩子们那样苦苦地等待我，我没理由不全身心地投入去帮助他们。我通过他们的目光，感觉到他们的渴望。他们渴望学习，他们渴望成为对社会有益的人。”

但有的时候，我们是十分矛盾的。张导说:“我如果给他们的排练加 1 倍的难度，那他们训练的困难就是健全人的 10 倍。为了达到训练效果，我们给他们排练的严厉程度，要大大地严厉于健全人。但我们又实在不忍心，因为他们听不到，我们不愿给他们哪怕是一点点的伤害。”他感叹地说:“这些演员真不容易，每天我们跟他们排练之后，每个人还要自己去练，身上真是有一股精神在感染我。他们身上有着无穷的艺术创造力。他们对于生命的渴求，是把不可能变成可能。他们是特殊的艺术家，有特殊的毅力、特殊的品格和特殊的境界，所以才能创造出光芒四射的特殊的艺术。”

春晚版的《千手观音》是这样出炉的

《千手观音》先后有三个版本。

2000年，应美国政府邀请，中国残疾人艺术团带着《千手观音——我的梦》赴美演出，首次对外亮相。这是第一版《千手观音》，只有12位女演员参演，内容相对单薄，造型简单而柔美。

2004年9月28日，“千手观音”们在雅典国际残奥会闭幕式上进行了5分54秒的演出，这次是第二版。在这版的修改中加入了9位男演员，变成21位“观音”。纵列队前由邰丽华静止模仿观音雕像，身后伸出42只手臂左右摆出不同高度的变幻手姿，在聋人舞者的演绎下，宛如一尊“金佛”屹立于舞台中央，惟妙惟肖。这一版，在圣洁、优美的基础上，更有阳刚的气韵。

2005年1月16日下午，为了孩子们上春晚，张继钢导演来到北京聋儿康复中心（中国残疾人艺术团）的二楼排练厅，把艺术团的相关人员召集起来开了一个会。我们把雅典残奥会上表演的录像看了几遍。之后，张导已有很好的修改思路，并满怀信心地宣布晚上7时正式下刀，对《千手观音》进行第三版编排。

我们对雅典残奥会版《千手观音》的前3分20秒进行了少量改动，使之更艺术化。修改的重点是后半段。为了更加适应春节晚会的气氛，我们对3分20秒之后的动作和段落进行了大幅度的修改，增加了“祝福”、“拜年”、“祥和”的舞蹈段落。重新编排的舞蹈动作难了，幅度加大了，音乐节奏加快了。纵列队形散开后保持形离而神不离的特点，充分体现了大艺术家张继钢独特的艺术创造力。《千手观音》在春晚播出后，受到亿万观众的喜爱，第三版改编的成功显现出了极大的艺术张力。

因为是“千手观音”，张导主要在手上做大文章。排练中给我印象最深的是一个细微动作的调整：张导请大家把手回到刚开始出手的位置，喊1、2、3停后，再把手腕停留在一个刻度上，此时双手的指尖往回收，演员们靠小拇指一节一节地把手收回来，然后由大拇指一节一节地把手打开，把手掌里的那双眼睛亮出来，顿时，真的像观音睁开禅眼一样，给人极大的震撼。张导的神来之笔，使整个演出变成了神话，美感大增。

为了春晚，张导苦熬了几个通宵设计出了“盛世开屏”这个动作。这是一个难度相当高的动作，21位演员分成三组，中间一组演员半蹲着，两边的演员要把腰下到10度到90度不等的角度，其间包括一个转身的动作。张导说，这个动作是舞蹈

2005年2月23日，在中央电视台播出的2005年元宵晚会上，舞蹈《千手观音》的主演邰丽华、编导张继刚上台领奖。《千手观音》获得央视春节联欢晚会节目评选的一等奖，同时还获得特别大奖，这是多年来央视春节联欢晚会的歌舞类节目观众投票数首次超过小品类节目。

（刘宇/摄，图片来源：新华社）

的高潮，转身下腰转好了，舞蹈就成功了，转得不好，就是整个舞蹈的弱点。

除“盛世开屏”外，为增添新春的气氛，还增加了“拜年”动作。张导根据中国抱拳作揖表示祝福的传统，把抱拳的动作流动化了。“盛世开屏”后，紧接着就是“观音”向全国人民拜年祝福后“飞天”式慢展卧坐的舞姿。这个看起来很简单的动作，瞬间神奇化了，能引起人们无限美好的遐想。张导说，艺术到了最高的境界，就是要用最简单最单纯的表现方式。

第三版《千手观音》虽然演员不变、服装不变、基本造型不变，但整个舞蹈从队形到动作，几乎发生了“颠覆性”的改变。用张继钢的话说：“越修改越有心得，等于重排了一个节目。”

张继钢说：“虽然《千手观音》已经是一个成型的节目，但因为春晚要求的条件设置，所以必须对节目再做调整。对于我来说，任何一个作品，总想从形体表演中映射出浓浓的民族文化魅力。即使是残疾人演员，如果编出来的舞蹈只是让他们跳来跳去而缺少内涵，那也是我最不愿意看到的。”在短短的时间内，“千手观音”中加入了男演员，使得节目在圣洁、优美的风格基础上，又加入了阳刚的气韵。在演员的出手方面，张继钢更是精益求精，使得节目日臻完美。

5分54秒的震撼

1月22日下午，我们正式进入中央电视台1号演播厅，开始第一次彩排。中央电视台1号演播厅又被称为1 800平方米演播厅，在这个演播厅里诞生了多少颗星，没人数过，但近年来大红大紫的演艺人员，几乎没有哪个没进过这个演播厅。说这个演播厅是个造星工厂，一点都不过分。能进1号演播厅，是无数年轻人梦寐以求的。我们这些孩子也不例外，孩子们把1号演播厅当成了心中的圣殿。要进1号演播厅了，孩子们的兴奋劲就别提了，一会儿跑来问我演播厅大不大，一会儿跑来问演播厅什么样，能装多少人，演播厅里有多少摄像机。我神秘地说：一到那，你们什么都知道了。

1月22日上午，张导在排练后给全体演员开了个会。张导鼓励演员说：“今天下午，我们将正式进入中央电视台1号演播厅了。如果说我是一个汽车的设计师，通过技术安装组合，已经合格，那么，现在是汽车上路的时候了，油门就控制在你们的脚下，1号演播厅就好比一条宽阔的马路，你们能跑多快多远，就看你们自己怎么踩油门了。”

说完鼓励的话，张导特别叮嘱大家要好好洗个澡，把头发弄干净梳得整整齐齐，每人随身带一只手拖箱，东西不能乱丢乱放，不在手上，就在箱里。他要求大家把自己最美的风采展示出来，因为这21个人代表的是全中国的残疾人。当天的彩排，各个演出团队穿的都是排练服，为了能给春晚导演留下好印象，在进入1号演播厅前，刘副主席特别指示：让演员们悄悄地化好妆，穿着整齐的演出服进去。我们盛装进场，立刻在观众席上引起一片骚乱。我们的进入，让所有人都十分诧异，因为我们似乎太正式了，显得有些与众不同。看到这个阵势，我再次跟我们的演员说：“我们要用我们的艺术去感染每一位观众，而不是用我们的残疾去换观众的同情和眼泪，我们一定要争气，要成功。”

果然，孩子们表现得很出色。彩排的时候，孩子们安静地坐在观众席上看，上个厕所都会举手请假。孩子们不乱跑乱跳，也不打手语议论节目，十分守纪律，与别的演出团体有很大的区别。演员们知道，这是他们展示自己的时候了。

因为春节晚会节目太多了，春晚的导演要求我们的节目必须控制在3分钟~4分钟。《千手观音》经我们重编，音乐舞蹈加起来一共5分54秒。我们重编的宗旨是浓缩精华，秒秒精彩，5分54秒是我们表现主题的最短时间，如果压缩，作品的内容就完全展示不出来了。

为了这个时间，我不知道和春晚的导演打过多少次电话协商，可他们丝毫不松动：顶多4分钟，多一秒都不行。

审查开始了，我们有点破釜沉舟的味道。之前，我们根本没敢和演员说春晚要求我们把节目删短，我们怕孩子们情绪上有波动。临上台前，我们干脆跟春晚导演们挑明了：这个节目从头到尾还是5分54秒，你们先看，看完了再说。

灯光、道具、服装、头饰、手指、化妆，只用了10分钟，我们就准备好了，正常的情况下，至少要30分钟才能弄好。上了台，音乐响起，演员动作才做到第三个，台下便响起了雷鸣般的掌声。以后几乎每一组动作，场下都会有鼓掌声和尖叫声。演出结束，观众全都站了起来。他们不敢相信，聋哑演员，听不到音乐，能表演得这样美轮美奂！

而导演们居然说:“这节目是5分54秒吗?怎么这么快呀,我们还没看够呢。”他们说这已经不是一种艺术,而是一种境界了。

看见观众的表情,演员们知道,他们至少没演砸。他们知道,他们的演出很成功。

第一次彩排是没有问题了,距春晚演出也越来越近,孩子们更加努力了,一刻都不敢放松。

可偏偏在最后一次春晚带观众彩排时,表演出了集体差错。我们每次表演,四个手语老师都会站在舞台四角对称的位置上指挥节拍,演员们用眼角余光看老师的节奏,演出成功与否,很大程度上取决于老师与演员之间、老师与老师之间的配合是否默契。那天一开始的演出与往常一样,一如既往地引起台下观众的轰动。但是到节目的最后,莲花台上的全体演员要从莲花台移步到舞台前区,这时,由于舞台前方的灯光直射到领舞邰丽华的眼睛上,她没能看清手语老师的手势,结果集体动作晚了一个八拍。当时,四个手语老师都特别着急,看着他们到了时间还不往下走,心都提了起来。四位老师急中生智,只能将错就错,改变计划。她们迅速传递信号给邰丽华,告诉她已经耽误了,按手势接着做下面的动作。这时候最需要的就是整齐统一,手语老师做怎样的手势就决定了演员该怎么走。手语老师空掉了本应有的一组八拍动作,直接做了最后一个动作,双手高举,合并对称打开,四个方位兰花指收放。演出结束了,台下的观众起立鼓掌,一点也没察觉演出出现了错误,因为所有演员都错得一样。

这场有惊无险的演出结束了,如果我们不说,可能没有人会知道曾经发生过这样一个小插曲。但这也给我们敲响了警钟,以后,我们更加注意细节,演员也更严谨了,因为春晚要求的就是万无一失。

导演组将《千手观音》从原定的4分钟加到了10分钟

1月26日,春晚导演正式通知我们,中国残疾人艺术团表演的《千手观音》时间5分54秒不变,不但不变,还要加时间,要把时间给我们的聋哑主持人姜馨田。演员们高兴得手舞足蹈,让我把这个消息告诉刘副主席和张导。后来,这段时间变成春晚专为残疾人设计的特殊艺术板块，让他们和电视机前的全国人民见面。听到这个消息，我高兴极了，马上通过手语告诉我们的演员一定要珍惜，演员们一听，全都跳了起来，这是对节目的肯定，更是对残疾艺术演员的肯定。

在春晚上，大家看到，央视主持人周涛让姜馨田向全国人民介绍到雅典参加演出的21名演员，然后由21名演员表演《千手观音》，结束后再请4名手语指挥与现场观众互动，用手语表达“爱是我们共同的语言”。

2月2日，中宣部的领导来1号演播厅审查。这位领导围绕《千手观音》说了40分钟，他让春晚的其他演出团体向《千手观音》组学习，学习我们的纪律性以及我们对艺术的完美追求。

2月8日上午，央视通知我们，除夕那天，央视一套新闻中心将在下午4时向全国观众推荐两个春晚节目，其中就包括《千手观音》。下午，张导带领邰丽华和6位演员到了中央电视台直播现场。张导热情地介绍了节目，6位演员代表残疾人向全国观众拜年，节目虽然只有4分钟，但对中国残疾人艺术团和《千手观音》的宣传起到了极大的作用。

下午6时是家家户户吃年夜饭的时候，春晚剧组根据中宣部的特别指示给我们提供了最好的饭菜，鸡鸭鱼肉应有尽有，饺子汤圆兼顾南北口味，老火靓汤味美可口。可孩子们几乎什么东西都没吃，都忙着化妆，整理服装、鞋、头饰、手指等，还有孩子紧张中拉坏了“观音”服上的亮片，于是，又忙着相互缝补，场面十分感人。

晚上8时，晚会正式开始，我们的节目被安排在9时这个最好的时段。孩子们终于等到了演出的时刻，他们既紧张又亢奋。年纪小的孩子一会儿跑过来问我几点了，一会儿跑过来请假上厕所，一会儿又打着手语问东问西。因为他们太紧张了，将最熟悉的手语都打错了，就像健全人一激动讲错话一样可爱。年纪稍大点的孩子为了克制住紧张情绪，一遍又一遍地练习动作，有的孩子手心冒汗了，不停地用纸巾擦手，男孩们不时提醒女孩，流汗了，妆残了，要补妆，女孩们看到男孩的妆花了，拿起手边的粉扑和口红就帮忙。孩子们的举动让我感觉到周围的空气都在燃烧，孩子的心也在燃烧。

终于轮到我们了，孩子们在统一的指挥下分期分批来到台侧热身。演出开始了，我的心提到了嗓子眼，我担心孩子们太紧张，会出什么岔子。我双手合十，嘴里念叨着:"观音菩萨大慈大悲,保佑孩子们演出圆满成功。"5分54秒,演出结束了,满堂喝彩,我的心回到了肚子里。台下雷鸣般的掌声告诉我,孩子们成功了,空前地成功。每一位看了《千手观音》的人都被深深地震撼,激动地流泪。"传说中的'千手观音'被演绎得如此动人,天光人舞呈现出如此的祥瑞,看到的是舞蹈,感受到的是一种巨大的沉静与安详,一种灵魂的涤荡与净化的境界。"

春晚圆满结束了,但我和21位"千手观音"的情谊永远也不会结束。这个作品的成功是团队努力的结晶。不仅是"千手观音"这个团队,还有中国残疾人艺术团这个团队,凡是和中国残疾人艺术团在一起工作过、生活过、演出过的同事和艺术家,都对和这个团的交往念念不忘,而且充满着感动。

和他们在一起,我深深地理解了张导那句充满哲理的话:只要你心地善良,心中有爱,就会伸出一双手去帮助别人;只要你心地善良,心中有爱,就会有一千只手来帮助你,这就是一个盛世。

(选自海天出版社《"千手观音"台前幕后的故事》,2005年6月出版,
作者:詹晓南)

南海卫士

2005 年 1 月初，北部湾海域发生武装抢劫案，渔民群众的生命财产安全又一次受到威胁。我海警官兵不畏艰险，斗智斗勇，终于使横行北部湾多年的海盗低下了头。2005 年 2 月 6 日，海南省海口市中级人民法院公开审理了此案，对犯有抢劫罪的海盗分子进行了正义的宣判。感谢英勇的海警官兵们，感谢你们维护了渔民群众正常的海上生产秩序，感谢你们捍卫了祖国的蓝色国土。

呻吟的北部湾

浩瀚美丽的北部湾位于南海西北部，是一个半封闭海湾，面积约 12.8 万平方公里。北部湾是我国大西南的海上通道，海洋生物资源十分丰富，是海南省临高籍渔民的传统作业区。他们祖祖辈辈在这块富饶的海域辛勤劳作，息息生存。可是这些老实巴交的渔民怎么也没想到，突然有一天，他们在自己的传统作业区正常作业时会遭遇冲锋枪、手雷、炸药的袭击。而且袭击他们的人来无踪，去无影，让他们连说理的地方都找不到，他们只能听任那些人野兽般宰割。他们迷茫、困惑、惊惶、心颤，他们甚至抱怨上苍怎么对他们这般不公平。他们的善良、勤劳、朴实、憨厚，难道就应该换来如此这般的报应？

2004 年 6 月至 12 月，这半年的时间，对海南省临高县的渔民来讲，是不堪回首的半年。对担负着海上治安管理任务的海南边防总队海警部队来讲，则是蒙受耻辱的半年。

据海南省公安边防总队统计资料显示，自 2004 年下半年以来，北部湾海域频频发生海上武装抢劫活动。抢劫均针对我国的渔船、渔具及价值昂贵的通信设备，给我国的渔民造成严重的财产损失，并直接危及渔民的人身安全。许多渔民谈到北部湾惊惧不安，他们现在对自己祖祖辈辈赖以生存的传统作业区望而却步。许多被抢渔民因此而倾家荡产。2004年6月至12月，北部湾海域共发生武装抢劫案件47起，其中遭到枪击和手榴弹袭击的有28艘船（次），给渔民造成的直接经济损失达3 000多万元人民币。

海南省临高县渔民王定林，现年42岁，从小患有小儿麻痹症，导致一条腿残疾，上有4位老人，下有3个未成年的孩子。为全家人的生计，王定林跛着一条腿到处奔走，四处哀告，终于筹措到了80万元的贷款，满怀希望地置办了渔船和网具，找了几个渔民弟兄出海了。他想着全家的日子从此会好过起来，但万万没有想到，厄运正在等待着他。

自2004年以来，王定林先后在北部湾被武装抢劫分子抢过3次，他置办的600张渔网，仅仅剩下几十张，先后被抢去了500多张，价值达30多万元。现在，他几乎只剩下一条空船了。他时常坐在自己的空船上以泪洗面。全家老小一共9口人，已经没有吃的了，但这并没有让他过分心焦，他认为即使全家人都饿死了，那也是命中注定的事。可借人家那么多钱怎么办呐，不守信誉的人还算是人吗？他甚至在祷告苍天，能不能再给他点机会，让他安安稳稳地出海挣几个钱，把贷款先还上，到那时，即使自己死了也心安。

2004年10月25日，这天对海南省临高县渔民林发勇兄弟二人来讲，是个痛心疾首的日子。那天，他们兄弟二人与渔民弟兄一起驾船驶进了北部湾，刚刚撒下渔网，突然驶来了6艘海盗船，将他们兄弟二人的船团团围住，用冲锋枪指着他们，然后对他们的渔船实施抢劫，700多张渔网刹那间被洗劫一空，海盗临走时还将船上的导航设备拆下拿走。林发勇兄弟二人刚想上前阻止，一排子弹便打在他们船上的舵楼处，面对凶神恶煞的海盗，他们只能眼睁睁地看着他们恣意妄为。

2004年10月8日，海南省琼临高04118号渔船正在北部湾海域撒网作业时，一艘海盗船将其拦截，不由分说将04118号渔船的渔网及渔获物全部抢为己有。船长黄云来及船上的渔民弟兄刚欲上前阻拦，海盗船即向04118号渔船上扔了三颗手榴弹，当场将驾驶楼炸塌，船体被炸开一个大洞，海盗船则满载抢劫的物资扬长而去。04118号船的渔民弟兄们则拼命地对受伤的船体抢修堵漏，经历了两天两夜与死神的抗争，才靠了岸。至今他们提及此事，依然惊魂未定。

海南省临高县新盈镇昆市村的村长说，他们村的人都是以渔业为生，常年在北

夕阳中的北部湾海滨。（陈天湖/摄，图片来源：新华社）

部湾海域一带生产作业，全村共有渔船130余艘，均不同程度地遭到了海盗的抢劫，渔网大都被抢光，已经没有能力再从事渔业生产，渔民也不敢再到北部湾去，全村的100多条渔船都停在海湾里。渔民们大都在望着大海发呆，他们在想，往日平静而祥和的北部湾为什么会突然阴云密布，恶象重生？他们招谁惹谁了，为什么要让他们过不下去啊？

一桩桩铁证如山的犯罪事实。

一组组痛心疾首的数字记录。

一幅幅撕人心肺的悲惨场面。

……

海南省公安边防总队海警第一支队支队长谭进春带领着海警官兵串村走户，他们在调查着北部湾所发生的一件件恶行。

谭进春和他的海警官兵们的心在颤抖，在滴血……

深夜，谭进春独自一人来到海边，一待就是几个小时。当战友们找到他时，他正在以泪洗面。谭进春哭了，哭得让人感到肝胆欲碎，哭得让人感到悲痛欲绝。

当战友们拉起谭进春时，他突然暴怒得像一头发了疯的狮子，猛兽般地嘶嚎：“狗日的海盗，不让你们付出代价，我谭进春誓不为人。”

……

海盗们在作恶。

北部湾在呻吟。

渔民弟兄在痛泣。

谭进春及海警官兵们在发怒。

硬汉谭进春

谭进春是条汉子，是条硬汉子。他是海南省公安边防总队海警第一支队支队长，五大三粗，风风火火，轮廓分明，黑里透红的脸上透出一股威严。

有次谭进春随艇出海执行任务，突然赶上风浪天，七至八级的大风呼天嚎地，船艇随着几米高的海浪上下起伏，一会儿被托上浪尖，一会儿又被摔进浪底，全艇的官兵都呕吐不止。到开饭时，没有一人动碗筷，全都看着饭菜发呆。谭进春见状，也不搭话，上前端起一碗米饭吃了起来。第一碗吃完，接着吃第二碗，第二碗吃完，随手又端起了第三碗，等三大碗米饭下肚之后，谭进春火了，把筷子往餐桌上一摔，训道："怎么，都装什么狗熊，遇到点风浪饭都不吃了，还与海打什么交道？都回家种地去。"官兵们面面相觑，最终都拿起碗筷吃了起来。事后有人问谭进春："支队长，你那天饭量怎么那么大，连吃三大碗？"谭进春一脸的不高兴："什么饭量大，那是憋着一口气吃的，吃完之后，把胃胀得连续一个星期都不舒服。"那人又问："那你图的什么呀？"谭进春道："图的什么，你知道吗，那天如果我不带头吃，他们就会全部趴在艇上了。"

2003 年 10 月的一个晚上，谭进春随艇出海归来，回到家后倒在床上便睡，一会儿就鼾声大作。至半夜时分，突然一阵急促的电话铃声传来，妻子怕惊醒劳碌了一天的丈夫，急忙拿起电话，电话中传来恶狠狠的声音："告诉你家老公，弟兄们在海上弄点钱也不容易，他今天抓这个，明天又抓那个，等把弟兄们惹急了，只好去把他的头给弄回来。"原来是走私分子的恐吓电话，妻子当即惊得一把拉起熟睡的谭进春。谭进春接过电话，电话里又重复了一遍刚才的内容。谭进春冷冷地说道："好吧，我等着。"说完，放下电话，倒在床上又睡了起来，一会儿又是鼾声大作。等谭进春睡足了一觉醒来时，发现妻子坐在床上泪流满面，便疑惑不解地问道："深更半夜不睡觉，哭啥呀？"妻子埋怨道："接到这样的电话，你还能睡得那么香，真不知道你算哪路货？"谭进春笑了笑说道："乡下农民都知道，听到兔子叫，照样要种豆，不能因为怕豆苗长出来被兔子吃了就不种了。我们岂能听到几声蚊子叫就不敢睡觉了，那才是十足的傻瓜。"直到把妻子逗得破涕为笑。

还有一次，上级纪委接到一封匿名信，举报谭进春存在严重的违法乱纪问题，就派出专门人员进行调查。调查人员怕"打草惊蛇"，避开内部人员，进行秘密查访。有人知道后，便将此信息告诉了谭进春，提醒谭进春应该主动找调查人员沟通沟通。谭进春一听火了，当着官兵们的面喊道："沟通个屁，我至今还不知道调查我什么问题，我怎么去沟通？反正那些人闲着也没事干，就让他们秘密地查吧。"调查人员经过一番秘密调查之后，丝毫没能查出谭进春有什么违法乱纪的问题，只好找到谭进春，让他说明信上举报的几个问题。谭进春听后一头雾水，因为信中所讲大都是无中生有，让人感到莫名其妙。谭进春沉不住气了，指着调查人员问道："你是苏联克格勃学院毕业的吧，怎么这样擅长进行秘密活动？这些信口雌黄的东西，你早点找我来说明一下，不就什么都清楚了吗？何必浪费那么多时间！"调查人员恼怒地说："人家举报你，难道我们还能不查吗？"谭进春一拍桌子，指着那封举报信吼道:“那是一堆大粪，臭气熏天，只有苍蝇才愿意围着它转。”说完，摔门而去。

这就是谭进春，一个铁骨铮铮的汉子，一个不畏权势的汉子，一个充满血性的汉子。

出师未捷

硬的誓言是不容亵渎的，谭进春发誓要用实际行动去保卫我国渔民的生命财产安全。

谭进春与海警官兵们一起逐条渔船做渔民的工作，鼓励他们继续到北部湾作业。同时，他们给每条渔船发了一张联系卡，让渔民发现海盗的线索后立即向他们报告。

渔民看到有海警官兵出面保护他们，胆子也壮了起来，重新置办网具。他们还要像往常一样，到北部湾捕鱼去。

谭进春给每艘渔船都配了民用电台，要出海的渔民每天24小时随时保持联系。同时，支队上下全面开展了大练兵活动，并建立了快速反应机制，制定了各种复杂情况下的应急处置预案，各船艇一律保持一级战备状态。谭进春向全体官兵下达命令，一旦接到警情，各艇官兵必须在5分钟之内各就各位，10分钟之内必须做到紧急出航。海警官兵们早已被海盗的恶劣行径所激怒，他们的脑海里不断交替出现父老乡亲们被洗劫一空的悲惨场面，个个义愤填膺，摩拳擦掌，他们早就盼望着痛击海盗的一天。

然而，谭进春初战失败了，劳而无获。

连续几个月来，谭进春和海警官兵们先后接到渔民海上报警15次，每次接到渔民的报警，海警的船艇都以最快的速度赶到事发现场，但每次都是劳而无获，空手而归。原因是海盗抢劫海域离邻国海域极近，海盗每次抢劫得逞后，便快速逃往邻国海域，而我海警船艇则有严格规定，严禁越界到邻国海域执行任务，好几次，海警官兵眼睁睁地看着海盗船逃进邻国海域而束手无策。

怎么办？必须变换战术，调整作战策略。谭进春紧急召开了作战会议。会议决定，抽调支队的主要船艇，日夜巡逻守护在北部湾，加大对北部湾的巡逻密度，一旦发现海盗，可就近制敌，同时震慑海盗，增加渔民的安全感。

此举虽然取得一定成效，海上抢劫案件明显减少，但并没有从根本上解决问题。狡猾的海盗看到北部湾突然增加了这么多的海警船艇，也随之调整了作恶的策略。他们平时都游弋在邻国的海域，采取“有中国海警船艇我就躲，走了我就抢，捞一把就跑”的战术，与我海警船艇打起了游击战。

海盗船平时都伪装成渔船，与我国渔船混杂在一起，当其不实施抢劫时，将枪支弹药隐藏起来，佯装捕鱼，与渔民没什么两样；当发现我海警船艇离开后，即靠近我渔船，亮出枪支和弹药，将我渔船洗劫一空后即逃离。

北部湾作业的渔民们有些失望了，虽然不时有中国海警的船艇在他们面前出现，但他们还是避免不了遭到海盗抢劫的厄运。

海盗们依然在作恶，海上抢劫案件依然在发生，渔民弟兄们依然在哭泣。

谭进春发愁了，他绞尽脑汁，搜寻着能够制服海盗的对策。他没有忘记自己立下的誓言，巨大的责任感和压力让他茶饭不思、彻夜不眠……

一个大胆的想法在谭进春脑子里浮现了：让海警官兵们化装成渔民，随渔船出海作业，贴身保护渔民。海警船艇暂时撤出北部湾，在离北部湾30海里之外待命。一旦发现海盗，由渔船上的海警官兵缠住海盗，待命的海警船艇则迅速赶赴现场，将其一网打尽。

谭进春的想法很快得到了省公安边防总队的批准，一场严厉打击海盗的战斗就此真正拉开了帷幕。

深入虎穴

2005年1月6日，谭进春精选了60余名海警官兵，其中20余名官兵装扮成渔民，分乘6艘渔船前往北部湾捕鱼，其余的在谭进春的带领下，在海南岛西侧海面待命。

出发前，谭进春做了战前动员。说是战前动员，但只有几句话:“要去干什么大家都知道，如果我们再做不出点像样的事情来，我们大家都回家打鱼去。”

谭进春的战前动员虽然只有几句话，但官兵们都掂出了分量。以前每当官兵们事情没做好，他总是爱说“都回家种地去”，这次却换成了“都回家打鱼去”，他是在明着告诉大家：驯服不了海盗，就回家打鱼，尝尝让海盗抢劫的滋味。以前用的都是“你们”，而这次换成了“我们”，显然他把自己也包括进去了。

谭进春给官兵们划了底线，也给自己划了底线。

此时的谭进春，心情的确非常复杂，非常沉重，悲痛、愤怒、焦躁、期待、惆怅、不安、决心、毅力交织在一起，他似乎感到自己的身体要爆炸了，他在拼命地压抑着自己。他曾经不止一次地责问过自己：“为什么总想看到渔民弟兄的笑脸，而为什么又总是看不到？”

此时的战前动员，谭进春本来有好多话要讲，可一时又不知从哪讲起，讲了上面那两句之后，忽然觉得没必要再讲了，再讲一句也是多余的，他感到官兵们的心与他都是通的。官兵们理解支队长的心情，因为他们的心情同支队长是一样的。

把几十个人召集在一起开会，总不能两句话讲完就结束了，最后还是支队政委张少珍站起来打了圆场。张少珍把这次行动的意义，主要任务，应该注意的事项，各小组之间怎么联系、沟通、衔接等问题一一说明，战前动员会才得以圆满结束。

1月6日晚11时，谭进春带领精选的60余名官兵出发了。大队长李佑华、侦察参谋周开年带领20余名官兵化装成渔民，分别登上了6艘渔船。谭进春则与大队长黄世明登上巡逻艇，驶向北部湾外围。

李佑华和周开年分乘琼临11306、11240、11291号渔船，在海上颠簸航行了24个小时，于7日晚12时许，到达了北部湾海域465海区渔场。

此时的北部湾，祥和而平静。渔民们的心情也非常兴奋，因为有海警官兵在他们身边，他们似乎有了主心骨，他们不必再因为那些海盗而胆战心惊了，他们可以放开胆子大干一场了。

8日凌晨4时，渔民们开始撒网了。那天的网撒得格外利索，船上的海警官兵也在里外跟着忙活，虽然处处表现出生疏和外行，但也毕竟是多了几个帮手。往常需要三个小时的活计，那天两个半小时就全部忙活完了。到6时30分，撒网就全部结束了。

渔民们美滋滋地坐了下来，他们在等着收网，他们相信这次一定会有一个好的收成。

上午8时30分，渔民们开始收网了。他们想得没错，那天的确是个好收成。他们那天共撒了500张网，刚收了3张，甲板上便堆满了活蹦乱跳的各式各样的鱼虾，黄的、黑的、白的、蓝的、红的混杂在一起，五彩斑斓，胜似一幅图画。渔民的高兴劲儿溢于言表。随船的海警官兵们受到此情此景的感染，一会儿帮着拉网，一会儿帮着倒鱼。

忙归忙，乐归乐，海警官兵可没忘记自己是来干什么的。他们在忙的同时，不断地搜索着海面，注意着各种可疑情况。上午9时30分，随船的侦察参谋周开年首先发现了三艘可疑船只快速地向渔船驶来，根据航速、船向判断，不像是打鱼的渔船。周开年随即通过对讲机，将此情况报告了大队长李佑华。

李佑华立即命令道："严密注视其动向，继续正常收网作业，不得有丝毫暴露。"

在李佑华的命令下达10分钟后，三艘可疑船只已驶进了中国渔船的下网区。当他们看到中国渔船下在海里的网具时，便毫不客气地启动了船上的卷网机，紧接着，中国渔船的渔网及网中的海货便源源不断地堆到了他们的船上。此时，可疑船只离周开年所在的11291号渔船仅200余米。

三艘可疑船只即是海盗船无疑。此时，李佑华看了一眼船上的定位仪，定位仪显示：东经107度11分30秒，北纬19度02分00秒。李佑华立即将此情况报告了正在北部湾外围待命的谭进春。

谭进春接到报告后，立即命令大队长黄世明驾驶快艇先行火速向事发现场赶去，自己驾驶巡逻艇紧随其后。他同时告诉李佑华，快速向海盗船靠近，想办法稳住海盗船，等他们赶到后一网打尽。

李佑华接到谭进春的指令后，即让渔船停止收网作业，向海盗船只靠近。当我渔船离海盗船160米时，海盗船亮出冲锋枪，向我渔船开枪射击。

这是北部湾海盗分子的一贯作案手段：当看到我中国渔船下网之后，即启动他们船上的卷网机，连网带鱼统统收归他们所有。当发现我国渔船上前制止时，就向我渔船开枪射击，我手无寸铁的渔民只能眼睁睁地看着海盗们将本属于自己的财产野蛮地掠夺。

可今天不同了，船上有了海警官兵，海警官兵是专门为制服海盗而来的，绝对不会因为海盗们的开枪射击而畏缩不前。

中国渔船在一步步逼近海盗船，开枪射击没有起到丝毫作用，这让海盗们大惑不解：这些中国渔民为什么不怕死？为什么要迎着枪口上？

中国渔船离海盗船仅有80米了，海盗船已经感到这几艘中国渔船与平时所抢劫的中国渔船不一样，不可等闲视之，便集中了三艘海盗船的十几支枪，同时向我渔船射击，我渔船瞬时陷入密集的火力攻击下。

我随船的海警官兵早已严阵以待，手握钢枪，卧伏在渔船甲板上，等着一声令下，即开枪还击。

渔民们看不下去了，朝着我海警官兵喊道：“你们为什么不打呀？海盗这样打我们，你们还等着干什么？”

我海警官兵又何尝不想打呢！他们的手早就痒了，他们心中的怒火早就燃烧起来了，只是没有还击的命令，他们只能忍着，忍着，再忍着。

负责现场指挥的大队长李佑华看到海盗船的火力如此密集，认为教训海盗的时刻到了，便请示正在途中的谭进春是否要给予还击。

此时的谭进春，心急如焚。虽然船艇已达到最高速，箭一般地向事发现场飞驰，但他总嫌跑得太慢，不止一次地命令加速，他恨不能自己马上长出两只翅膀，先行飞过去。

当李佑华给予还击的请示到了谭进春那里后，谭进春立即转报到省边防总队，因为开枪还击是必须报省边防总队批准的。按他的意愿，他是同意立即给予还击的，他相信他的官兵们会狠狠地教训那些穷凶极恶的海盗们。

然而，省边防总队指挥中心的命令是：“注意隐蔽，避免伤亡，快速靠近，不准还击。”

谭进春看着总队指挥中心的命令，转念一想，总队指挥中心的命令是非常正确的，此时还击的确不是时候，此时在事发现场我方仅有三艘渔船，其航速均低于海盗船，海盗一旦遭到还击，势必三十六计走为上，我方渔船拼了老命也追不上的。

谭进春急忙将总队指挥中心的命令转达给李佑华，李佑华命令海警官兵和渔民搞好隐蔽，驾船继续向海盗船靠去。

海盗船见中国渔船越来越近，便凶残地集中三艘船上的所有枪支，猛烈地向我渔船扫射。正在我渔船驾驶楼里监视海盗动向的我海警二级士官梁华荣刚拿起照相机欲拍下海盗船向我猖狂射击的照片，突然一颗子弹飞来，梁华荣脑袋一闪，子弹打在梁华荣面前的玻璃上。打碎的玻璃刺伤了梁华荣的手臂，鲜血直流。

我海警官兵看到自己的战友流血了，怒不可遏，双眼几乎冒出火来，牙齿咬得格格响。他们在焦急地等待着指挥员还击的命令。但此时的李佑华，双唇紧咬，并没有立即还击的意思，他们只好等待、等待……

我渔船离海盗船只有50米了，海盗船在火力丝毫未减的情况下，又向我渔船扔起了手雷。手雷在我渔船的前方不断爆炸，爆炸的水柱一个接着一个，情况十分危急。

李佑华再次通过谭进春向总队请示予以还击。

总队指挥中心下达了命令："在距海盗船20米时，向海盗船喊话，表明我中国海警的身份，令其放下武器，如无效即对空鸣枪警告，警告无效，即行还击。同时注意三点：一、要尽可能避免我方出现重大伤亡。二、务必将海盗船拦截在我海域内抓获。三、在海盗船没有彻底制服之前，不准采取跳帮制敌的措施。"

李佑华看了看总队指挥中心的命令，明确了必须还要向前推进30米方能予以还击。可这30米非同一般的30米，每推进1米都充满着危险。如何在向前推进过程中避免我方人员出现伤亡？这可需要动动脑筋了。如果马上还击，李佑华是有把握避免我方人员出现伤亡的。现在只要还击的命令一出口，李佑华相信，凭海警官兵们的军事素质，海盗们的火力一下子就可以压下去，但很可能出现海盗们掉头逃窜的状况，如果真的出现这种情况，凭李佑华所乘的渔船是绝对不可能追上海盗船的。想到这里，李佑华彻底搞明白了为什么总队指挥中心命令在距海盗船20米时才可以鸣枪警告，因为距海盗船20米时，即使海盗船想逃也来不及了，我们的船只可以在几分钟之内挡住其退路，海盗船速度快的优势就发挥不出来了。

现在摆在李佑华面前的最大难题是，如何做到既能继续向前推进，又能保证我方人员不出现伤亡，同时还不暴露我海警身份。李佑华权衡了当时的情况，命令船上所有人员一律躲在船舱内，只分别在船头和船尾安排两名海警官兵，卧在甲板上，一旦海盗船向我渔船扔来手雷，能够在最短的时间内以最快速度将手雷排在海里。李佑华现在并不担心密集的枪弹，他担心与海盗船的距离拉得越近，海盗们就越容易直接把手雷扔到我方渔船上，手雷一旦在我方渔船上爆炸，我方出现伤亡是不可避免的，李佑华必须要拿出有绝对把握的对策。

一切安排妥当后，李佑华继续驾船向海盗船靠去，40米，30米，25米，此时，李佑华拿过喊话筒高声喊道："我们是中国海警，立即放下武器，停止攻击，否则一切后果自负。"李佑华连续喊了三遍，但嚣张的海盗毫不理会，枪声依然大作。随船的海警官兵在李佑华喊话时已陆续运动出舱，隐蔽在位。

"鸣枪警告!"随着李佑华一声令下，十几支枪口同时对空鸣枪。

海盗们听到枪响，似乎是吃了一惊，但瞬间便以更加密集的火力向我渔船射来。

"还击!"李佑华从牙缝里挤出了两个字。

顿时，愤怒的子弹排山倒海般地向海盗船扫去。

正在此时，增援的黄世明大队长驾驶着快艇赶到。黄世明大队长在观察了现场的情况后认为，三艘海盗船现在连成一体，火力较为集中，很难将其一下子制服，同时在其相互照应下，很容易边打边撤，逃之夭夭，因为此处海域离邻国海域边界线仅有 1.6 海里。战机稍纵即逝，海盗船如果逃入邻国海域，我们就无能为力了。

针对此情此景，黄世明与李佑华沟通后，果断地命令快艇上的海警官兵穿好防弹衣，备好武器弹药，他要驾驶快艇对三艘海盗船穿插分割，然后分而治之。

刹那间，只见黄世明驾驶着快艇箭一般地向三艘海盗船的中间穿去，在靠近海盗船时，快艇两边的海警官兵集中火力分别向两旁的海盗船扫去。

海盗船被这突如其来的举动吓呆了，分别驾船自顾自地向邻国海域逃去。

"特殊"命令

黄世明的穿插分割，取得了巨大的成功，打乱了海盗船的计划。三艘海盗船原打算在相互照应下边打边退，逃入邻国海域，可这样一来，只能各自逃命了。

针对三艘海盗船的溃散，黄世明与李佑华进行了分工，黄世明缠住了其中的一艘，李佑华则驾船向逃往邻国海域的另外两艘追去。

正在此时，谭进春也驾驶着巡逻艇赶到了现场。他看到黄世明的快艇与一艘海盗船正展开激烈的周旋，海盗船左冲右突，黄世明的快艇左堵右挡，并不时地相互对射。谭进春心里清楚，这艘海盗船是逃不脱黄世明的手掌心的，一是因为黄世明驾驶的是一艘快艇，速度远远胜于海盗船，二是因为我快艇上的海警官兵都是经过千锤百炼的，是训练有素的，其军事素质是过硬的，这是海盗船上的那些乌合之众没法比的，三是因为我快艇上的火力已远远胜于海盗船。在这种情况下，这艘海盗船的被擒就只是时间上的问题了。

谭进春举起高倍望远镜，搜寻到了李佑华，李佑华正驾驶着渔船向两艘海盗船追去。李佑华所乘渔船的速度低于海盗船，谭进春从望远镜上看到渔船上的海警官兵不断地向海盗船射击，但海盗船拼命向邻国海域逃窜，速度丝毫未减。谭进春看着看着，自言自语地喊了一声“不好”，随即命令巡逻艇快速向李佑华所追的海盗船冲去。

谭进春所喊出的“不好”，指的是他已看出了李佑华所乘的渔船与海盗船的距离越拉越远，像这样追下去，要将海盗船拦截在我海域内抓获是不可能的，海盗船很快就会逃入邻国海域，一定要想办法在海盗船逃往邻国海域前抓获。

谭进春的巡逻艇飞也似的向海盗船冲去，他们已经清楚地看到海盗船冒着黑烟在拼命逃窜。谭进春根据航距和航速测算了一下，再有半个小时左右，他们就可以截住海盗船。

此时的谭进春正处于高度的亢奋状态，他已经非常有把握将这两艘昔日作恶多端的海盗船擒在手中，他在期待着这一刻的来临。

突然，巡逻艇的航海长向谭进春喊了一声：“报告支队长，海盗船已进入邻国海域，我艇已接近国际分界线，如果再要继续追击，我艇就要越界了。”

谭进春听后迟疑了一下，随即指令道：“立即报告总队，请示越界追击，告诉总队，再有半个小时，我们就能将其擒获。”

随即，总队指挥中心的命令递到了谭进春面前：“停止追击，立即返航。”

谭进春看着这八个字，心中一下子凉了半截，但他还是心有不甘，转身对航海长道：“再请示总队，只给我们半个小时，只半个小时。”谭进春特意加重了“半个小时”的语气。

航海长请示总队之后对谭进春说道：“报告支队长，总队指挥中心说，一分钟都不行。”

谭进春失望了，一百个不情愿地命令巡逻艇停止追击，此时的巡逻艇正好停在边界线处。

谭进春站在甲板上，望着还在冒着黑烟拼命逃窜的海盗船，心中像打破了五味瓶子，说不出是个什么滋味。突然，他偶发奇想，大喊了一声：“炮手就位。”炮手听到命令后，迅速各就各位。

谭进春想要击沉海盗船。

他心里非常清楚，在开炮之前，必须请示总队批准。谭进春随即接通了总队首长的电话，他在电话中反复讲对这些作恶多端的海盗决不能姑息迁就，决不能让他们逃之夭夭。总队首长没等谭进春把话说完，便态度十分严厉地说了一句:“你少啰嗦，立即返航。”

谭进春这次是真的彻底失望了，作为一名军人，他是不能违抗命令的。多年的军人生涯使他养成了绝对服从命令的习惯，哪怕自己有一万个想不通。

谭进春与他的巡逻艇返航了，带着遗憾返航了，艇上的海警官兵们有些沮丧。

黄世明的快艇与另外一艘海盗船的较量并没有进行多长时间，几个回合下来，海盗船就彻底缴械了，黄世明与海警官兵们即时控制了海盗船。经清点，海盗船上有8名海盗在战斗中被击毙，有8名海盗被活捉，缴获冲锋枪、子弹、铁棍、砍刀、板斧等凶器一批。

一石激起千层浪

2005年1月9日傍晚，谭进春和他的战友们带着一身的疲惫和并没有全部了却的心愿从北部湾归来了，迎接他们的是盛大恢弘的场面。这种场面不是上级组织的，也不是当地政府组织的，而是李佑华所乘的渔船上的渔民将海上战斗的情况通过电台告诉了家中的父老乡亲，乡亲们一传十、十传百，很快传遍了村村寨寨，成千上万的渔民自发地聚集在一起。他们燃放鞭炮，载歌载舞，他们围着海警官兵嘘寒问暖，问长问短。他们已经认准了一个事实，海警官兵就是他们心目中的英雄，是他们利益的真正代表者。有的渔民倡导:“我们要把1月8日定为我们的欢乐节，1月8日是我们最欢乐的日子。”

有的渔民提出:“我们渔民组织起来，搞他三天的庆祝大游行，我们要让全世界知道，我们今天有多高兴。”

有的渔民干脆串通各家各户，要集资对海警官兵表示慰问。有些渔民因家中实在是拿不出一点钱，便把自家的鸡、猪、羊等抓了起来，他们无论如何要对海警官兵表示一点心意。

省边防总队闻讯后迅速作出决定，不准以任何形式和名义收取渔民的一分钱及收取渔民的任何物品，同时派出专门人员，分别去做渔民的工作，劝说渔民取消任何形式的庆典活动，并责成海警一支队落实这项任务。

谭进春理解总队的做法。他们虽然打垮了一个海盗团伙，但这种行为还没有定性，这个性应由上级来定，最终应由法律来定，在没有定性之前，绝对不应该出现任何形式的庆典活动，尽管那是渔民群众的自发行为。

谭进春与海警官兵一起，尽心尽力地做着渔民群众的说服工作。渔民是听话的，尤其愿听谭进春的话，他们已经把谭进春及海警官兵奉若神明了，他们说道："谁的话我们都可以不听，但老大的话我们必须要听。"

渔民们把谭进春称为"老大"，尽管听起来有点黑社会的味道，但渔民已经习惯了这种称谓。他们在船上就习惯称船长为"老大"，他们习惯称自己最尊重的人为"老大"，他们习惯所有的事情都要听"老大"的。

据考察，"老大"的称谓就是黑社会势力从渔民那里"拿"来的，"老大"的称谓自从被黑社会用上之后便带上了黑社会的色彩。但渔民不管这些，他们依然把自己最尊重的人称为"老大"，既然被称为"老大"的谭进春说此事不能做，那是坚决不能做的。

庆典活动不能搞，慰问品及慰问金海警官兵又坚决不收，但渔民们的心情总是要通过某种方式来表达的，于是几个有些文化的渔民便串联了27 308名渔民上书海南省委、省政府，甚至上书中央领导，要求表彰我海警官兵。为示郑重，每个渔民除亲笔签名外，还按上了自己鲜红的手印。信是这样写的（略有删节）：

> 近年来，北部湾海域频频发生武装抢劫活动。抢劫主要针对我省渔船的渔具、渔货和价值昂贵的通讯设备，造成我渔民严重的财产损失，并直接威胁到我们渔民群众的生命安全。2004年至今，仅我们临高县渔民在北部湾海域我方一侧生产作业就遭遇海上抢劫案件47起，直接经济损失约3 000多万元，我们很多被抢渔民因此倾家荡产、妻离子散。我们这些常年以打鱼为生的老百姓对此义愤填膺，我们不止一次地含着悲痛的眼泪仰天长叹："谁能保护我们啊。"
>
> 2004年9月，我省公安边防总队海警部队正式履行北部湾中越海上边界巡逻监管勤务。据新闻媒体报道，四个月以来，该部队在巡逻执勤中现场驱赶非法越界捕捞渔船220艘次，依法查扣25艘次，处置海上武装抢劫行为6起，救助海上遇险渔船12艘，挽回经济损失达5 000余万元。今年1月8日，琼临高

11291号等6艘渔船在北部湾渔区我方一侧正常作业时，遭到3艘武装船只抢劫。接到报警后，省公安边防总队海警一支队正在附近执勤的海警46085巡逻艇迅速赶到现场，在对方先行长时间向我方开枪射击、我海警多次鸣枪警告无效的情况下，被迫开枪还击，与对方发生激烈交火后，抓获1艘正在实施海上武装抢劫的船只，当场击毙海盗8名，抓获8名。我省海警部队这一正义的行为，捍卫了我国主权和海洋权益，有效地保障了我们这些老百姓的生命财产安全，广大渔民无不拍手称快。

我们这些最底层的渔民群众欣慰地看到，我省海警部队自担负巡逻监管任务以来，广大官兵不畏艰苦，不怕牺牲，日夜在海上为我们这些打鱼的人保驾护航。尽管执勤中存在巡逻船艇装备老化、机械故障多、续航能力差、油料保障不足、办案经费紧缺等诸多困难，我省海警部队广大官兵牢固树立执法为民的思想，坚决贯彻上级的指示精神，认真履行职能，为维护北部湾及南海海域社会治安稳定，为保护我们这些最基层老百姓的切身利益，为海南社会经济的快速度展，做出了突出的贡献，取得了一个又一个骄人的辉煌战绩，我们真切地感受到：他们是我们最可信赖的人民子弟兵。

鉴于我省海警部队在维护北部湾海洋主权、打击海上抢劫犯罪和保障我渔民生命财产安全等方面做出的突出贡献，建议尽快解决我省海警部队装备建设存在的问题，以便让他们能更加有效地为我们这些老百姓做事。同时，为鼓舞士气，表彰先进，建议省委、省政府召开表彰大会，对参加特大海上武装抢劫案战斗的海警部队参战指战员进行隆重表彰。

这是近3万名渔民发自内心的强烈呼声，但这呼声无论怎样强烈，都不是这一事件的定性，更不是权威性的结论，权威性的结论只能由权威部门来做。

来自权威部门的说法不尽相同，几种声音同时交杂在一起，有赞成渔民说法的，也有不赞成的，甚至还有极力反对的。

有的声音说：这些海盗只是抢了渔民的网具及物资，这难道就犯下了死罪吗？从法理上讲，是罪不至死的。如果罪不该死，却把人家打死了，这不是明显的过错吗？这话听起来似乎很有道理，尤其还是从法理上讲的，听起来怪唬人的。可法理如果离开了现实，那将是什么样的法理？我们处置任何一起武装抢劫团伙，只要双方发生交火，死人的事就极有可能发生，在这种情况下，谁能告诉你哪个团伙成员罪不至死，哪个罪该至死？如果在交火过程中死的是武装抢劫团伙的一般成员，我们难道因为打死的并不是首恶分子而指责干警打错了吗？话又说回来，罪是否至死，那是要经过法院严格的审判之后才能断定的，在法院宣判之前，谁又有权力做出这样的结论？如果没有人能提前做出这种权威性的结论，是不是对暴力犯罪团伙在宣判前就不必动枪了？那社会的正当防卫和个体的正当防卫又从何谈起？

有的声音说：严厉教训一下猖狂的海盗是应该的，但打死的人太多了，打死一两个海盗就可以了，打死了这么多人就有点讲不过去了。此语不免让人感到幼稚可笑，双方既然开战，谁能说出应该死多少为合适呢？这个数量怎么去掌握？难道随时让对方通报死伤数量，以决定是打还是停？如果对方听你摆布，又何必动用武器呢？这种说法同时也有点“站着说话不腰疼”之嫌，任何一个有血性的人，如果能够身临其境，看到海盗分子是如何猛烈地向我方船只射击，如何将手雷一个接着一个地向我方船只扔来，不知这种话还能不能说得出口？

还有的声音说：海盗被当场击毙了8个人，我方海警官兵却无重大伤亡，这说明双方力量相差悬殊，强弱之分一目了然，出现这样的结果，是否存在以强欺弱的问题？真不知道说这种话的人是怎么想的，是一种什么样的心态。难道我海警官兵应该与海盗分子讲对等，你死了那么多人，我也应该死几个，否则就不公平了？在战场上，双方交战，谁都希望以最小的代价换取最大的成功，难道我们能用各自代价的大小去评价公平与否？那正义与邪恶又放到哪里去呢？我们别忘了，我们海警官兵是在战场上，而不是在市场上，他们是在打仗，而不是在做买卖。

更有甚者，发出了让人难以理喻的奇谈怪论，说什么渔民只是被抢了些网具，没有必要如此大动干戈。说这种话的人，不得不让人怀疑他同广大人民群众感情上有问题。任何一个有良知的人，当看到渔民因被海盗抢劫而倾家荡产，当看到有的渔民为此家破人亡、妻离子散，当看到渔民被海盗用枪顶着叫天不灵呼地不应的无助神态，当看到渔民为失去生产能力而悲痛欲绝的悲惨场面，都不会无动于衷，都会有欲将海盗及早处之而后快的义愤，又怎能产生“没有必要”之感觉？换句话说，假如是自己的父老兄弟，贷款几十万元置办了船舶网具，出海后即被海盗洗劫一空，不知你是否还会指责海警官兵大动干戈？假如你自己曾被武装抢劫分子用枪指着抢走所有财产，不知你是否能做到不为之动容？

这些不同的声音，谭进春和他的海警官兵们都听到了。谭进春没有丝毫的不安，相反，倒显得异常平静。用他自己的话讲，即使因为此事将他处分掉了，他也没有半点后悔，他始终认为自己做了一件应该做的事情。只要渔民群众高兴，只要渔民群众的利益得到保护，他本人经受再大的委屈也无所谓，因为他这一生所追求的就是无愧于天地，无愧于良心，无愧于自己身上所肩负的职责。他做到了，没有留下遗憾，自己的人生足矣。

2005年1月13日，根据中央领导的指示，公安部、外交部、农业部组成了联合调查组，赶赴海南调查了解事实的真相；2005年1月16日，公安部组成了法医、痕迹、枪弹等专家组，赶赴海南对此事件进行调查和论证；2005年1月20日至25日，最高人民检察院、最高人民法院、司法部先后派出专门人员，前往海南对案件进行进一步的审理。一场围绕2005年1月8日北部湾海域发生的武装抢劫案的调查和审理紧锣密鼓地全面展开。

是非功过

谭进春和他的海警官兵们所经历的这起北部湾枪战，惊动了中央领导。中央领导多次为此做过重要指示。有人告诫谭进春："你需要注意了，你做的事情不论是对是错，但有一点是肯定的，你一个七品芝麻官，惊动了中央高层，给中央领导添了麻烦，这并不是小事一桩，你应准备为此付出代价。"说这话的人，是谭进春的顶头上司。

谭进春听后有些困惑：难道是我给中央领导添了麻烦吗？是渔民群众有了麻烦，我去帮助解决这些麻烦，怎么能说是我添了麻烦？难道真的是自己错了？难道中央领导真的会认为是我制造了麻烦？谭进春忽然感到有点担心，他担心的并不是自己今后的命运，他担心的是，如果真的是自己错了，那就会连累跟着他出生入死的海警弟兄们。给他谭进春什么样的委屈他都可以忍受，但他忍受不了让他的海警弟兄们受委屈，他的那些海警弟兄们是拿着自己的生命去保护渔民群众的利益，去维护国家的海洋权益，他不愿意看到他们受到半点委屈。

谭进春的担心是多余的。

2005年1月29日，公安部赵永吉副部长受公安部党委和中央领导的委托，赴海南调查处理北部湾海上武装抢劫案。在认真听取了各调查组和工作组的全面汇报、充分了解了事件的全过程、全面掌握了事件的真相后，他于2005年2月4日来到海南省边防总队海警一支队，看望了谭进春和他的官兵们。赵永吉副部长在召开海警官兵座谈会时谈道:“你们不要觉得给领导带来了麻烦，只要是为老百姓做好事，老百姓都拥护，再大的麻烦也是有必要的。我们要永远记住一条，人民群众的利益就是最高利益。只要能维护群众的利益，麻烦再多我们也心甘情愿。我们共产党人就是要把群众满意不满意、群众高兴不高兴、群众赞成不赞成、群众答应不答应作为我们衡量事情的标准。”

赵永吉副部长的一席话，让谭进春心中压着的一块石头落了地。谭进春流泪了，这是高兴的泪水、激动的泪水，他为渔民弟兄们高兴，为海警官兵们高兴。他发自内心地感谢公安部党委，感谢赵永吉副部长。

经审理查明，海警官兵们抓获的这艘海盗船，是一艘无船籍港、无船名船号、无任何有效证件的“三无”船舶。船上没有任何从事渔业捕捞的生产工具和网具，从不进行任何形式的渔业生产，与另外逃脱的两艘船是同一海盗团伙。他们相互之间自行规定了联络代号，抓获的这艘船代号为“香匾”，逃脱的两艘分别为“山辉”和“山帅”。这三艘海盗船自2004年10月份以来先后四次合伙到北部湾海域抢劫中国渔船的渔网，共计抢劫中国渔船渔网达4 000余张，给渔民造成的直接经济损失就达200余万元。

在铁的事实面前，昔日那些横行北部湾的海盗最终低下了头，对所犯下的抢劫罪行供认不讳。

2005年2月6日，海南省海口市中级人民法院公开审理了此案，对犯有抢劫罪的8名海盗分子进行了正义的宣判。

任重道远

据统计资料显示，自2000年以来，仅五年间，海南籍的渔船在我南海传统作业区作业时，先后遭到非法抓扣和抢劫达506艘次，给渔民造成的经济损失达7 000多万元，且呈逐年上升趋势，渔民对此怨声载道。

然而，海上的问题远远不止这些。近几年来，海上盗窃、海上走私、杀人越货、贩运枪支、贩运假币、贩运毒品、聚众斗殴、偷渡引渡等恶性犯罪活动层出不穷，严重阻碍和破坏着我国海洋经济的发展，危害着国家安全和社会稳定。

更为令人担忧的是，我国海洋权益不断遭到侵害，海洋资源严重流失。根据《联合国海洋法公约》的有关原则，我国实际拥有管辖海洋面积约300万平方公里，其中与8个邻国有争议的达150万平方公里，而这有争议的150万平方公里其中已被海上邻国强行侵占的达80万平方公里。

海洋国土的流失，直接带来了海洋资源的流失。仅在我国南海，海底石油资源每年以数千万吨的流量输向他国。据相关部门测算，我国海洋渔业资源的流失量远远大于我国渔业年产量。在我国南海的邻国，一些渔船装满炸药，对我海域海底珊瑚狂轰滥炸，实施野蛮掠夺，导致我国海域海底的珍贵物种濒临绝迹。

我国海上形势严峻。

我国渔民在海上遭到凌辱。

我国海洋国土遭到非法侵占。

我国海洋资源遭到蓄意破坏和野蛮掠夺。

这就是我国在海上所面临的现实。

国际社会普遍认为，21世纪将是海洋世纪。海洋越来越引起人类的重视，美国早在10年前就提出了“美国的未来在于海洋”的战略理念，当今世界很多沿海国家也把发展海洋经济作为国家发展战略，从海洋中寻找人类新的生存发展资源和空间。人们越来越认识到，人类可持续发展的最大潜力在海洋。随着人类对海洋的重视，海洋权益的争端会越来越多。要合理地解决这些争端，在争端中占有主动，就必须建立一支强大的海上武装力量，否则，只能受人欺负。

随着我国周边海上邻国对海洋的日益重视，海洋权益的扩张不可避免，诸如非法侵渔、海洋调查、勘探开采、非法移民、非法贸易、非法侵占、资源掠夺等非军事入侵活动会更加频繁，抵御这种非军事入侵活动靠的就是一支强大的海上准军事武装力量，若动用海军来解决这些问题，极易导致国与国之间较大规模的军事冲突，而动用海警适时解决这些问题，国际上则将其划为普通执法的范围。

海警的力量必须要强大，要具备解决这些问题的基本能力。因此，我国必须加快海警部队的现代化建设步伐，确保拥有一支装备精良、反应快速、训练有素的海警部队。

21世纪，海洋将是国际政治、经济及军事斗争的重要舞台。作为担负维护国家主权和海洋权益、严厉打击各类海上违法犯罪活动的边防海警部队，职责神圣而光荣，任重而道远。

谭进春和他的海警官兵们，深深懂得他们存在的价值，也深深懂得提高军政素质和部队战斗力的深远意义。他们深切地感受到广大渔民群众对海上正常生产秩序的渴望，深切地感受到捍卫伟大祖国蓝色国土的光荣使命。他们从部队实际出发，

2005年5月26日，中国海警官兵驾驶巡逻艇在北部湾中越中心线中方一侧海域进行巡逻监管。
（黄炬/摄，图片来源：新华社）

积极探索海上治安管理的规律，积极顺应海洋发展形势的需要，开展轰轰烈烈的大练兵活动，努力提高官兵的综合素质，努力提高官兵应对复杂多变的海上治安形势的能力，建立和完善各种复杂情况下的应急预案，使部队始终保持随时“拉得出，冲得上，打得赢”的战斗风貌。

谭进春和他的海警官兵们一直在为建设这样一支强大的海上武装力量做着积极的努力，这种努力也许是微不足道的，但他们一直在努力着，并且始终不渝。

（选自2005年第6期《报告文学》，有删节，作者：汪泉）

非洲踏寻郑和路

2005年是郑和下西洋600周年。本文作者六易寒暑，历尽艰辛，跑了非洲十多个国家，采访了数百位各阶层人士，系统、全面、生动地论述了郑和船队在非洲的行踪及其留下的遗迹和产生的影响。郑和是中国的，也是世界的。郑和史诗所蕴含的和平、和谐的理念与实践，为当今世界和平发展、人类和谐相处提供了可资借鉴的宝贵历史经验。纪念郑和下西洋600周年，就是为了用郑和精神振兴中华，同时启示我们始终坚持走和平发展的道路，以造福中国，造福世界，造福未来。

明朝地图绘非洲

新千年伊始，南非国民议会里展出了世界上最早最大的世界地图——《大明混一图》。这幅地图是世界上最早准确绘制出非洲形状的地图。主办者要用该地图纠正世人的一个偏见——欧洲人最早“发现”非洲。对于这幅非同一般的世界地图，不但南非国民议会前议长金瓦拉博士十分感兴趣，前总统曼德拉听说后也欣然前往参观。

南非国民议会举办的“非洲视角”地图展中展出的来自中国的《大明混一图》始终是参观者关注的焦点，也是该展览一再延期的主要原因。我伫立在这幅气势恢弘的“宝图”前，听黑人讲解员介绍说:《大明混一图》绘制于中国明朝开国皇帝朱元璋时期的明洪武二十二年，即公元1389年，长3.87米，宽4.75米。该图是与原图同大的复制件。“这幅极其珍贵的古代宝图是世界上最早最大的世界地图，是迄今为止非洲人见到的最早描绘非洲的世界地图，准确地描绘了非洲大陆的形状与地理位置，以无可辩驳的史实告诉世人：最早到达非洲大陆的是中国人，而不是习惯上认为的欧洲人。”

欧洲地图歪曲非洲

新世纪到来之际，南非国民议会决定发起“议会千年项目”活动，旨在以新观念、新视角和新思路重新认识历史与现状，回答人们普遍关心的诸如非洲人应该如何看待自己、世界应该如何看待非洲等问题，进而促进南非的种族和解、国家重建和民主化进程。“非洲视角”地图展就是这项活动的重要一环。

南非议会已有非洲地图130多幅，皆来自欧洲，是87年前矿业巨头门德尔松赠送的。“这些地图是欧洲人16世纪即450年前开始绘制的，大都尺寸很小，如这次展出的其中五幅就是图书的插页。这些地图标志着欧洲绘制地图的开端，欧洲人以此证明他们对非洲的所谓最早‘发现’，暴露了他们对非洲的偏见与无知。”讲解员如此说。

我们站在一幅“北非地图”前，讲解员说:“这幅图绘于1486年，比《大明混一图》晚了近百年。该图虽标出了城镇与河流的名称，但埃塞俄比亚南部被注明是‘未知土地’，且地图中没有南部非洲。这清楚无误地表明，欧洲人当时对南部非洲地区一无所知。”第二幅地图名为“部分新非洲地图”，实际上是南部非洲地图，从赤道至好望角，绘于1535年。该地图关于海岸线的情况比较清楚，说明欧洲人对沿海一带十分感兴趣。至于内陆的情况，图中说明内陆被三个国王统治着，另画有一头大象和两条蛇。“蛇是《圣经》用语，意指未知地域居住着怪兽。”为进一步表明描绘者的意图，旁边还注明“野蛮人区域”。第三幅地图是一张完整的“非洲地图”，描绘于1544年～1545年，尽管此时迪亚士与达·伽马早已通过了好望角，换言之，“欧洲人已经发现了非洲”，但该图描绘的非洲大陆的形状却是异常的，不但与实际情况相差较大，而且说非洲内陆地区居住着“独眼人”，其无知与偏见不言而喻。

“宝图”辗转来自日本

1988年赴东京出席世界经济会议期间，南非国民议会议长金瓦拉博士要完成一项特殊任务：向与会的中国和日本两国的高级官员寻觅一幅中国古代世界地图，据说该地图当时藏于日本的一家佛寺。她要用铁一般的事实改变所谓“迪亚士发现非洲”这一错误观点。

金瓦拉之所以对这幅中国古代世界地图发生如此大的兴趣，是因为它的确是一幅非同一般的地图。该地图准确描绘了非洲的地理位置，是迄今为止世界上发现的最早描绘非洲的地图。事情是这样的：1969年，华盛顿大学的郑教授在加拿大演讲时提到一幅中国古代世界地图，说该图清楚准确地描绘了非洲大陆。这幅地图是1402年绘制的，比“郑和下西洋”的首航时间还早三年。金瓦拉是一位酷爱收集和研究各种地图特别是古代非洲地图和世界地图的历史学家，此事一直萦绕在她的脑际。为寻觅此图，1988年初，她派助手专程赴美国找到郑教授。郑教授认为该图藏在一家日本佛寺里。

金瓦拉千方百计要找到那幅地图，使其能够参加展览，让南非人民目睹这一中非友好交往的历史见证。“功夫不负有心人”，经过一番不寻常的踏访，终于在日本一所大学的图书馆里找到了这幅地图。1999年初，日本有关方面复制了一幅高质量的地图送给金瓦拉，使她多年的愿望最终得以实现。

这幅中国古代世界地图何以能到达日本呢？其中有一段曲折的故事：该图是中国人李凯（音译）绘制的，由一名朝鲜使者受命带回朝鲜。岁月流逝，一个企图侵占朝鲜的日本军阀将该图掠夺到日本；几经辗转，该图被转移到一座寺庙，秘藏于寺庙方丈的私人图书馆里；后来，寺庙方丈将这幅图赠送给日本一所大学。

事实上，《大明混一图》是一对孪生兄弟。第一幅绘制于1389年，具体绘图人有待进一步研究考证。两幅图的区别在于，第二幅的尺寸小一些，对非洲描绘得更准确一点。那么，另一幅更早的地图今在何方？金瓦拉执意要找到年代更早的中国古代世界地图。

中国政府如期赠图

1999年11月，李鹏委员长访问南非时向金瓦拉议长赠送了一份特殊的礼物——一本《中国古代地图集（明代卷）》。卷首几页展示的就是1389年绘制的《大明混一图》。对古代地图颇有鉴赏和研究造诣的金瓦拉博士如获至宝，就在她“踏破铁鞋无觅处”之时，却“得来全不费功夫”。在对600年前中国的绘图技术赞不绝口的同时，她与中国政府协商，恳请将地图拿到南非展览，向公众展示欧洲殖民者到达之前的非洲，让参观者一睹非洲的原始风貌。中方对她的这一要求迅速作出了积极反应。

中国驻南非大使刘贵今在接受记者采访时指出，《大明混一图》藏于中国第一历史档案馆，彩绘绢本，是中国目前已知尺寸最大、保存最完好的古代世界地图，是国宝级的珍贵历史文物。由于年代久远，尺寸过大，虽保存完好，也出现了老化现象，已不适合公开展出。但是，南非方面筹办地图展的计划和时间已经确定，为使展览如期举办，在 2002 年 9 月举行的世界可持续发展首脑会议期间，金瓦拉议长与朱镕基总理协商，再次请求中方帮助。

于是，中国决定为南非复制一份《大明混一图》。2002 年 10 月，在中国外交部、国家档案馆和国家文物局等部门的协调下，中国第一历史档案馆会同敦煌艺术研究院和浙江大学的专家们，共同精心制作了数字化的巨幅《大明混一图》。该复制件保持了原图的面貌，大小一致，颜色逼真，实乃精品。

2002 年 11 月 1 日，《大明混一图》抵达南非议会。双手戴着白手套的议会首席研究员贝利小心翼翼地打开地图。目睹地图上清晰的非洲大陆，金瓦拉按捺不住内心的激动："大家现在看到的就是非洲。""我并不声称自己是专家，但是地图上描绘的非常像非洲。"南非前总统曼德拉得知后，欣然前往开普敦，参观了《大明混一图》。

"宝图"精确描绘非洲

《大明混一图》以大明王朝的版图为中心，东起日本，西达欧洲，南至爪哇，北到蒙古。全图未标明清楚的疆域界线，仅以不同颜色的地名条块来区别内外所属。图中描绘了明朝的治所、山脉、河流的位置，以及镇寨堡驿、湖泊岛屿和古遗址、古河道等名称 1 000 余处。

这幅"宝图"上有一个特殊的现象：图中的千余处标志皆用满文书写，除上端的"大明混一图"外无一汉字。这是因为清朝取代明朝后，为表明满族人打天下夺得了江山，便给地图贴盖上他们自己的标签。

在《大明混一图》上，非洲大陆的山脉、河流、湖泊与海角，其位置和走向十分接近非洲的地形地貌。讲解员指着地图的左下方对我说："这是非洲大陆，轮廓清晰，形状相像，河流的方位与尼罗河比较接近，山脉的走向与德雷肯斯山基本吻合，大陆南端让人想起著名的好望角，内陆的树木说明大地上草木茂密。请看，南部内陆的这一大湖可能是根据阿拉伯传说绘制的，因为传说中'撒哈拉沙漠以南有一大湖，其面积远大于里海'。"黑人朋友停顿了一下反问道："如果没有到过非洲，能描绘得如此准确、详细吗？欧洲人描绘的非洲地图，比该图晚了许多年，而准确性却与这幅珍贵的地图根本无法比拟。"

《大明混一图》不但对非洲大陆的描绘准确，而且线条流畅，颜色变化自然，图标形象逼真，历时数百年而完整无损、清晰如初，表现出中国古代高超的绘图艺术。

"宝图"改写非洲历史

2002年11月12日，这幅600年前由中国人绘制的世界地图首次在异国与公众见面，南非国民议会举行了隆重的开幕式。金瓦拉议长在开幕式上指出："《大明混一图》向世人表明，这幅由中国人绘制的地图比西方探险家来到非洲早了100年，所谓欧洲人最早发现非洲的历史需要改写。"她强调指出，中国发现非洲比欧洲早了整整100年，而且中国人带来的不是战火和奴役，而是中国和亚洲的文明。《大明混一图》是中非友好交往的有力证据，能够在这里首次展出也是南中友谊的又一体现。她希望南非人民能够了解这一史实，更多地了解中国和东方，进一步加强南中合作与交流。

作为一名历史学家，金瓦拉女士知道"郑和下西洋"比欧洲人绕过好望角早了80多年，中国人不但最早"发现"了非洲大陆，而且极有可能早于西方人通过非洲大陆最南端。这次展出的还有两件中国的展品——《郑和下西洋》的帆船图和马林迪国王向中国皇帝奉献长颈鹿的《奉鹿图》。讲解员说，郑和船队的巨船最长达到140米，而迪亚士的船只才23.5米，是郑和航船的六分之一。

金瓦拉说，还有一幅比《大明混一图》更早的中国古代世界地图，大约绘制于1320年，作者是元朝地理学家朱思本。李约瑟在《中国科学技术史》中提到，朱思本在其绘制的《舆地图》中标出了非洲大陆，与朱思本同时代的两位地理学家李泽民和释清睿，分别在其绘制和编制的《声教广被图》和《混一疆理图》中，把非洲大陆正确地描绘成一个倒三角形，且标出了数十个地名，这比欧洲描绘非洲的地图都要早。目前，南非有关历史学家正对这段历史进行研究。

在异国土地上参观完有关中国的展览，我的心情良久难以平静。带着几许疑问，在讲解员的带领下，我走进了议会研究室。研究人员这样作答：从《大明混一图》到《郑和航海图》，从东非沿海考古发现大量中国古瓷到马林迪国王向中国皇帝赠送长颈鹿，除非洲人外，中国人最早抵达非洲大陆已是不争的事实；从郑和船队的规模和装备来看，中国人也极有可能早于欧洲人驶过好望角。不过，欧洲人不愿承认这一事实，一是因为他们不愿承认自己当时在经济水平、航海技术和综合国力等方面落后于中国，二是他们要为自己侵略和殖民非洲寻找所谓的理论根据。然而，历史事实是无法改变的，西方的不少有识之士已表示要尊重这一历史事实，所谓欧洲人最先“发现非洲”的谬误无疑将会得到多数世人的质疑。

欣闻南非“郑和村”

2005 年 4 月初，中国驻南非大使刘贵今告诉我，南非有个“郑和村”。听到这一消息，我喜出望外，急忙刨根问底。刘大使说，2005 年 2 月参加南非国民议会开幕式时，一位黑人议员高兴地对他说，在距离南非伊丽莎白港约 80 千米的地方，有个“郑和村”，那里的村民肤色浅、头发长，具有中国人的特征，据说至今还保持着中国的生活习惯。“郑和村”因地处东开普省偏僻落后的农村地区，通往村子的路况非常糟糕，一般车辆无法行驶。这位议员当时还提议由他自己驾驶越野车，陪同刘大使一起去访问。我一时联系不到这位议员，无法确定“郑和村”的具体位置，采访计划暂时搁浅。

我曾去过伊丽莎白港，采访过举世闻名的布尔羊的故乡——东开普省的农场，但第一次听说那里有个“郑和村”，自然内心充满着欣喜和好奇。根据刘大使提供的情况，我大体估测出“郑和村”的所在方位，它与伊丽莎白港、东伦敦市基本形成一个三角形。伊丽莎白港和东伦敦市居住着数量相当的老华侨。于是，我与刚履新的福特海大学地质系主任、华人教授赵宝金取得联系，福特海大学位于东伦敦市附近。一听这个消息，他兴奋了：“我们地质系有两个本地学生长得很像中国人，我第一次看到他们时就觉得很奇怪。现在听你说起‘郑和村’，说不定就与他俩有关系。”当时正值假期，经他多方联系，终于找到了其中的一名学生，可惜该生对自己的家史不甚了解。通过赵宝金的帮助，我从该校一位历史学教授那里了解到了伊丽莎白港的华人史。

为弄清“郑和村”的准确位置以便前往采访，我又专程拜访了南非的数名老侨。南非的华侨华人有新老之分。老侨是100多年前来南非的中国人的后裔，现在已是第三代至第五代了。其实，有史料记录的第一批华人是1658年来到南非的。当时，荷兰东印度公司在开普敦建立基地时缺乏劳力，将数千名囚犯从印度尼西亚运抵南非，其中就有华人。这些华人大多因无钱偿还债务而沦为所谓的“流放罪犯”，不料却成为落户南非的第一批中国人。

19世纪初，英国人取代荷兰人成为开普地区的统治者。当时，南非的华人数量不足百名。英国殖民当局在建筑方面迫切需要廉价劳动力，于1815年前后从中国广东一带两次引进约50名华人工匠。第一批约23人是一个名叫哈里顿的英国人组织偷渡过来的，以解决建房急需工匠的问题。受此启发，当年的开普总督查尔斯决定再引进数量大体相同的华工。

大概是尝到了华人廉价、勤劳、能干、听话的甜头，自1849年至1882年，英国当局又从中国招收了250名华工，分配到开普和纳塔尔两个殖民地。这些人属于契约工，到期后大多返回祖国。

1867年和1886年，南非相继发现了钻石和黄金，一批批淘金者从世界各地蜂拥而来。中国人也抵挡不住黄金美梦的诱惑，背井离乡来到陌生的南非，以期发财致富。据不完全统计，在1888年至1898年的十年间，约有1 800名华人途经毛里求斯来到南非。这些淘金者是首批自发来到南非的华人，是现今南非老侨的先辈。这批人分为广东人和客家人两大支，各自保持着自己的生活习俗和方言。迄今为止，前者多聚居在黄金城约翰内斯堡和行政首都比勒陀利亚，后者多定居于伊丽莎白港、东伦敦和开普敦等港口城市。

在种族歧视和种族隔离盛行的南非社会，华侨华人和其他亚洲人等同于黑人，受尽了白人种族主义政权的剥削和压榨。白人政权不让华侨华人拥有不动产，不允许他们自主经营某些行业，如华侨华人经营餐馆和商店须用白人的名义，以使那些白人从中渔利，不劳而获。加之华侨华人与当地人语言不通、资金有限，尝遍了在异国他乡谋生的种种辛酸。就是在如此艰难的条件下，华侨华人通过加倍努力，为自己赢得了生存和发展的空间。

新南非诞生后，特别是1998年中南两国正式建交以来，中南双边友好关系不断深入发展，旅居南非的华侨华人数量有了快速增长，他们在当地的社会地位也不断提高。近20年来进入南非的新侨，在知识水平、年龄构成和人生阅历方面，皆有别于土生土长的老侨。新老侨胞团结协作，用自己的拼搏精神、聪明才智和辛勤工作，开创了一份份成功的事业，为南非的经济发展和社会进步作出了积极贡献，也令当地人对中国人刮目相看。

有关南非“郑和村”的消息传开后，南非的新老侨胞无不为之感到激动，即使是那些白发苍苍的老侨，其兴奋和惊讶的程度也丝毫不亚于我。许多侨胞纷纷与伊丽莎白港和东伦敦市的老侨联系，询问有关情况。

综合各方面情况推断，以上提及的南非“郑和村”，尽管目前尚不知晓其确切的地理位置，但还是具有一定的可信性，南非的有关考古发现也在一定程度上佐证了“郑和村”存在的可能性。在南非北部与莫桑比克交界的地区，曾发现过中国宋朝的陶瓷器皿。在南非南部发现的布须人岩画中，其中不乏头戴陀螺状尖顶中国帽的人物形象。几年前，在开普敦的桌山脚下，考古学家发现了中国明朝以前的瓷器和其他生活用具，这表明桌山脚下留下了早期中国人曾在那里活动过的遗迹。在一篇题为“早期中国的水手，出生与未来”的研究论文中，南非学者戴维·韦勒斯明确指出：“第一批看到著名的桌山的外来人是中国皇帝的船队水手。他们在永乐皇帝的大太监郑和率领下，于1431年～1433年来到非洲，绕过了好望角。”

谁人首航好望角

位于南非境内的好望角，地处非洲大陆的最西南端。对于这个世界闻名之地，不少人在概念上存有两大误区：一是认为它地处“非洲大陆最南端”，二是认为它是被欧洲人“发现”的。1988年，一些欧洲人和南非白人曾举办庆典，纪念葡萄牙航海家迪亚士“发现”好望角500周年。对此，南非前总统曼德拉曾反唇相讥道：“早在欧洲人到达好望角之前，我们非洲人就已经在这里了。”

毋庸置疑，好望角的“发现权”非非洲人莫属。但对于外人而言，首次远航好望角的人是否就是迪亚士？看来还有待商榷。从不断发现的古代文物和遗迹以及相关专家学者的考证和研究成果来看，所谓欧洲人首航好望角的说法，已开始受到质疑。

在好望角以东147千米的非洲大陆最南端——厄加勒斯角，有一个沉船博物馆，里面展示着从好望角及其附近海域打捞出来的各种物品，从破烂不堪的船舷，到锈迹斑斑的铁锚，从船上所载的水手生活用品，到逃生所用的救生圈……几乎是应有尽有。我还注意到，在那里展示的被打捞出来的瓷器，大多产于中国。一些物品上有清楚的汉字。

在《南非的船难与打捞》一书中，作者列举了近1 000艘沉船的位置与时间。该书的前言指出:“南非史料记载的第一次船难发生在1505年，一艘从印度满载香料的葡萄牙船在回程途中在莫索湾沉没。”“这显然不是第一艘在南非的沉船。早在此前，南非境内就发现了中国瓷器，而中国船队极有可能在1420年前后绕过好望角。”

为破解中国船队首航好望角而在南非海域尚未发现中国沉船这道难题，该书第29页专门介绍了中国先进的造船术，书中写道:“中国古代的帆船制造业代表着世界

据中国史书的明确记载，郑和率船队七下西洋，先后访问了亚洲和非洲的 30 多个国家和地区，最远到达非洲东岸赤道以南的麻林（今肯尼亚的马林迪）和慢八撒（今肯尼亚的蒙巴萨港）。这是从耶稣堡上俯瞰肯尼亚蒙巴萨旧港。（王宏达/摄，图片来源：新华社）

的最高水平，欧洲直到 19 世纪才能够达到。”郑和船队庞大，船体坚固。跟随郑和第七次下西洋的巩珍在《西洋番国志》中说：“宝船体势巍然，巨无与敌，篷帆锚舵，非二三百人，莫能举动。”《明史》记载：“造大舶，修四十四丈，广十八丈者六十二。自苏州刘家河泛海。”按明代尺寸换算，郑和宝船的长宽分别约为 138 米和 56 米。由此推算，最大宝船的载重量可达 2 500 吨，排水量 3 100 吨。

为完成下西洋的重任，郑和组建了世界上前所未有的庞大远洋船队。船队由宝船、水船、座船、马船、粮船、战船等各种船型合理构成。每次远航，由 62 艘大中型宝船组成主体，加上其他类型的船只，“乘巨舶百余艘”。其中第一次下西洋乘船 208 艘之多，是七下西洋运用船只数量之最。

相形之下，1492 年西班牙航海家哥伦布远航美洲时的船队仅有 3 条小帆船，旗舰“圣玛利亚号”的排水量不足 100 吨。1497 年葡萄牙航海家达·伽马远航时的船

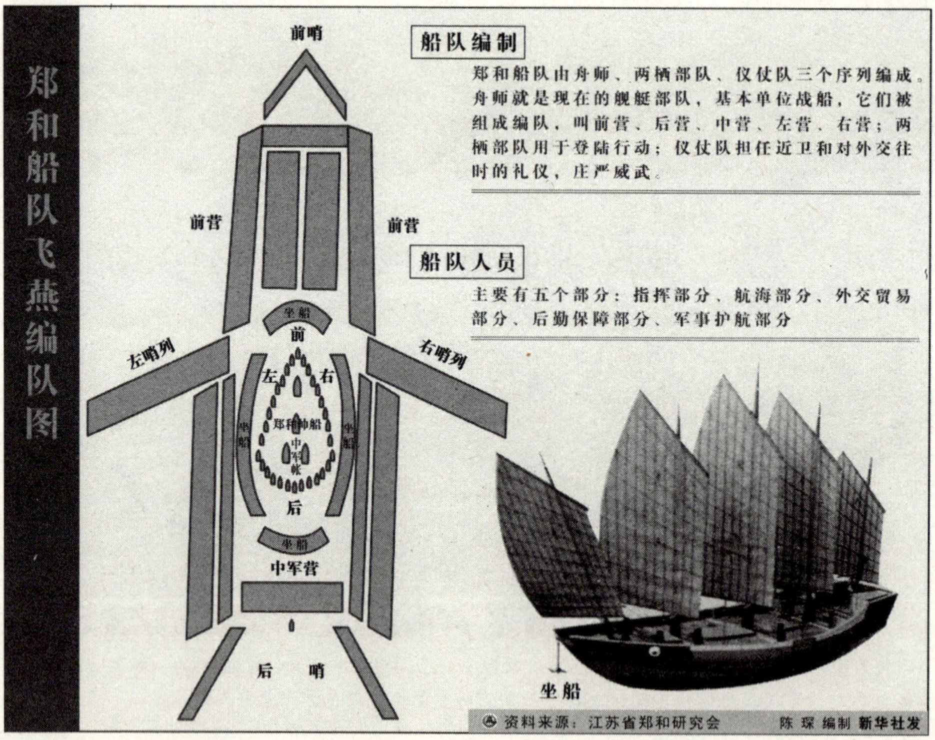

队只不过4艘船，船身长不到25米，载重量仅120吨左右，还被称为当时欧洲装备最精良的船只。待达·伽马返回葡萄牙里斯本时，海员剩下不到一半人。麦哲伦的船队返回西班牙时，船队水手已所剩无几。而郑和的船队，不但绝大多数水手安全回国，而且还带回了众多的外国使者。所有这些表明，当时在造船工艺、航海科技和认识海洋的能力方面，欧洲人与中国人之间的差异巨大。

究竟是谁首次远航好望角？外国学者经过深入研究和实地考证后认为，首次远航好望角者是中国的郑和船队，而不是欧洲人；欧洲人是在得到郑和的航海图之后，才远航好望角、“发现世界”的。英国学者孟席斯对此更是确信无疑，他在书中说：

1421年，当郑和的宝船到达印度古里时，年轻的威尼斯人达·康提恰好在那里。此人曾在埃及学习过阿拉伯语，还娶了一个穆斯林妻子，改信了伊斯兰教，并以穆斯林商人的身份游历各国。他结识了中国船员，并搭乘中国船从古里来到东非沿海的索法拉，然后随船南下西行，绕过好望角到达非洲西部海岸……

达·康提离开船队时，带走了从中国人那里得到的航海知识和几幅航海图的副本，回欧洲后将其中的一幅航海图呈送给为葡萄牙王室工作的制图师毛罗修士，再由毛罗将那张珍贵的航海图敬献给着迷于航海的葡萄牙亲王亨利。毛罗曾出版过达·康提的见闻录，还在1459年按中国航海图的样本绘制了一张世界地图。在这份地图上，毛罗准确地画出了好望角的三角形状，他把好望角称为“德迪亚卜角”，并画了一幅中国帆船图，还就此作了题记说明。题记描述了中国水手在好望角——“德迪亚卜角”休整补给的情景，还特别提到这些水手所发现的大鸟和鸟蛋。这其实就是指鸵鸟。数百年过去了，如今好望角的鸵鸟仍会伸长脖颈欢迎游人。

由于达·康提的缘故，最早由中国人绘制的航海图，经过欧洲人复制或加工绘制，开始在威尼斯和欧洲其他地方出现和流传。它们或称航海图或称世界地图，由于翻译等方面的原因，即使是同一个地方，其称呼却不相同。

1428年，葡萄牙王储敦·佩德罗，也即亨利亲王的哥哥，将一幅世界地图从威尼斯带回葡萄牙。佩德罗是一个旅行家，在游历威尼斯时，“购买了一幅世界地图，该图绘出全世界的各个部分，图中，麦哲伦海峡的称谓是‘龙尾巴’，‘博阿·埃斯佩兰克角’——好望角的另一个别称——被称为非洲的最前方”。也就是说，在1428年——这个早于欧洲人首航好望角60年的年份，好望角——“博阿·埃斯佩兰克角”和麦哲伦海峡——“龙尾巴”等世界著名海上要冲就已经被绘制在世界地图上了。

孟席斯为证明其观点，曾沿着他推断的当年郑和船队的航线进行环球游历，还根据郑和船队在离开“索法拉”后每小时6.25海里的航行速度，判断出中国船队绕过好望角的时间应该是1421年8月。

孟席斯认为，郑和船队不只到过非洲的好望角，甚至还到过美洲大陆，并最终完成人类首次环球航行。他和别的西方专家为此还列举了大量证据和实例。

待到哥伦布、迪亚士、达·伽马、麦哲伦等欧洲著名的航海家远航时，他们每人都怀揣一份郑和的航海图。好望角也好，美洲大陆也罢，都是图中标明之地，这些欧洲经典航海家所能做的，只是“按图索骥”而已，何谈首航好望角、发现“新大陆”和环球航行，更谈不上“发现世界”。他们不过是步前人的后尘，在隐没了前人的功绩后，才在历史上留下了自己的名字。为此，孟席斯等中外学者同声疾呼，现在该是“拨乱反正”的时候了！“他们应将功劳归于第一批探险家，在永乐十九年至二十一年，即公元1421年至1423年进行了史诗般航海事业的中国人。”“葡萄牙人领导整个欧洲掀起了探险和殖民的浪潮。在这么多国家里，它是中国人辛苦追寻新天地与新海洋的最大受益者。”

众所周知，由中国人开创的远航先河，在郑和之后未能继续下去。其后，欧洲人通过运用中国人积累掌握的航海知识，包括《郑和航海图》，开启了另一个远洋航行时代。就其消极意义而言，它给亚非拉地区和人民带来了野蛮征服、奴隶贩卖和殖民掠夺等灾难和祸患，在人类历史上刻下了一道痛苦、悲惨的印记。就其积极意义而言，它继续推动了地理大发现，在一定程度上引发和促进了近代工业革命，进而对人类历史进程产生了极其深远和广泛的影响。

需要指出的是，郑和七下西洋所具有的影响和意义，已远远超出了航海的范畴。当时中国人所掌握的航海知识、航海科学和航海技术，丰富了人类的知识宝库，推动了人类文明的发展。可否将其视为古代中国贡献于人类和世界的“第五大发明”呢？

壮丽的郑和史诗

600年前，伟大的航海家、外交家郑和开始了七下西洋的“和平之旅”，开辟了

拉穆岛位于肯尼亚东海岸。这里公元7世纪就有人居住。公元9世纪，阿拉伯人以拉穆岛为补充淡水的中转站。14世纪中期，拉穆镇成为东非最重要的港口和贸易中心。据说，郑和船队曾多次经停这里。这是2005年6月19日拍摄的拉穆海边的清晨。（王宏达/摄，图片来源：新华社）

影响深远的“海上丝绸之路”，谱写了一部雄壮美丽的郑和史诗。数百年来，郑和这位和平使者一直受到所访国家人民的尊敬与爱戴，郑和本人也成为“和平外交”与“睦邻友好”的象征。

和平是“郑和下西洋”这部壮丽史诗的主旋律，贯穿七下西洋的全过程。明初，中国南海一带海盗不时出没，危及海上安全和贸易往来。郑和下西洋的重要使命就是，保证海上安全，维护东南亚和南亚地区的稳定；保持海路通畅，以便与西洋诸国进行公平贸易。也就是说，郑和是为了和平与公平而出使西洋的。在历时28年的航海活动中，仅出现过三次自卫性的短暂战火交锋，皆为迫不得已而为之。郑和船队所到之处，以礼待人，尊重当地风俗；公平贸易，不恃强凌弱；传播文明，并将海外的先进文化与科技带回国内。因而，郑和船队赢得了对方的尊敬与信赖，取得了明初“礼治外交”的胜利。

“和平之旅”体现了中国宽广的胸怀和宽容的精神，是一次文明的对话与交流。当年的郑和船队，“云帆高张，昼夜星驰，涉彼狂澜，若履通衢”，这是何等的气势，完全拥有“耀兵异域”的实力。然而，郑和船队没有与任何一个国家哪怕是一个弱小的非洲城邦兵戎相见，更没有占领别国的一寸土地，掠夺他人的一分财产。这种在占领与掠夺方面“非不能也，是不为也”的和平远航与交流，充分体现了中国人民热爱和平、以礼待人的传统美德。有外国学者说:“郑和最了不起的地方就是体现了人类内心最美好的一面——无论贫富、老幼、贵贱，人人生来平等。中国完全有理由为郑和的成就感到自豪!”

“和平之旅”为中国赢得了信誉和朋友，郑和本人受到所访国家和地区人民的尊敬和爱戴。一些东南亚国家把郑和奉为“和平之神”，为郑和建庙树碑，冠以“郑和”或“三保”名字的庙宇、山城、街道、港口、水井、石碑等等遍布各地。据统计，东南亚一带仅“郑和庙”就有14座。沿着郑和开辟的“和平之路”，亚非国家的使节纷至沓来，友好回访，一时极具繁华。郑和船队在与非洲国家的交往中，平等待人，礼尚往来，虽船队阵容庞大，却决不盛气凌人。而郑和之后，欧洲船队把非洲人不当人看，随意欺辱，甚至还掀起一场非洲人是人还是动物的大辩论。相比之下，“和平使者”郑和哪能不受人尊敬？南非总统姆贝基指出:“非洲马林迪国王赠送中国皇帝一头长颈鹿，而不是大象、狮子或豹子，为什么？因为马林迪国王敬仰中国皇帝具有高瞻远瞩的眼光，派遣船队长途跋涉拜访非洲国家而与之礼尚往来的气度。”他在纪念民主南非十周年和中非伙伴关系论坛上进一步指出：“历史告诉我们，在几百年前，不论是非洲人，还是亚洲人，都没有把对方看成是野蛮人。虽然远隔重洋，但双方都认为自己的福祉依赖于另一方的幸福生活，这一意愿所反映的基本理念闪耀着全人类的人性光辉。正是基于这一意愿，15世纪中国船队到访非洲港口所带来的是互惠互利的合作，而不是随着阿拉伯人和欧洲人而来的奴隶贸易和殖民主义所带来的毁灭与绝望。”

“和平之旅”与其后西方国家的早期航海形成鲜明对比，给世人提供了一面认识历史、观察世界的镜子。恩格斯指出：“葡萄牙人在非洲海岸、印度和整个远东寻找的是黄金；黄金一词是驱使西班牙人横渡大西洋到美洲去的咒语；黄金是白人刚踏上一个新发现的海岸时所要的第一件东西。”继郑和船队之后，葡萄牙、西班牙等国的航海家接踵而至，争夺海上霸权，用“剑与火”在世界各地进行血腥的殖民掠夺和残酷剥削，其恶劣行径哪能与郑和的“和平之旅”相提并论？一正一反，泾渭分明。

郑和史诗般的远航绝唱已成为一个象征符号，象征着和平互利，睦邻友好，体现着中国传统的和平外交的理念与实践。郑和史诗向世界再次证明，历史上的海洋大国和强盛一时的中国，没有威胁和恐吓过别人，更没有占领和掠夺过别国的领土与财产。相反，强大的中国促进了人类文明的传播，推动了人类生产力的发展，使世界各国从中受益，实现了互惠互利、和平发展的“双赢目的”。正是基于这一史实，非洲国家真诚期待着第二个“郑和时代”的到来！

郑和是中国的，也是世界的。郑和史诗所蕴含的和平、和谐的理念与实践，为当今世界和平发展、人类和谐相处提供了可资借鉴的宝贵历史经验。郑和史诗以空前的绝唱向世人昭示：在人类发展史上，弱肉强食、征服掠夺、摧毁占领的西方社会达尔文主义模式并非“此路一条”，平等互利、和平发展、和谐相处的东方模式更加备受推崇与赞赏。纪念郑和下西洋600周年，就是为了用郑和精神振兴中华，同时启示我们始终坚持走和平发展的道路，以造福中国，造福世界，造福未来。

（选自晨光出版社《非洲踏寻郑和路》，2005年12月出版，作者：李新烽）

2005，松花江在呻吟

2005 年 11 月 13 日，中石油吉林石化公司双苯厂一车间发生爆炸，约 100 吨苯类物质流入松花江，造成了江水严重污染，沿岸数百万居民的生活受到影响。11 月 23 日，国家环保总局向媒体通报：受中国石油吉林石化公司双苯厂爆炸事故影响，松花江发生重大水污染事件。

2005 年初冬的哈尔滨，真是个多事之冬，不仅禽流感闹得人心惶惶，还一场雪未下，天气热得出奇。逢寒不冷，遇冬不雪，这是所有生活在高寒地区的人最为头痛的，因为各种细菌会大肆繁殖。冰城的人们在享受冬日暖阳的惬意时，无一不在探询：“这老天咋了？”

11 月 21 日，农历十月二十日中午，哈尔滨的大街小巷开始风传一个爆炸性的消息：“吉化公司双苯厂胺苯车间发生爆炸后，有毒物质流到松花江，导致松花江水污染，靠松花江水生产、生活的哈尔滨市将从下午 3 时起全市大停水，至少是一周，也可能半个月。”

伴随着这条惊人传言一并流行的还有：“23 日～30 日，哈尔滨市将发生地震，震级在 5 级～8 级之间。”

这两条面目狰狞的传闻，相互交错，利用电话、手机短信、网络 BBS、QQ 等现代化的传媒手段迅速地挤占了哈尔滨市的所有空间，美丽祥和的冰城哈尔滨，一下子笼罩在“灾难”的阴影下。

平地起惊雷

“我是大四学生，20 号刚签了工作。21 号下午在公寓一楼大厅里正美滋滋地看报纸，突然有同学路过，告诉我要停水。我当时听了还没什么太大感觉，因为学校偶尔修管道停水是常事，只是自己不常看学校的通知。同学建议我还是买点水储备，说这次好像挺严重，要停七天，也不知道为什么要停。后来从公寓门卫、公寓小卖部打听到是全市都停，都没提前得到通知。我心里立刻就明白了，可能是出事了，还是大事。要不然，几百万人口的大城市还是省会，咋能说停就停。当时虽然没接到通知，但已经有传言是吉林化工厂爆炸污染，也有传言说要地震。”某高校将要毕业的大学生徐笑梅一说起这事就侃侃而谈。

一位市民在接受采访时说：“我当时正在上班，突然接到一朋友电话：‘哈市要停水四五天，赶快储水吧。’朋友还是有些能力的，所以对他的话深信不疑。没得说，赶快给家里的老太太打电话。老太太开始还不信，说没看到通知。我说也别等什么通知了，等通知出来，黄花菜都凉了，小刘都说停了，储点水，也不费事。晚上下班回家，路过超市，看见人们排着长队购物，货架上，矿泉水、果汁、碳酸饮料都已售空。回家路上，平时冷冷清清的卖干粮的小摊前都聚满了人。心里正纳闷，转念一想，莫不是真的停水了？不禁为自己的英明决定窃喜。回到家里一拧水龙头，果然停水了。第一句话就问老太太：储水了吗？老太太正在做菜，头也没回，说储了。我往地上一看，满满的五大盆水，家里那几个空盆都用上了。到浴室一看，满满的一浴缸。到里屋一看，竟然储了两大鱼缸的水。前些年养鱼，后来都死了，这鱼缸就扔在阳台上了，不想老太太也够细心，这都翻出来了。再往地上一看，平时喝饮料留下的那些两升的大塑料瓶，里面都灌上了水，也整整齐齐地摆在一边呢。晚上吃完饭，想起早晨放洗衣机里的几件衣服还没洗，既然停水了，就拿出来吧。开盖一看，竟然也储满了水。老太太说，拿出去了，热水器里也储了，洗澡就到外面吧。”

是的，当时的哈尔滨几乎瘫痪了，江水被污染的传言引发了市民的恐慌。由于市民集中抢购，市区内多数商店饮用水脱销。不仅仅是水，就连盛水的桶、盆等都被疯抢一光。

这是自1946年哈尔滨市解放以来第一次全市区长达四天的同时停水。21日，是哈尔滨市民恐慌的一天。“松花江水被污染了，不能喝了，哈市即将长时间停水”的消息不胫而走。14时开始，不少市民班不上了，买卖不做了，奔回家中接水、储水、买水……不少小区内水箱中的水被接光，水压急剧下降，部分地区出现断水。超市内的水被抢购一空，饮料、牛奶、啤酒、面包、八宝粥等相关食品也遭到疯抢。一些超市和供水点打出了矿泉水断货的公告。市民薛玲仅仅一个下午就买了6箱矿泉水、3箱牛奶、30罐八宝粥、50个馒头以及1个手电筒和数节电池。她说她还不是最疯狂的，有的市民一下子就买了几千元的矿泉水。

21日14时至17时之间，哈市移动电话出现了开通以来从未有过的拥堵现象，全城几乎所有手机和小灵通同时出现了信道忙的状态，打不出去，也接不进来。人们都想在第一时间向亲友传出“要停水”的消息。

超市里摆放瓶装矿泉水的货架已是空空荡荡。超市工作人员告诉记者，从上午开始，一些顾客开始大量购买饮用水，有的顾客甚至一次性购买5 000元的矿泉水。市民们认为：“如果早些时候预告，绝不会出现这种抢购的混乱局面，市民也会减少恐慌心理，社会秩序相对会稳定得多。”记者走访多位市民家时看到，居民们将家中大大小小的水桶、锅、壶、盆甚至洗衣机都接满水，以备四天停水需要。

在某公司上班的程女士说：“21号中午的时候，一个同事不知从哪里得来的消息，告诉大家说，让大家晚上回家也存点水，可能要停一两天。同事们都认为他在造谣，群起而攻之。谁知过了不久，经理也突然说可能要停水，提醒大家储备。但是，这个时候大家还没当回事。下午，同事出去买了一个塑料桶，为公司停水做储备，回来跟大家说，桶都卖没了。大家以为他在开玩笑。因为正常停水，政府应该会通知。下午2点左右，好友突然打电话来，说要停很多天水，让我也回家储备，说很多公司下午都已经放假了。这时，出去办事的经理也发现了情况反常，就让大家都回家了。在公交车上，所有的人都是一脸焦急地议论着水的问题。在哈尔滨康安路的大发市场（这是一个以批发日用品和副食品为主的市场）附近，车堵得水泄不通。公交车司机无奈，只得将车停在离站点很远的地方，让一些离得近的人步行回去。我和好友在大发市场附近找了很多家卖水的地方，发现水都已经售空。牛奶也被人抢购，一些10月份生产的牛奶都被商家拿出来卖。平时摆满柜台的面包、糕点，都已经没有了。甚至连手工的馒头店旁都已经排起了长长的队。储水用的水桶价格涨了一倍还多，平时6元一提的矿泉水已经疯涨到18元一提，据说还有卖到25元的。一个批发水的老板说，他们家在道外还有一个批发点，一天之内两万箱水都已经售空。而我，因为不愿意凑热闹，什么都没买到。人们纷纷相互转告消息，电话都接不通。大街上到处可以看到提着水的、提着桶的、大包小包提着食物的人。”

一个大学生在网站的BBS上以日记的形式记述了当时的情景："寝室里所有人的杯子、洗脸盆、丢弃的矿泉水瓶、开水壶、水桶都用来接水了。我不是夸大，我寝室有个兄弟，床下面放了大概20个矿泉水瓶，本来是隔壁寝室打算卖废品的，但这次把还有盖的全都用来装水了。我们每个人床下的脸盆里都存着水（晚上被子的一角还不小心掉进脸盆沾了水）。另外，下午去水房时（学生公寓的厕所、水管、大垃圾桶都在水房）发现大垃圾桶没了，垃圾都扔在墙角，我还觉得奇怪，到了晚上才发现，原来被负责打扫公寓的大妈们拿去洗了，放在厕所用来存储水（不要歪想，主要用来洗脚和冲厕所）。"

市民黄女士说："下午两点，电话响了：'我是大楼管理处，零点全市停水，请做好储水准备……'说话的声音轻悄悄的，好像怕把我惊吓着似的。看来，儿子说的事情是真的！我就给哥哥挂电话，刚告诉他要停水的事，他就急巴巴地说：'是呀是呀，我知道了，我正在外面买水呢，超市水都没有啦！'天！这么严重！！！老公也打来电话说：'真没有想到，超市的水都快卖光了。'"

……

事情发展到了这一步，人们似乎有点清醒了。这么大的事，政府咋会没消息啊？这太不正常了吧？于是乎，人们开始往哈尔滨市市政府打电话。

这时的哈尔滨市和黑龙江省的领导们也没闲着，他们正在商讨应急对策。这从哈尔滨市政府连续发的两次通告中就可以看出。政府果断作出决策：停水，不能让受到污染的水威胁到百姓健康。

16时，哈尔滨市政府发布第一次公告，称因供水管网改造需要临时停水约四天时间。这个公告首先在东北网上出现，随后，哈尔滨电视台进行滚动播出。

有着近400万人口的大城市面临严重的水污染，在国内前所未有，在世界上也是极其罕见。一个省会城市在全市范围内长时间停水，其影响也是非常巨大的。在责任与压力面前，黑龙江省及哈尔滨市政府果断及时作出的决定，避免了更大的公共卫生危机的发生。

但市民们依然恐慌。21日整个晚上，人们被恐慌的情绪所笼罩。当天，很多超市、便民店的营业时间都延长到深夜。据不完全统计，哈市21日当天销售水及相关产品总量1.6万吨，是平时的100倍。"你家储水了吗？"这句话一时间成了人们见面时的问候语。

晚上的广播电视新闻里，出现了哈政发法字【2005】26号公告：

2005年11月13日，中石油吉化公司双苯厂胺苯车间发生爆炸事故。据环保部门监测，目前松花江哈尔滨城区段水体未发现异常，但预测近期有可能受到上游来水的污染。为确保市区内人民群众和机关、企事业单位用水安全，市人民政府决定市区供水管网临时停止供水。现将有关事宜公告如下：

一、自2005年11月22日20时左右，市区市政供水管网将临时停止供水，停水时间约为四天（具体停止供水和恢复供水时间另行公告）。请市区内的机关、企业事业单位、个体业户和居民以及供水经营单位做好生产、生活用水储备，保证正常生产、生活需要。

二、自本公告发布之日起市区内的各洗浴、洗车行业必须立即停止用水。

三、市工商、物价、公安等部门要加强市场监督和治安管理，维护市场和社会秩序。

2005年11月21日

公告一出，人们觉得是真的了，于是乎，在当日晚和22日上午，又爆发了新一轮的大抢购。21日公告发出时，城区许多地段已经无水了。11月22日晚，哈尔滨市人民政府又发出最新公告，决定于23日零时起正式停止市区自来水供水。如此大规模、长时间的停水，在哈尔滨市历史上还是第一次。

政府公告也好，新闻报道也罢，连小道消息在内，这着实让所有哈尔滨人捏了把汗。到底怎么了？因为这不仅仅是水的问题，还有地震的传言，于是乎，人们在抢完水后，又开始抢购车票、飞机票。原来淡季打到四折的飞机票现在全价都买不到了，往南方去的火车干脆就没票，无座票都售空。

政府行动

为应对这一突发性事件，黑龙江省委、省政府及时成立应急领导小组，连夜部署有关工作。21日至22日，省、市政府多次召开紧急会议，做出了一系列安排和部署：

——建立并启动了应急预案，对搞好城市供水、供热，维护市场秩序和社会治安以及信息发布等工作进行统筹安排。有关部门设立了专线电话，派专人值守。省政府决定拿出1 000万元省长预备金，相关市、县也安排资金，用于应对这次突发公共事件。

——及时发布松花江供水将暂时关闭的公告，动员市民提前储水。组织300多个工作组深入社区动员储水。据抽样调查，当时全市居民储水达30多万吨，有85%的居民储水可满足四天的基本生活需要。

——开源节流保重点，启动各项供水措施。21日，连夜从沈阳和大庆、绥化、佳木斯、牡丹江等地组织瓶装水进入哈尔滨市场，保证市场供应，稳定市场。开辟了四个补充水源，利用并开凿地下水井，调动大庆油田钻井队，进入哈尔滨打深水井。组织纯净水生产企业开足马力生产，动员流通企业广泛组织货源，基本满足居民生活用水和部分企业生产用水。与此同时，实行紧急状态下用水限制，浴池、洗车行全部停业，餐饮企业限制供水，保证机关、医院、学校、部队、供热等重点部门用水急需。

——加大政府对市场的监管力度，统一调控全市地下水资源。哈尔滨市政府在每个区设置3至5个供水点，平价供应桶装水和矿泉水，平抑市场水价，同时拨款100万元用于救助社会弱势群体。组织公安、物价、工商和质检等部门进行高频率的市场检查，及时查处哄抬物价和制售假冒伪劣商品的不法行为，保证食品安全。

——密切监测水质，及时治理、努力降低可能的污染危害。监测部门从松花江哈尔滨段上游18公里处开始，沿岸设置了若干水质检测设备，对水质进行24小时高密度检测。同时紧急储备16吨粉末活性炭，并联系10吨活性炭，准备通过吸附方式清除悬浮污染物，并将处理后期沉淀污染物。

黑龙江省委书记宋法棠，省长张左己，副书记杨光洪、周同战、刘东辉，副省长栗战书、申立国、刘学良、王利民、程幼东以及哈尔滨市委书记杜宇新、市长石忠信等省市委领导全都下到了第一线，走进居民家中，送水送温暖。黑龙江省委副书记、省长、松花江水污染事件应对处置工作领导小组组长张左己通过电视向广大市民承诺：第一步就是停水并且保证在停水期间居民有水喝，第二步是要解决恢复供水的问题，第三步则要解决长期的综合治理污染的问题。

黑龙江省还紧急从省内各地调水来哈尔滨。自停水公告发布以后，哈尔滨市商务部门成立了应急工作领导小组，启动了“哈尔滨市生活必需品市场供应应急预案”，强化市场监控，建立了生活必需品价格日报制度。市商务局还组织建立了由各区接收省内各市县来哈尔滨送水的对接网络。21日，哈尔滨市发布停水公告，22日，在网上满天飞的各种猜测的帖子不见了，取而代之的是苯和硝基苯究竟是什么、中毒症状什么样、能否进行预防等具体问题。

22日，街上一辆辆满载着饮料、矿泉水的货车驶过，全国各个兄弟城市连夜给哈市市民送来了急需的水。从四面八方源源不断调来的水、饮料，又摆满了各大超市的货架。市民购买的数量明显减少，城市恢复了平静。截至24日，哈尔滨市已调入饮用水总量达到12 000吨，并告诉兄弟省市：矿泉水市场已经饱和，暂时谢绝送水。

黑龙江省交通厅发出通知，要求各地市交通局和厅直有关单位，为进哈送水车辆开放绿色通道并免费放行。

黑龙江省卫生厅出台了关于市政供水停水期间水质安全保障应急工作方案，并要求各级卫生行政部门加强停水供水期间生活饮用水卫生监督监测工作，立即成立应急领导机构，制订工作方案，加强信息反馈工作，每天按时分别向当地政府和上级卫生行政部门报告饮用水监测结果，水传性疾病实行零报告制度。

哈尔滨市中小学从23日起到30日放假。

公安机关加大信息搜集和巡防密度，增加市区街面上的警力部署，对哄抢、造谣、煽动等行为作出及时处理。

由于哈尔滨地处中国东北部，冬季寒冷，而近几日哈尔滨的最低气温都在零下8至10摄氏度，哈尔滨部分地区供暖用水出现紧张局面，为此，市政府投入巨资打井取水应急。

哈尔滨机场自启用以来一直使用独立供水系统，采用地下井水。针对哈尔滨市目前出现的情况，哈尔滨机场积极采取措施，加强了对供水设备的检查和维护，增加值班力量，确保机场正常供水。

21日开始，哈尔滨客运段要求各次列车在折返站、途中补货点采购餐料和瓶装水，以保证列车餐饮及饮用水的充足供应。

为避免洗浴和洗车行与居民争水，哈尔滨市供排水部门封停浴室1 933家、洗车行570家、美容院1 315家、娱乐用水大户570家。

黑龙江省委书记宋法棠在走访市民家庭、超市和各大水厂后强调：要采取实实在在的措施解决实际问题，确保各项措施落到实处。他说："面对突发事件，一要沉着应对。对事件冷静分析、理性对待，听信正规渠道和权威部门发布的信息，不听不信谣言。二要科学应对。利用科学手段加强观测，适时安排停、供水时间。要科学测算停水后其他水源的供应能力和生活、生产需求量。要研究科学合理的措施，建立多种预案，做到有备无患。三要有序应对。各项工作要按照部署有序运行，不要手足无措。四要依靠群众应对。把事实真相如实告诉群众，让群众知情，知情才能理解，理解才能团结一心，团结一心才能群策群力应对好这一突发事件。今后要进一步研究建立健全发言人制度，遇有突发事件及时向群众通报。"

国务院也迅速派出工作组。工作组组长、国家安监总局局长李毅中说："党中央、国务院对松花江水污染事件高度重视，工作组对这一阶段黑龙江省和哈尔滨市的工作表示满意。总的看，工作部署得当，措施有力，效果良好，能够把人民群众的生命、健康放在首位，体现了以人为本的执政理念。主要领导同志深入一线，决策及时，水利、环保等部门昼夜兼程，武警官兵与黑龙江人民和哈尔滨人民齐心协力、克服困难，保持了社会安定和稳定。松花江水污染防控工作已经进入第二阶段，任务重、难度大，要依靠科技手段尽快恢复供水，做好水源水质监测，确保饮水完全达标。恢复供水后要密切监控，严格把关，保证水的质量，有计划、有秩序地恢复生产。要对沿江下游认真监测，充分考虑封冻后对水流监测的困难，开展好对今后影响的评估。要本着友好、合作、负责的精神加强与俄罗斯相关地区的协调与合作，妥善处理好对邻国造成的影响。"他表示，国家安监总局将对吉化双苯厂事故追究安全生产责任，还要追究造成环境污染的责任。

11月26日，国务院总理温家宝在参加完"神六"载人航天飞行成功大会后，马上赶到哈尔滨，中午一下飞机就直接来到制水三厂查看水源地的情况。

下午1时许，中央商城超市人头攒动，琳琅满目的瓶装水摆满了货架。正在买水的市电信局退休职工郭迎菊一抬头突然发现了迎面走来的温总理。"现在用水有困难吗？"温总理主动伸出手来与她握手，又关切地询问，"哈尔滨人民受灾了，中央领导都关心你们，惦记着大家。大家生活得怎么样？""我家已经储水了，街道和单位又送了很多水。我们生活很正常，没有什么困难。"郭迎菊回答。温总理转身走向周围的群众，与大家握手，郑重地向大家介绍他到哈尔滨后了解到的最新情况。“来这儿之前，我到制水三厂查看了水源，已经有700吨过滤用的活性炭运到了哈尔滨。”温总理说，“请大家放心，哈尔滨很快就能恢复供水。”走出中央商城超市，温总理登车后临时动议，一定要亲自到松花江看看水体污染情况。

恰逢周末，江边的防洪纪念塔秀美如初，游人如织。温总理走下江堤，步行穿过江心沙滩，靠近冰面观察水情。听说温总理来到了江边，众多市民和游人站满了江堤，自发地长时间鼓掌，对党中央和国务院对哈尔滨的亲切关怀表示感谢。温总理向大家频频挥手示意，并主动走到群众中间，再次耐心地告诉大家目前解决处理水污染和恢复供水的进展情况。

在南岗区奋斗小区，居民纷纷打开窗户，向来到这里的温总理竖起了大拇指。走进居民杜吉亮家，温总理问寒问暖，看了看家中存水，又详细地询问起停水后他家的生活情况。杜吉亮的女儿说：“通过政府的公告和媒体报道，老百姓非常清楚污染的情况。我们的生活井井有条，社会秩序也很好。”温总理说：“谢谢群众，谢谢群众的理解、支持和配合。”温总理又把随行的领导一一介绍给杜吉亮家人。他说：“这里有水利部、建设部等各方面的专家同志，我们对受污染的水结冰、融化后都进行了认真准备，决不能让哈尔滨有一个人喝不上水，决不能让哈尔滨有一个人喝污水。”“老百姓的事比天大。”温总理在奋斗小区居民王兆重家说，“现在省、市政府措施安排得都很好，今天监测的水质污染指标已经降低了很多，也就是说大的污染带过去了。”“过去以后，我们还不放心，准备把自来水的过滤装置改成用活性炭。活性炭吸附力大，把最后剩下的残渣吸附，出来的水就更保险。请你们放心，这件事我们一定能处理好。”

“老百姓的事比天大。”表达的是一种心声。关怀的心声，让受难中的群众感到温暖，同时，也给百姓增添了战胜困难的信心。正是怀着这种对人民群众的关心、理解，当群众说“我们的生活井井有条，社会秩序也很好，谢谢党和政府，把群众放在心里”，温总理纠正了一下：“你这话要倒过来说，应该是党和政府谢谢你们，谢谢群众的理解、支持和配合。”

正是因为有了这样的领导，这样的政府，哈尔滨才没有出现更大的恐慌。

停水期间，在哈尔滨市公园、街头、社区，广大市民从容自信、沉着应对。

24日19时30分许，在哈工大转盘道附近，四五十名中老年人穿着各式秧歌服饰，随着音乐扭着大秧歌，旁边围观者不时鼓掌、叫好。65岁的鞠大娘喘着粗气，一路小跑地走进秧歌队伍中，她说，停水怕啥啊，要是一天不扭秧歌，她就觉得浑身难受。在安发桥下，同样有30多人在扭秧歌，一旁观看的市民笑着说："现在生活条件这么好，停水没啥了不起的，再说家里存水已经够用好多天，到哪都能买到水，社区每天还免费给水，没啥可紧张的！"

哈尔滨市食品、医药、机械制造等优势行业骨干企业，在突如其来的停水事件面前，广大干部职工同心协力，千方百计采取各种有效措施积极应对，基本保证了各项生产正常稳定运转。

像往常一样，哈尔滨市区公交站台站满了等车的行人，火车站一派繁忙景象，唯一不同的是，人们把问候的口头语差不多都换成了："储水了吗？"

众志成城

经历了几天的停水考验后，全市人民深切感受到了政府部门在这次危机当中的重要作用。从水污染情况的及时通报到积极组织市民储备水源，从协调各地进行水源供给到物价部门层层巡视，还有医疗卫生服务部门随时待命，省、市领导和各相关部门来到群众最需要的第一线，可以说，哈尔滨的大停水，既考验了市民，也对政府的应急能力进行了一次检验！

市民的平静源于政府的坦诚。23日下午4时，黑龙江省政府就松花江水污染事件应对处置工作召开第二次省长办公会。与往常不同的是，会议特别邀请了有关专家和新闻记者参加。省长张左己说，以后开会还是这个规矩，就是要让我们的每一项决策都有科学依据，每一项工作都向社会公开、透明。

虽然在停水前两天哈尔滨市出现了抢购饮用水和食品的恐慌局面，以至于商店出现饮用水断货的现象，但是，随着政府公开有关情况、出台应急方案、及时调度，市场迅速恢复了平静。

黑龙江大学王朗玲教授认为："应对公共危机的最好办法就是政府要坦诚，向老百姓传达真实可靠的信息，让老百姓拥有充分的知情权，进而调动全社会的力量共同战胜危机。"

国家环保总局的一位专家说："目前看，黑龙江省对这次水污染事件的处理是比较成功的。应急机制启动迅速，效果良好。"

停水两天来，哈尔滨这座拥有360多万人口的城市没有发生一起因停水引发的意外情况。

经历了几天的停水考验之后，哈尔滨的市民更加从容镇定。政府部门启动了相应的应急预案之后，生产、生活都在有序进行。在哈尔滨市政府统一指挥、部署之下，市民们纷纷表示，有信心平安渡过这次的停水难关。

哈尔滨市制水三厂，承担哈尔滨市80%以上的供水任务，是活性炭的重点投放单位。哈尔滨水污染事件得到了全国的关注，为了恢复供水时水质的安全，哈尔滨市开始大规模改造自来水过滤池，用活性炭颗粒作为新的过滤材料。

按照黑龙江省应急领导小组批准的恢复哈尔滨供水工艺改造方案，急需大量的Z-15型活性炭。这种型号的活性炭比较特殊，省内没有供应，黑龙江省向国家发改委请求援助并向全国发出请求支援的消息。

国家发改委对哈尔滨市恢复供水调运活性炭工作非常重视，连夜组织货源。交通部、铁道部大力支持，建立公路、铁路绿色通道，确保以最快速度运抵哈尔滨。铁道部安排单机单列，人歇车不歇，并要求铁路沿线确保运输安全畅通。

国家发改委表示，若此次组织的活性炭还不能满足需求，可随时组织货源调运，全力满足黑龙江省恢复供水需求。

25日13时30分，首批157吨活性炭运抵哈尔滨，并被送到哈尔滨市制水三厂。

为了保证25日活性炭顺利投放到过滤池中，黑龙江省武警总队和空军飞行学院的近千名官兵从24日17时至25日凌晨4时，昼夜不休，将16个过滤池中的1 000多吨无烟煤滤料全部清出。10时30分许，由于过度劳累，他们中的很多人都倚着栏杆睡着了。

每逢有大事、急事、难事，都离不开我们最可爱的人民军队。在93系统厂房里外，省武警总队600名战士的身影在跃动着，一袋袋活性炭被投进过滤池。战士们的任务很艰巨，必须在最短的时间里，把14 688袋活性炭铺满24个过滤池。在净化车间，偌大的地面已经全部铺上了五彩布，官兵们干得热火朝天。有的子弟兵在水池底部，将原有的无烟煤滤料装袋，有的站在水池上方，用长绳将装袋滤料拉上来，有的站在手推车前，准备随时将清理出的滤料运走。子弟兵们配合默契，清理进展速度很快。

“你下来，我上去。”见同伴已经冻得受不了，战士小张翻身爬上货车，开始往车下传递丝袋。短短两分钟，有33袋活性炭从他手中递给车下的同伴，平均递一袋不到4秒钟，而这个“运货机器”，却是一个不足1.65米的瘦小身躯。小伙子们的口号一声比一声急，绿色军帽早已经被汗水浸得变了颜色。摘下军帽，头上冒出阵阵热气。厂房里，黑雾笼罩了整个空间，擦肩而过的是一张张满是黑炭的面孔。这个池还差五袋，战士小陈一手拉着丝袋，一手摘下防护面罩，污浊的空气堵塞了面罩，小陈大口地喘着气。

25日下午，绍和净水厂的厂房里，省武警总队二支队二中队指导员丁锐一边指挥运输，一边将一袋袋活性炭往车上堆。17时许，兜里的手机响起。“喂？这太乱，我听不清。”电话铃声响了四次，丁锐说了四次“等会儿我打给你”。但丁锐心里明白，这电话，是躺在产房里的妻子打来的。

“生了？姑娘小子？多重？”刚刚走出厂房的丁锐迫不及待地拨通了电话。听到妻子虚弱的声音，这个连干了十几个小时都没喊过一声累的汉子转身躲进一个角落，偷偷地流下了眼泪。丁锐说，妻子生产时十分辛苦，前前后后花了6个多小时。说起自己刚出生的女儿，脸都没来得及擦的丁锐露出了白牙：“6斤3两，孩子挺漂亮，像她妈。就是有点儿爱哭，挺折腾人的。”

当污染带沿松花江顺流而下的时候，一个个来自监测站点的水样报告牵动着众人关注的目光。

8时30分，哈尔滨市水文局已经是一派忙碌的景象。局长任友山告诉记者，哈尔滨市水文局目前已经沿松花江设立了三个水质监测断面。从21日开始，这三个站点的监测频率基本为每小时采样一次。为保证水样能以最快速度送检，全局一共派出了七台越野车，在各个监测点之间往返取样。局里年轻力壮的小伙子们都被派往采样一线，24小时轮流上岗。

9时，刚刚从另一个水样点回来的司机徐师傅要到距离哈尔滨44公里处的太平乡永和村黄鱼圈取水样。经过一个多小时的颠簸，终于，汽车在几间低矮的房屋前停下。左侧，松花江正在缓缓流淌。

开阔的江边风很硬，眼前的江水还没有完全封冻，只是江边冻上了有一道约半

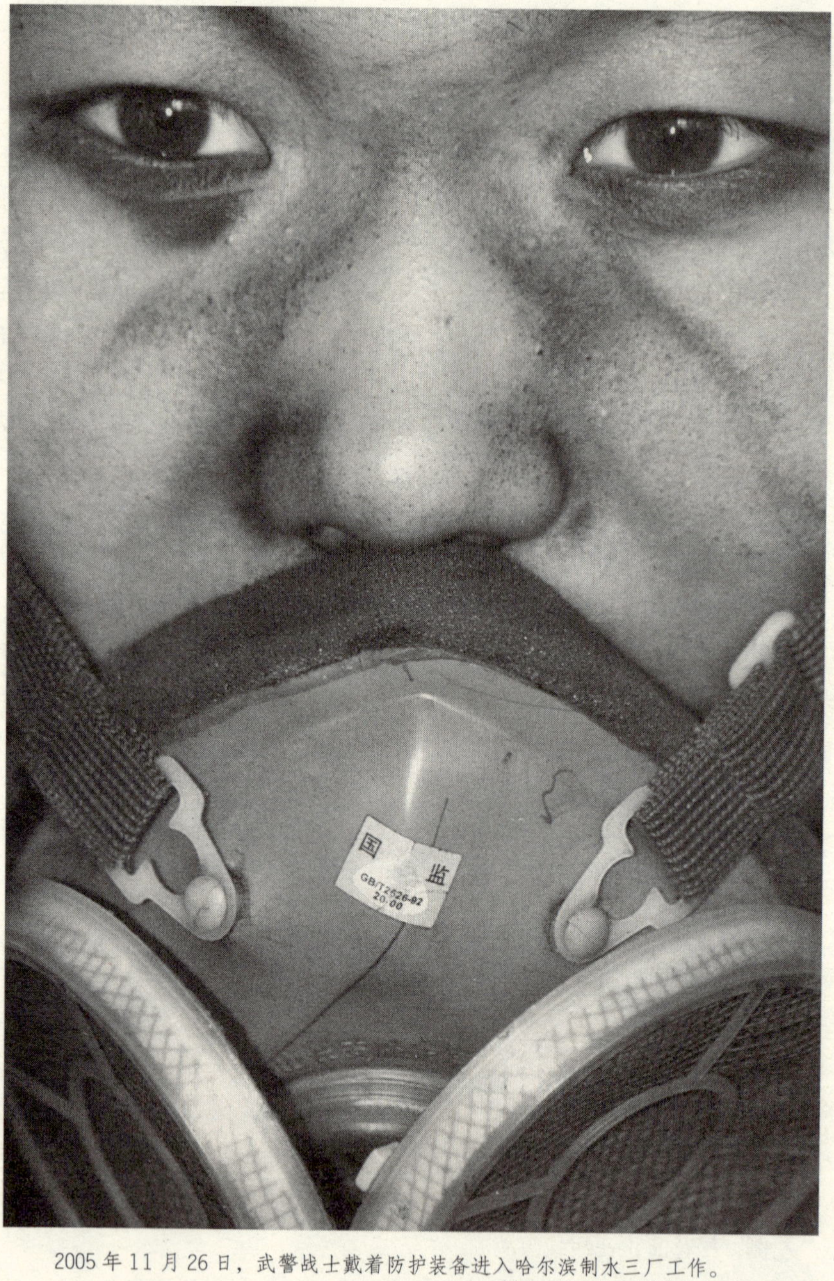

2005 年 11 月 26 日，武警战士戴着防护装备进入哈尔滨制水三厂工作。
（钮一新 / 摄，图片来源：新华社）

米宽的冰茬带。放眼望去，江水正缓缓向下游流淌。几个工作人员的动作很麻利。一个小伙子在腰上系好绳子，小心地下到水边，另外两个人则在岸边拽着绳子。水边的人在冰茬上凿一个窟窿，把事先准备好的、绑在一根长竹竿上的采样器放进江水里取样。很快，采样器灌满了。他再把取来的江水倒进一个可以密封的瓶子里。白天采样并不难，只要小心点就行。最难的是晚上，四下里黑漆漆的，江边冷得不得了，必须有人专门打手电，否则，下去采样的人一不小心就会掉到冰水里。

此次松花江发生的严重水污染事件，在我国城市发展史上十分罕见。突然袭来

2005年11月26日，武警战士将活性炭运至哈尔滨制水三厂准备投放。

（钮一新/摄，图片来源：新华社）

的水危机，考验着这座仅有百年历史的年轻城市。当80公里长的污水带日益逼近生活着300余万常住人口的城区时，哈尔滨再次吸引了全世界的关注。敏感的媒体闻风而动，来自四面八方的记者汇聚冰城。这些见证过无数突发事件的“老记”们惊讶地发现：这里没有他们意料中的慌乱。

21日当天，“哈尔滨”、“停水”成了网络上最热的词汇。与松花江水污染相关的新闻不断创下点击率的新高，成为各大新闻网站的头条。中央电视台来了，凤凰卫视来了，中新社来了，美联社来了，英国BBC来了……市政府下发第一次停水通知当天，香格里拉大饭店从下午3点多起到凌晨2点多，先后接到了国内外30多家媒体的房间预订电话。

24日晨，三个人在松花江边观察。一名男子用流利的汉语说，他来自爱尔兰，是路透社的记者，他们到哈尔滨已经两天了。他同身边的哈尔滨市民聊起了松花江，聊起了此次污染。据他介绍，法新社的记者已经率先来哈，并发回了一组图片报道。

一名《南方都市报》的摄影记者在寒风中一边哆嗦一边找角度拍摄。他说南方读者也非常关注此事。

12时56分，在四方台苏家屯水样提取点，两台红色捷达出租车疾驰而来，从车上跑下十来个人。一问，他们来自广东和上海的媒体。

中央电视台的记者要和环保局的值班人员一起到江心采样，一条小船装了七个人，差点翻了。后来领导下了命令：一律谢绝记者上采样船。浙江来的记者更绝，居然雇了一个蹦蹦船跟在后面“现场直播”采样过程。

几天来，央视“新闻联播”、“经济信息联播”等栏目以及国内外各新闻媒体纷纷在重要时段对冰城停水后政府和企事业单位如何积极保障供水、市民如何同心协力共渡难关进行了大量报道。随着事件的进程，全世界的目光随着记者们的文字和镜头聚集冰城。在这里，他们看到政府应对措施科学得力，各部门协调有力高效运转；在这里，他们看到市民淡定从容，邻里团结互助。

从新华社的《松花江水污染及哈尔滨供水牵动全国人民的心》、《哈尔滨：警民携手渡难关》，到中国新闻网的《哈尔滨供暖公司连夜打出12口井以确保供暖正常》、沈阳《今报》的《沈阳工程师为哈市停水支招》，再到东方网的《松花江污染带抵临哈尔滨，市民生活秩序井然》……一篇篇新闻稿件，雪片般飞向全球各个角落，不但向国内外全方位报道了停水使冰城面临的各种困境，更向全世界展现出冰城人团结一心、共渡难关的精神风貌，传达了“开放包容、时尚活力、诚信敬业、和谐奋进”的哈尔滨精神。这一刻，哈尔滨让世界感动。

吉林石化公司双苯厂车间发生爆炸后，苯类污染物流入第二松花江，造成水质污染，严重影响哈尔滨市及沿江下游人民的饮用水安全。由于松花江干流处于枯水和封冻期，致使江水污染浓度大，下行速度慢。黑龙江省水利厅及时将此情况向国

2005年11月27日，哈尔滨水文水质检测人员在松花江哈尔滨段取样检测。当天6时，松花江哈尔滨饮用水源地四方台断面苯处于未检出状态；硝基苯浓度为0.0050毫克/升，达到国家标准。这标志着较高浓度污染带离开松花江哈尔滨市区江段。（崔峰/摄，图片来源：新华社）

家水利部进行了汇报。水利部部长汪恕诚亲自协调，并立即派出工作组赶赴哈尔滨市现场办公。

24日凌晨5时，水利部工作组工作人员赶到哈尔滨市道里区苏家屯水质监测点，经过现场勘查，根据黑龙江省相关部门的建议，当即请示国家防汛抗旱总指挥部，并协调松花江防汛总指挥部，积极与国家电网沟通，要求丰满水库加大放流量，加快污染水团下行速度，稀释受污染水体。

国家电网公司从大局利益出发，同意丰满水库加大放流量，东北电网公司积极落实。此外，9月15日下闸的尼尔基水库也加大了放流量。丰满和尼尔基水库放流量的加大，对稀释污染团浓度、加快污染团下行流速和延缓江水冻结起到重要作用，并为松花江哈尔滨江段及沿江下游居民尽快脱离污染团威胁提供保障。

27日晚6时，哈尔滨恢复供水。在缺水危机中苦等了四天的近400万哈尔滨市民，终于松了一口气。

哈尔滨赶考

突发事件考验市民应变心理。

松花江水污染事件发生后，危机和恐慌仿佛一日之间就降临到了哈尔滨市民的头上。人心惶惶不可终日者、走街串巷议论纷纷者、脚步匆忙表情严峻储水和食物者、道听途说夜宿街头者，众生百态，表露无遗。有些表现是正常的，有些却超出了正常的范围，值得人们思考。

在通过口舌相传或电波传递获得相关确定不确定消息后，人们的第一反应不是向有关部门确认，而是自发地继续把“内部消息”向外辐射状地传播开来，继而就是疯狂的抢购，是千真万确的“抢”购。在此次事件中，市民表现出来的一些不冷静的行为和反应给我们好好地上了一课。天灾人祸谁都难以预料，这次是一次可以处理的水污染，要是疫情呢？要是恐怖袭击呢？要是发生战争呢？市民的应变心理和能力亟待成熟和提高。停水也好，地震也罢，希望都能给人们的节水意识、治理水污染意识、遇险应变意识敲一记警钟，这是我们在此次事件之后该学到的。

值得一提的是，哈尔滨在应对水危机过程中得到了有关各方的大力支持。国务院成立工作组和专家组分赴哈尔滨，协调组织，指导做好有关善后工作。来自清华大学、哈尔滨工业大学、中国东北市政设计院等院校的22位专家经过昼夜试验论证，制订出了《关于恢复哈尔滨市政供水的实施方案》。国家发改委为哈尔滨市恢复供水调运活性炭连夜组织货源。交通部、铁道部大力支持，建立公路、铁路绿色通道，确保以最快速度运抵哈尔滨，铁道部安排单机单列，人歇车不歇。为争取时间，武警黑龙江总队和空军某部接到指示，迅速调集了1 000多名官兵，火速赶往制水三厂、绍和净水厂，在零下10摄氏度的夜晚连夜清掏并运出上千吨无烟煤滤料。哈尔滨锅炉厂在12小时内连夜部署任务，连夜组织人员，连夜施工，生产出10台从未

2005年11月26日，一位市民在哈尔滨市道里区菜市场选购猪肉。停水后，在各部门的积极努力下，哈尔滨市场上的商品依然品种齐全，供应丰富。（叶平凡/摄，图片来源：新华社）

加工过的粉末活性炭投加机送到安装现场。

正如哈尔滨市市委书记杜宇新所说："应对水危机，我们也收获了宝贵的精神财富。作为一个城市，经历了这样的过程，我们应该聪明起来。同时，在应对危机过程中涌现出的很多精神都值得继续发扬，并成为城市精神的一部分。"

应急看反思

忍受着巨大的压力，为着千百万人民群众的生命安危，哈尔滨市委、市政府在黑龙江省委、省政府的坚决支持下发布了全市停水的公告。这中间，有种种不理解和质疑，但铁肩上承担着国家的大义，胸膛里容忍着所有的委屈，就为了哈尔滨人民的身心健康得到最大保证。那一纸公告，每一段字句经过了多少斟酌？埋怨，嘲讽，这并不重要，重要的是一定要把水停下来，要保证千百万父老的安全健康！

危难关头看什么？看政府态度，看高层动态。哈尔滨市政府并没有计较这次污染的责任怎么问，也没有时间计较这些眼前成为第二位的次要问题。因为，最重要的是要保证百姓的用水安全。其他的，先不管！

11月27日17时50分，宁静的哈尔滨市新阳路园丁园小区一下热闹起来。黑龙江省省长张左己来到这里，走进道里区商委退休干部庞玉成老人的家，边与庞玉成夫妇寒暄握手边说："哈市恢复供水了，我来你家喝第一口水。"二老兴奋地说："欢迎欢迎。"

随后，张左己来到厨房，亲手打开水龙头，和老人的女儿庞晶一起用电热壶接了满满一壶清凉的自来水，并风趣地对媒体记者说："你们可要作个见证啊。"接着，庞晶走进客厅将水壶通上了电源。

利用烧水的间隙，张左己与两位老人亲切地唠起了家常。他说："省、市政府已做出决定，在哈尔滨正式恢复供水后，不搞仪式，不搞讲话。今天到这里，就是想在温馨祥和的家庭气氛中，和你们一起喝上一杯盼望了三天多的清水，这是我们最大的愿望。"

张左己郑重地说："我要对哈尔滨全体市民在应对这场水危机的突发事件中表现出来的英勇气概，对给予省、市政府的理解、信任、支持和配合表示崇高的敬意。

2005 年 11 月 27 日，黑龙江省省长张左己在退休老干部庞玉成家里喝下了松花江恢复供水后的第一口水。（李勇/摄，图片来源：新华社）

面对突发事件，政府公职人员就是要与老百姓共患难，齐心协力，战胜困难。作为省长，我更要带好这个头。”

当一杯已经烧开过的自来水端到省长面前时，张左己欣然接过水杯，先喝了一口，然后请大家一起喝。记者问：“第一口水感觉怎样？”张左己说：“味道很甘甜，因为现在供应的自来水已经经过了卫生和环保部门的严格检测，是安全水、放心水。”说完，一饮而尽。随行的省、市领导与新闻记者和庞老一家人也纷纷端起水杯，共同品尝这甘甜的自来水。

同心同德，这句话就是现在的哈尔滨的写照，就是从上到下团结一致的根据。政府和百姓同在，政府冲在危急关头最前线，这才换来哈尔滨如此的稳定如此的安居乐业。我们在这次水难面前所表现出来的空前的官民一致手足相连，已经成为我们因祸得福换来的无法作价的精神财富、精神动力。

当地一家媒体以问卷形式对这一事件进行了调查，共发放问卷400张，收回有效问卷332张。调查对象包括机关干部、大学生、教师、工人、个体经营者等。调查的问题包括停水前和停水后市民对省市领导的作用、职能部门的表现、信息透明程度、社会秩序状况等方面的评价。调查结果显示：97%的市民对这次事件中政府发挥的作用表示满意。

问卷还对停水期间市民的用水情况进行了调查：85%的家庭在停水期间用水未遇到困难。调查结果显示，市民对政府在停水后采取的一系列措施表示满意，而对停水之前一段时间的状态满意程度不高。各项问题的满意程度，停水后都较停水前有较大幅度的提高，而不满意的人则大幅减少。

（选自2006年第1期《报告文学》，有删节，作者：齐光瑞）

医患之间的战争

2005 年是医疗行业最受关注的一年。这一年，是卫生部确定的主题为“以病人为中心，以医疗质量为核心”的“医院管理年”。而恰恰在这 365 天里，出现了“500 万元天价医疗费”等大量有关卫生行业的负面报道。一边是医生们道不尽的压力和委屈，一边是患者们说不完的痛苦和怨愤，医患关系成了一点就爆的火药桶。人人都渴望和谐的医患关系，人人都需要和谐的社会。

2005 年：医疗业乌云笼罩

2005 年 11 月，“500 万天价医疗费”事件一经披露，举国哗然。

住院 67 天花费 500 多万元！哈尔滨医科大学第二附属医院“创造”了一项“中国之最”。媒体报道：

> 一位名叫翁文辉的老人住院 67 天，花费 139.7 万元，病人家属在医生建议下，自己花钱买了 400 多万元的药品交给医院，作为抢救急用，合计耗资达 550 万元。最终，几百万元的花费没能挽留住老人的生命，老人因抢救无效于 8 月 6 日在医院病逝。

患者翁文辉的儿子翁强在接受采访时气愤地说：“67 天共有 3 025 份化验单，其中只有 35 份是合格的。7 月 25 日输了 78 604 毫升血，8 月 1 日输了 69 307 毫升血，正常的人能受得了吗？何况一个病人！”

翁强告诉记者，他父亲住院期间，“67 天做了 588 次血糖分析，299 次肾功能检查，平均每天 4.5 次，而且每天都乘 4。我不知道这个 4 倍是什么意思。67 天做了血气分析 379 次，化验血糖、输液 1 692 次，输血 968 次……”“最让我弄不明白的是，我父亲住院 67 天，医院收了 88 天的钱，而且到了 8 月 15 日结账时，预交款剩余的 8 万元成了 0。”

上述消息迅速传播，全国人民愕然，愤然！随之都提高了警惕、擦亮了眼睛，看完病之后，都要核实一下账单。过去是患者对医院收费有疑问时才去医院查询，“550 万天价医疗费”事件之后，即便患者对物价没有疑问，只是自己觉得看病贵，就去物价部门告状。医患之间的信任，犹如“9·11”事件中被撞的世贸双塔——一瞬间轰然倒塌。

而对于福建中医学院来说，2005 年 8 月 12 日无疑是个黑色的星期五。这天下午 3 点多，戴春福教授刚刚走进国医堂二楼诊室，一男青年冷不丁将一把钢刀刺进了他的腹部。戴教授赶紧用手捂住伤口跑到一楼门外，拦住一辆出租车。他刚坐进车里，追赶而来的行凶者便拉住车门，又向戴教授连捅五六刀。出租车司机见状，一踩油门飞离国医堂门口，将戴教授火速送到福建省第二人民医院急救。戴教授终因失血过多离开了人世，临了都没搞明白自己为什么而死。

凶手是戴教授的一个老病号，时年 28 岁。十年前，他患上前列腺炎，就找戴教授看病，吃了他两年多的药，花去了不少钱，却久治不愈，几年来几乎就干不了什么事情，于是就起了杀念。

戴春福教授是一位德高望重的名中医，是“福建省高校名师奖”获得者和“福建省师德先进个人”。戴教授遇害，他的同事和学生非常震惊，他们怎么也想不通，这样一位享受国务院特殊津贴的专家会惨死在他治疗过的患者手中。百思不得其解！对治疗效果不满意，难道就去杀人？将来还有人敢做医生吗？这对戴春福的学生和同行来讲，影响是恶劣的。

这条新闻披露后，迅速引起网络评论。耐人寻味的是，有些恶言恶语并非针对行凶者，而是针对死去的名医。“杀一儆百！”“这是报应！”……一位优秀的医生被害了，而网上竟有这么多人拍手叫好，一副解气解恨的样子，让人疑惑而心痛。

一家门户网站调查显示，有 80% 的网民对患者杀医生的行为表示支持和同情，而反对和持中立态度的各占 10%。一位网民发帖：“患者拿出来的是自己的血汗钱，甚至是借来的钱，到了医院，稀里糊涂的钱就花光了，病还没看好，患者和家属的怨愤到哪儿发泄去呀？”

80%的网友对杀人者的“理解”，也许不能看成是对这一极端案例的袒护，更不能看成是对违法行为的支持，但显而易见，它是社会对当前医患信任危机的一种确认，反映了医患之间的战争中民众的立场和情绪。戴春福，一个爱弹《高山流水》的名医，糊里糊涂地承担了本不该由他承担的东西。

医务人员曾经是我们身边春风化雨的白衣天使，是抢险救灾前线的英雄，是抗击SARS的功臣……但是今天，尤其在“550万天价医疗费”之后，仿佛一夜之间，医生成了众矢之的，从救死扶伤的白衣天使到乱开药、拿红包、吃回扣的“白衣恶魔”，从被信任、被尊重到被指责、被谩骂甚至被告上法庭，医院和医生的形象在百姓心中发生着质的变化。日益尖锐的医患矛盾和由此引发的人员伤亡，也在医生心中留下了恐惧的阴影。开始于上世纪90年代中期的医患纠纷，进入21世纪愈演愈烈，已经成为当今社会的热点问题和构建和谐社会的一大障碍。

医患关系伴随着疾病和医疗服务而出现，只要有医疗服务活动，就存在医患关系，不是和谐的医患关系，就是紧张的医患关系。那么，医患之间究竟是一种什么样的关系？广义上讲，既包括患者通过交费就诊的法律行为而产生的与其医院之间的权利义务关系，也包括我国行政法中强制医疗情况下的医患关系。前者占医患关系中的绝大多数，后者仅针对吸毒等特殊人群。我们一般谈论的包括现在谈论的都是前一种。

医患之间存在着一定的对立性。患者及家属的理想化期待与非理想化的现实之间往往存在一定的差距。尽管医患双方的主观愿望都希望病人赶快好起来，但现代医学仍然对很多疾病束手无策，心脑血管疾病、恶性肿瘤等等仍然严重威胁着人类的健康和生命。由于生命的有限性和医学的局限性，医生总会遇到难以解决的问题和无法避免的意外。但医患之间应该有更多的共同之处。因为，医患都有一个共同的目标，那就是要战胜疾病，减少痛苦，保障健康和生命安全。从这个层面上讲，医患应该是一种协作关系、伙伴关系，应该成为维系生命的同一战壕里的战友。

但近年来，医患失信，双方总是以对立面的形象出现在世人面前。在各大医疗机构中，病人就诊时随时记录甚至携带录音笔、小型摄像机的现象时有发生，为的是保留证据，防范可能发生的医疗纠纷。而失去理性的患者和家属在医院内外打横幅、设灵堂、打人毁物、散发传单、贴大小字报……随着医患纠纷的增多和战争的升级，一个以帮患者或家属向医院讨要钱财的新兴“职业”——“讨钱黑手”在南京悄然“上岗”。他们混迹在各大医院门口，得知有患者或家属和医院发生纠纷时，就主动上前帮助向医院讨要说法，以此换取“辛苦费”。这种现象出现在两三年前，但真正有一帮人固定从事这一“职业”并且形成一定的规模，是近一两年的事。开始，主要以南京城区的一些无业游民为主。这些人大部分都有犯罪前科，医护人员对他们有一种恐惧感。后来，在城郊，甚至有些外地民工也加入了这个“行业”。他们假装成患者的亲属，帮助患者和医院讨价还价；组织一些老头老太太围堵医院大门、侮辱医护人员；为了尽快拿到钱或是拿到更多的补偿，他们还采取恐吓殴打医护人员、砸毁医疗设施等手段，迫使院方为“息事宁人”而“自觉”出钱，以便从中提取一定比例的“辛苦费”。医患纠纷甚至给医院惹来了“炸弹”袭击，让院方、警方虚惊一场。据有关资料报道，近年来，患者及家属对医院的投诉逐年递增，医患纠纷的规模、领域和恶性程度不断加大。据《法制晚报》报道：

> 2000年，北京丰台法院医疗纠纷案件收案5件，到2005年已经达到22件。而作为全国医疗纠纷案件受理最多的海淀法院，5年间案件的数字也增长了近10倍。根据一项调查显示，目前全国县以上医院一年的医疗纠纷索赔金额高达42亿元，已占医院医疗总收入的5.9%。而近3年来，北京71家二级以上的大中型医院发生影响医院正常诊疗秩序事件1 567起，医务人员被打事件500多起，其中90余人致伤致残。

医患纠纷严重影响了医疗秩序和医务人员的心理，消耗了大量的精力和财力，成了医院的心腹大患，以致很多医院不得不在医务处、门诊部等医疗职能部门的基础上增设医患关系部，专门调解医疗纠纷，让既懂得医疗又熟悉法律的人在前面“冲锋陷阵”、“赴汤蹈火”，充当“救火队”的角色，甚至雇用兼职或设立专职法律顾问。在律师行业，医疗纠纷已经成为一个专门的类别。有的省市开始出现医疗纠纷咨询机构。由此可见医疗纠纷已经尖锐到了什么样的程度！

做医生真难

现在做医生真难！北京某大医院医保办公室负责人谈及这个话题时深有感触地说：过去，在病人全额交费、由单位统一报销的年代，拖欠医院费用的不多，涉及的风险不大，医疗纠纷也少。现在，一般的医保定点医院医保病人已经占到六到七成，而医保政策在用药和检查等方面都有铁板钉钉的管理规定，这无论对医生还是患者都是严格的限制。首先在药品上，就分为自费药和部分自费药，医生不能混淆，如果把自费药开到医保处方上，患者又把药吃了，患者无法报销找到医院理论时，医生恐怕就得替患者买单了。再比如“急三、慢七”，意思是说，给急诊病人最长只能开三天药，给普通慢性门诊病人开的药最长不能超过七天。有十种疾病，药可以开到一个月，哪十种病医生得记清楚了。处方上每一个项目都要填全填正确，否则都视为不合格处方，医院对不合格处方的开具者有严格的经济处罚规定。最让人头痛的是，医保政策几乎每个月都有改变，医生刚熟悉了旧有的制度，又出现新的规定，医生只能不断适应。

门诊医生还稍好一点，病房医生可能就更难了。住院患者病情一般都比较重，无论在用药上还是检查上都更复杂一些。一个低蛋白血症患者，因病情需要输了白蛋白，假设医生在相应的病历记录中没有按照医保工作人员能看懂的标准写清用药原因，费用将被医保中心拒付，拒付的理由是“超范围用药”。假设医生在抢救患者时使用了自费药品而忘记让焦急的患者家属签署自费协议，或者给患者做了某项化验、检查，对诊断和治疗也起到了指导作用，但因种种原因没有把化验或检查单放进病历，也将遭到医保中心拒付。如此等等不一而足。所有这些都说明一个问题，就是现在和过去大不相同了。现在医保病人住院，除了交起付金（1 300 元或 650 元）外，只需交 3 000 元到 8 000 元的自负押金。出院以后，医保中心和医院结账，符合医保要求的，医保中心将费用划给医院，否则拒付。一旦拒付，医院和医生不但白干，还得往里倒贴钱。因此，“费用回归”就成了医院和医生头上的一个紧箍咒。一方面，医保中心的监管促进了医院的管理，另一方面，加大了医生的工作难度和医院费用回归的风险，也为医患纠纷埋下了隐患。

可以说，医疗体制改革以前，医院管理者没有什么经济压力，医生的角色很纯粹，救死扶伤是他们的天职，也几乎是他们全部的工作内涵。实施医疗保险制度后，医院的社会功能大大拓展，面临的任务更加艰巨，医生的角色也开始变得复杂而多元。医生在成为医学专家的基础上，要成为懂经营会赚钱的“经济人”，要成为会算账的会计，要熟知医保政策并成为政策的执行者，要在治病救人的同时担当医保费用的控制者和责任人。此外，医生还要学习法律，一方面要依法行医，另一方面要学会用法律的武器捍卫自己的权益。真难啊！医生已经不是纯粹意义上的医生了。

医生是一个需要终身研习的职业，所以在几十年的执业生涯中始终需要知识更新，提升学术和科研水平。医学领域发展迅速，更新很快，几年前的治疗方案，几年后就可能被证实有误。医学观念几年一翻新，临床用药时时有变化，医生两年不在临床，就跟不上趟了。所以说，医生不仅面临着高技术、高风险、高责任、高奉献乃至高赔偿，还面临着频繁的知识更新，需要随时充电，终身学习，永不停歇。

医生是一个高奉献的职业。一位老妇科主任每每谈及和女儿的关系时总是黯然神伤。在女儿上小学的时候，她有好几次都因为抢救病人或做急诊手术而把女儿忘到脑后。走出医院大门，望着阑珊的夜色，她才突然想起放学的女儿，于是疾步赶到学校，只见女儿一个人背着沉重的书包在街上踽踽独行，她赶紧上前赔礼道歉。有一次，女儿流着泪朝她大喊：“你爱病人，不爱我，我在你心里根本没位置。”尽管在以后的日子里，她不断向女儿解释病人大出血是多么危险，抢救患者生命是多么重要，但母亲对唯一女儿的怠慢和疏忽始终让孩子无法理解。现在，女儿下班回家，总和父亲有说不完的话，和母亲的话就少多了，也没有那么灿烂的笑脸。看到这样的反差，她内心就抑制不住地涌上一股愧疚和无以言说的失落。

2005年12月14日晚上7点20分，安徽省立医院神经内科34岁的护士长丁艾梅因工作过度劳累，最终没能抵御住噬人的病魔，过早地离开了爱她的亲人和同事，离开了她的病人和医院。她患的是重症病毒性心肌炎，这个病最大的忌讳就是劳累，如果早治疗、多休息，她也许走得不会这么急促。14年来，丁艾梅从没请过一天假，身体不好总是自己硬扛，去世前两天，还加班到晚上八九点。去世当天，她请了工作14年以来的第一次假。这一消息在2005年末大量有关卫生行业的负面报道的轰炸下，声音微弱，几乎没有引起社会的关注。像丁艾梅这样累死在岗位上的虽然只是个案，但无时不在、如影随形的“累”却是整个行业的普遍状态。

电视剧《无限生机》的演员到北京急救中心体验生活时，该中心宣传负责人黄颖建议他们要从学走路开始，四平八稳不是医生，医生走路一阵风。协和医院一位ICU的护士说：“我们一上班，就像高速旋转的陀螺，每天都不知疲倦地转着。上下午不喝水、不上厕所，一是没有机会，二是想不起来。加班加点是家常便饭，不加班倒是不正常的了。下班后累得一塌糊涂，上班时照顾病人，回到家里反而被父母、妻子、丈夫甚至孩子伺候。”

医生是一个高风险、高责任的职业。他们面对的是生命。人只有一次生命，不是坏了可买可换的物件，这使医生，尤其使急诊科、心内科、外科等科室的医生如履薄冰、精神高度紧张。医务人员工作压力大，劳动强度大，有时睡梦中都难以放松。很多医生护士都有过这样的经历：睡梦中梦见工作中落了什么，激灵一下子猛醒，惊出了一身的冷汗，心“突突突”地似乎要蹦出来。

医生还是一个不断吸收负面情绪的职业。医生整天看到的是患者的愁眉苦脸，听到的是呻吟和哭泣，吸附的是患者的躁狂和抑郁，接触的是看得见的脓血和看不见的病毒细菌，滋生的是无力回天的遗憾……他们就像一个个垃圾桶，把患者所有的“情绪垃圾”统统接收过来，然后进行自我加工、疏导和排解，排解得了的就出去了，排解不了的就储存起来了，变成了自己情绪的一部分。

一位不愿意透露姓名的医生说：医生看到最多的就是疾病带给人们的痛苦，而情感是容易相互传染的，在这样的氛围里工作，医生的心情也会变得很压抑。一个医生每天一般要接诊七八十个病人，最多的时候有一百多位，看病中间根本得不到休息，连停下来从从容容喝口水的时间都是妄想，就连午餐都像是打仗似的，一天工作下来，真是身心俱疲。

医生A在网上大发感慨：现在当医生可真难啊！你一边救治病人，一边要考虑，治疗措施如果出现并发症会不会产生医疗纠纷？使用的药物如果出现副作用，病人和家属能不能接受？积极救治而医疗费用得不到有效控制，如何向医保中心交代？患者又能不能理解？不积极救治，疾病控制不理想或者干脆恶化，自己又会承担什么责任？疾病的判断和每项措施的实施是否留下了法律依据？为今后的举证所做的准备工作是否到位？……不救死扶伤是不行的，而纯靠救死扶伤似乎也是不行的。所有这些左右为难的问题都困扰着一线的医务人员，不知道地球的其他地方是否也是这样当医生。

医生B在网上发帖：现在的医生是猪八戒照镜子——里外不是人。所有的矛头都对着医生，看病贵怪医生，看病难怪医生，社会有病还怪医生。人人都说窦娥冤，我觉得医生比窦娥还冤……

有一条短信这样描绘医务人员："表面风光，内心彷徨；容颜未老，心已沧桑；成就难有，郁闷经常；比骡子累，比蚂蚁忙。"在一些医院里，还盛传着以"医院十化"为题的一条手机短信："医院企业化，医护奴隶化，患者祖宗化，医患复杂化，加班常规化，检查严厉化，待遇民工化……翻身？神化！"短信虽然失之偏颇，郁积在医务人员心中的怨气却可见一斑。

现在对医生职业产生倦怠感的人绝不仅仅是少数。从总体看，医生对目前执业环境满意度不高，只有27%的医生感觉基本满意，完全满意者仅占7%，四成多的医生对当前执业环境不满意，医院级别越高，不满意的医生所占的比例就越大。在中高级职称的医师中，近七成对当前执业环境评价不高。另外有48.6%的医生没有职业自豪感和成就感，很多医务人员不愿意让自己的儿女将来从事医务工作。不少医科大学生一毕业就离开医疗行业，一些年轻医生没干几年就辞职转行，有的去做卫生行业报纸的编辑记者，有的去推销药品或医疗器械，也有的去做医疗管理……这些情况在地球的其他地方是不可思议的，而在这片土地上却早已习以为常。

医生心里有太多的压力和郁闷，就像一只越吹越大越吹越薄的气球，哪里是他们宣泄的出口？他们能到哪里去减压？

做患者更难

一个身患晚期癌症的19岁青年，面对医生大声呐喊："命是我自己的，我有权知道自己还能活多长时间！"那是一种怎样的苦难啊！都说做医生难，其实做患者更难！不管怎么说，只要你在医生这个岗位上，就说明你还有一个不错的身体、一个不错的职业和一份不错的收入。而患者都不同程度地患有某种疾病，甚至是危及生命的疑难重症，他们无论在肉体上还是心灵上都饱受着痛苦的煎熬。祈望治好病的迫切愿望使患者有病乱投医，铺天盖地的广告让人眼花缭乱，怀揣四处筹借来的救命款登门求治却有可能误入假医假药的陷阱，走进正规医院的大门也难免糊里糊涂地中了"院中院"的圈套……旧病没去，又添新疾，白白地花了冤枉钱，活活地受了冤枉罪。

即便选对了医院、走对了路，患者也难。

首先，大城市大医院专家号难挂啊！三更半夜爬起来排队也未必能挂得上，有时为了看某个著名的大夫，患者或家属需要排上三天三夜！大牌专家的号甚至预约到了几个月之后，真有急危重症的兴许熬不到看上病就一命呜呼了。着急的、耗不起那工夫的只能花高价从号贩子手里买，没办法的办法。病看上了，但医生给患者的时间只有短短的几分钟，患者一肚子的疑惑还没问明白呢，大夫的处方已经开出来了。

病看上了，但不见得能住上院。笔者的一个好朋友患晚期肺癌，曾在北京一家著名医院的急诊科留观。前去探望的时候，我在急诊科的诊室里挨个找没找到，最后还是在护士的引导下发现了一张隐蔽的“加床”，那一眼险些让我掉下泪来。原来，楼道一侧墙凹进去一块，医生在凹进去的部分塞进一个平车（帆布为面的平车），患者半躺半坐在上面，平车旁边立着一桶氧气，平车外面用一白布单子临时拉了一道帘。我的朋友竟然住在人来人往的过道里！那时正是春末夏初时节，楼道的风直来直去的很硬很冷，病人还穿着一条薄棉裤。家里有舒服的床，但她憋喘，需要氧气；家里有温软的饭菜，但是她吃不下，需要输液维持。医院既有氧气又能输液，但没有一张硬实的床和一间避风遮寒的屋。一张凹下去的帆布面的“床”，好人躺着都腰酸背痛，一个临终的病人竟然在上面躺了七天七夜！病人的家属也跟着遭罪，七天七夜不得吃不得歇，都是在塑料硬座上熬过来的。

看上了病，住上了院，患者还是一个字——难！一个 19 岁的农村姑娘患了甲状腺癌，手术前后正赶上麦收，她哥签了手术单就赶回乡下了，以至于手术那天她身边没有一个亲人。那一晚，护士数不清巡视了她多少回，测体温，量血压，数脉搏，察伤口，换冰袋—— 一有空就到她床边嘘寒问暖，她总是羞涩地摇着头说：不痛，能忍。伤口拆线的当天，女孩就走了，没多留观一天。出院后，同屋的病友说，手术那晚，她伤口痛得浑身冒汗，却舍不得打一支止痛针。她说能少花就少花，能不花就不花，省下钱好让她哥哥娶媳妇成家。一支止疼针少则几毛钱，多则几块钱，而一个患了癌症的花季少女，为省下这块儿八毛的，竟忍了整整一夜！

患者或家属最好还要懂得一些医学知识，一点不懂、完全被动是最容易被人忽悠的。如今看病，不能大夫让你做什么检查你就做什么检查，让你吃什么药你就吃什么药。你最好事先“过滤”一遍，大概知道哪些检查是诊断所必需的，哪些是可做可不做的，哪些纯属医生的过度医疗，是为他们“举证倒置”做准备的；哪些手术是急需做的，哪些是可以缓一缓的，甚至是可以用其他方法替代的。对医生开的药（包括数量）也最好“筛”一遍，哪些是患者需要的，哪些属于医生“开单提成”的需要。

患者难，还体现在就医过程中的不方便。患者都有这种感触，进了医院就跟进了迷宫似的，这对于腿脚不便、眼神不济、体力不支的病人尤其是老年、残疾患者来说，真的是一件不容易的事。另外，医保报销程序上的烦琐也让很多病人来来回回跑了不少冤枉路，攒了一肚子气。

做患者难，做患者家属也不易。有的为给亲人看病，全家举债，甚至卖房子卖地，倾家荡产。2005年11月，某媒体图文报道，在某大医院的门外空地上，一外地患者家属每天夜里就睡在支起的帐篷里，那可是已经进入冬季的北京啊！

病看好了还好，一旦出现医疗纠纷，解决起来更难。医疗纠纷因其极强的专业技术性以及行业信息的封闭性，使患者的维权行动充满了艰辛。尽管医疗事故鉴定委员会中有人大代表、政协委员和政法机关的法医，但主要还是由当地一些大医院的专家组成。专家们与当事的医疗机构和医务人员往往存在着直接或间接的联系，按老百姓形象的比喻，他们常常是“老子和儿子”或是“叔叔和侄子”的关系，在鉴定过程中难免存在一定程度的行业保护。不仅如此，患者匮乏的医学知识也难以应对对方专业技术人员的论辩，从而使鉴定委员会及司法部门更容易采信对方的主张。说一千道一万，在医患纠纷中，患者永远是弱者，他们不懂医学，出了事情搞医疗事故鉴定，他们还是不懂。

所有的难郁积在一起，就成了火药桶。一边是越吹越大、越吹越薄的气球，一边是一遇火星儿就会引爆的火药桶。这两个人群凑在一块儿，您说太平得了吗？

医学人文意识淡薄给医患关系雪上加霜

世界医学教育联合会《福冈宣言》上说：“所有医生必须学会交流和处理人际关系的技能。缺少共鸣（同情）应该看作与技术不够一样，是无能的表现。”

在这里先讲一个故事：有一天，国王在田野里碰到一位年迈的农夫在插柳枝。国王问："你都这么大年纪了，还种树干吗？"农夫说："我们的前人种了树，而收获的是我们。我是为我们的后代种树。"国王听了很高兴，赏了他一枚钱币。农夫跪谢。国王问："你为什么下跪？"农夫说："没想到这树马上就'结果'。"国王又赏了他一枚钱币。农夫又跪下说："别的树一年才结一次果，而我的树却一下子结了两次'果'。"国王问："你多大年纪了？"农夫说："我12岁了。"国王说："这怎么可能呢？"农夫说："以前战争连年不断，老百姓生活在水深火热之中，以至于我都没有把那些日子算作我生命的一部分。从国王您登基12年以来，百姓安居乐业，生活幸福，所以我才过了12年真正的生活，我就当自己才12岁。"国王听后心花怒放，又给了他一些钱币……最后，国王说："我得走了，要不然我会把所有的财富都给你的。"这个农夫多会说话啊！

下面是某位大夫和患者的一段对话。医生："你得的是糖尿病肾病，现在已经发展成尿毒症，需要做透析。"患者非常恐惧："我不想做，试试其他的办法行不？"医生："尿毒症到了终末期，什么办法都不管用了，只能依靠透析维持生命。如果你不赶紧透析的话，会出现少尿、无尿、电解质紊乱，体内毒素会越聚越多，可以引起心脏病、肺炎、出血等等好多并发症，最后活活憋死。你好好想想，想通了就赶紧做造瘘，瘘做完了不能马上用，还得等上个把月才能派上用场呢！有备无患，万一生命危险，拿起来就用，给自己预留出抢救的机会。"患者不堪这么冷、硬、直、白的科学论述，一下子被这"突如其来"的没有任何铺垫和技巧的"告知"击垮了，躺在床上哭了一个多小时，心情和病情急剧恶化。医生的话有错吗？一点错都没有，句句道出了疾病的发展规律，处处为患者的疾病着想。但是，他忽略了得这个病的是一个有血有肉的活生生的人。病人病人，有的医生只见"病"不见"人"。有的医生一方面用现代化、高成本的现代技术治疗躯体疾病，另一方面又用不经意的语言制造心理、精神上的紧张和创伤。很多"医源性疾病"都是因为医生不解释或缺乏分寸感的解释而导致新的疾病，使病情加重。

20多年前，笔者跟一位耄耋老人学了两年中医，后来因为没能从事这个职业，最终把学到的东西都"还"给老师了。但老师有一句话始终让笔者铭记，那就是："要想成为一名合格的中医大夫，就要上知天文，下知地理，中知人事。"这句话怎么理解？我想任何一个研习中医的人，都应该乃至必须在传统的文史哲以及逻辑、道德伦理中提高自己的人文素质，磨练自己综合-演绎的逻辑思维习惯，光大中医“整体观念”、“辨证论治”的精髓，使植根于国学中的方法体系更深更牢。中医尤其重视人与自然的关系、人与人的关系和人与社会的关系。因为医学不仅仅是医学，更是人文的医学和综合的科学。

希波克拉底有句名言：“了解什么样的人生了病，比了解一个人生了什么病更重要。”表明他在几千年以前就认识到了个体差异的重要性，而且从“什么样的人”这种语气看，似乎在他看来，社会性特点已经超过了生物性特征。由此看出，不论东方还是西方，无不特别重视医生人文精神的培养。而现在很多医生在诊疗过程中只重视患者的生物性特点，忽视患者的社会性因素，习惯性地把病人当作一台机器，就像对待机器故障一样去处理人躯体上发生的疾病，哪个部位、哪个零件有问题，就修一修，修不了的就割掉或是干脆换一个新的。在检查过程中，医生大量依靠仪器设备，机器代替了人的检查。有些医生在查房时连病人的身体都不接触。医疗活动太科学化而忽视人格，太技术化而缺乏人情，太市场化而缺乏人道。

一位从国外回来的朋友感慨地说：在国内看病，医生和患者很少交流。有一次，她去一家著名的医院看门诊，在10分钟里，对面的医生几乎没有正眼看过她一回，对于她的疑问也是“惜话如金”。也许医生对她的“小病”早已“见多识广”，治疗上也是“胸有成竹”，但不管怎么说，医生目光和语言交流的缺位，总让她觉得自己没有被足够地重视。拿着处方离开诊室，她心里装的全是不踏实，药吃还是不吃直犯嘀咕。

网上流行一个台湾网友的文章《我希望遇到一个什么样的医生》。他写道：“我希望遇到一个能够真正关心我，愿意真正了解我的人。他不但能医治我肉体上的病痛，也是我灵性的导师。我希望遇到一个不在乎我是谁的医生，不管我有没有钱，他都愿意帮助我。我希望能遇到一个知道如何才是真正的沟通的医生，他不会连看都不看我一下，他会随时跟我分享他的想法……”有人说，如果确实存在这样的医生，那可能首先出现在教堂，而不是医院。但不管怎样，这样的文字代表了老百姓心目中理想的医生形象。

“医学是造福人类的学问，医学绝不仅仅是技术，而是把人文关怀放在首位的学科。”在2005年12月21日北京大学医学部举行的“医学人文学科平台建设会议”上，北大医学部主任韩启德教授的讲话赢得了大家的掌声。遗憾的是，100多人的会场却没有坐满，而一个分子细胞学报告的会场却座无虚席。

医学院校的人文教学其核心目标应当是增强医学生对人的尊重、对生命的敬畏和对患者的人文关怀。而一些医学院校偏重于知识的补充，缺乏对学生人文素质的培养。

良言一句三冬暖，恶语一句六月寒。医患交流是一门艺术，是医生品德、修养、学识、技术、能力、经验等等的高度浓缩，21世纪的医生应该是细心的观察者、耐心的倾听者和敏锐的交谈者。医学人文素养值得医生好好修炼。

“医生妖魔化”的舆论导向使医患关系火上浇油

近年来，正面反映医务人员高尚情操的影视作品、新闻报道少之又少，按照卫生业内管理人士的话说“卫生改革既无理论又无舆论”，而媒体对报道卫生行业个别负面事件却热情有加。舆论一直把医院看作“强势群体”，对患者这个“弱势群体”给予了较多的关注和同情，甚至在只听患者和家属一面之词的情况下就匆忙将矛盾曝光，甚至冠以耸人听闻的标题，吸引读者的眼球和观众的视线，从而增加卖点和收视率。一方面，媒体舆论对医疗行业不正之风的批评，促进了医疗行业的自我完善和发展；另一方面，也出现了一些不尊重医疗客观规律、把医疗活动机械化简单化甚至借机炒作从而激化医患矛盾的倾向，有意无意地在本来就紧张的医患关系上火上浇油，使本已倾斜的舆论天平倒向患者，造成了全社会对医疗行业十分不利的舆论导向。一些手机短信这样描述医生:“医生分两类，一类是图财，一类是害命。”“强盗只能抢光你身上的财富，医生却能抢光你一生的积蓄。”“医生越来越像杀手，见死不救，草菅人命；杀手越来越像医生，出手麻利，不留后患。”——如此语言，字字如刀，尖刻之极，严重损害了医务人员的整体形象，伤害了医务工作者的自尊和感情，并且已经对医务人员的心理和医疗行为产生了负面影响，对救治病人和医学发展带来了不利的后果。

其实，任何一个群体的构成都呈橄榄形，两头小，中间大。极端好和极端坏的部分处于两端，大部分处于中间，医生这个群体当然也不例外。一位医生在网上留言:“非典”期间，媒体把医生称为世界上最可爱的人，是白衣天使;“非典”之后，医生不仅恢复了原先的“大白狼”，还进一步发展成了“白衣恶魔”。我们不祈望媒体把医务人员形容成“天使”，更不祈望把医务人员比喻成“救世主”，因为天使不食人间烟火，医务人员只是凡人，没有救世的能耐。媒体啊，不要等到“万户萧疏鬼唱歌”的时候才再来美化我们吧！

面对医生的呐喊，媒体是否应该反思：媒体正在引导社会建立一个怎样的医疗环境、怎样的医患关系？这对社会的影响将是巨大而深远的。

医患关系紧张，受害的永远是患者

当今，医疗纠纷已成为社会的热点问题，成为构建和谐社会的一大障碍。2005年10月，时任卫生部部长的高强在《医界名家从医感悟》一书的首发式和构建和谐医患关系座谈会上说：“每年全国医疗机构提供医疗服务的人次达20多亿，即使我们做到99%和谐，只有1%不和谐，也有2 000万人次，绝不是小数目。”医疗卫生工作涉及千家万户，不仅与人民的身体健康和生命安全密切相关，而且，人民群众往往通过医疗卫生服务看社会经济发展成果，看党风政风建设，看政府管理水平，看社会公平和谐。党中央提出建立社会主义和谐社会，医疗卫生行业担负着繁重的任务，因为构建和谐的医患关系，是构建和谐社会的重要组成部分。

从另一个方面讲，紧张的医患关系、不良的医生执业环境，不仅阻碍医学的发展，更威胁公共卫生的安全，受害的最终还是患者。某医院医务处长曾经说过这样一席话：“人禽流感嚷嚷到现在是没来，真来了，医护人员还会像‘非典’那时候似的冲上去吗？我想肯定还会有，但肯定也会有不少人拦着：冲什么冲，谁往上冲谁傻！”这段话反映出来的当代医生的心态，值得我们深思啊！

中医有“细辛不过钱，过钱就玩完”的古训，但过去有一些“技高人胆大”的老中医就敢“过钱”，而且超剂量使用不是一星半点！病人非但没有玩完，疗效还比小剂量使用好得多。为什么？“有病则病受之，无病则人受之。”中医认为，人在有病的时候，药的毒性让病承受了，人在没病的时候，或者错用药的时候，药毒才会对人体有害。谁都知道砒霜剧毒，但适量的砒霜却可以用来治疗白血病，这大概就是人们常说的“以毒攻毒”吧。但是，在现在的执业环境下，哪位医生为了病人敢冒险超常规用药呢？很少人有这个胆量了，更多的医务人员宁愿采用不利于病人但却符合医疗原则的治疗方案，而不愿冒险采用有利于病人却不符合医疗常规的治疗措施。一位59岁的中医儿科专家说："还有一年就该退休了，赶紧退休回家歇着吧，一天到晚提防着会不会发生医疗纠纷，压力太大真受不了了。我给孩子看了一辈子的病，从没像近几年似的这么小心翼翼、提心吊胆。"现在都是独生子女，孩子是父母的金疙瘩，过去不是问题的问题现在都成了大问题。一位患儿家长拿着草药方问他："您这处方里有杏仁，书上说杏仁有小毒，吃多少服药小毒就攒成大毒了？我们孩子吃着安全吗？"类似这样的问题层出不穷。小儿服用中药饮片（草药）的剂量，不像西药按公斤体重计算那样严格，所以医生用药可以凭着自己的经验在一定幅度内灵活应用，但现在这位老专家开草药剂量的时候却中规中矩，不敢越雷池一步，严格按照《药典》中标注的常用量去开，以保证在一旦出现纠纷时，能拿得出有利于己的证据。至于疗效，就没工夫考虑了。

更令人们担心的是，医生在诊疗过程中，以前只要有1%的希望，他们就会积极主动地付出100%的努力，现在面对风险大的手术、复杂棘手的疾病，可能就会因为种种顾虑一味地规避风险，被动地采用防御性的医疗措施。在恶劣的执业环境下，医务人员不能安心看病，很多医学研究也因此裹足不前。这样不但对患者本身不利，对医疗技术的进步也会产生消极的影响。因为，医疗是一种高风险的职业，如果缺少探索精神，医学就难以向前发展。医生只有大胆探索，勇闯禁区，才能使医学创新发展，最终造福于人类。

医患矛盾的解决不能指望毕其功于一役

现在一提到医疗纠纷，无论是医患双方还是相关部门都感到非常头痛，医院和医生因不被理解而倍感委屈，患者因讨个说法太难而异常愤怒，卫生行政部门常常被认为管理不力而觉得有苦难言，而司法部门因遇到不少法律障碍而显得爱莫能助。难道医患纠纷就真的没有"解药"吗？

我们知道，医患关系紧张和医疗纠纷增加，原因绝不仅仅局限于医患两方，它涉及体制、医改、政府职能等深层次问题。目前，我国正处于人均GDP 1 700美元的阶段，而无论在世界上哪个国家，人均GDP在1 000美元～3 000美元期间，都是黄金战略机遇期、改革攻坚期和社会矛盾凸显期。在医患矛盾凸显期抓住机遇，改革攻坚，构筑和谐的医患关系，政府无疑应该起主导作用，全社会也都应该参与，医疗卫生机构、老百姓、社会保险部门、药品管理部门、药械企业、媒体等都有责任和义务让日益紧张的医患关系趋于缓和，走向良性循环。

改善医患关系、重建医患信任，这是一个系统工程，需要综合治理和长时期的探索，不可能一蹴而就，正如高强所言："解决看病难、看病贵的问题，涉及十几个部门，相当复杂，现在还没有灵丹妙药。要像中医一样，把很多味药配在一起，煎出一种药来。"

我们期待着这剂复方良药。

（选自2006年第7期《北京文学》，有删节，作者：司雪）

火车票贩子考察报告

出行难，是20多年来中国旅客心中的痛。难就难在买票难，尤其是买火车票难。20多年来，乘火车出行一直是普通中国人的首选，中国铁路客运几乎就是卖方市场的代名词，由此催生了一个特殊的火车票贩子群体。火车票贩子现象不是现在形成的，上世纪70年代末就滋生了，中国铁路警方一直下大力气打击，但收效甚微，年年打击年年滋生。怎样才能进行有效治理？2005年“五一”前，本文作者对火车票贩子进行了一次调查。

火车票难买，这事儿听上去是小事，实则是大事。对百姓而言，衣食住行，哪一件事理不顺都会心焦气躁。针对火车票贩子现象，提供真实的调查数据，使政府及早立法并规范这个群体，从而让百姓的出行尽可能顺畅，是我们调查的根本目的。揭示北京站、北京西站火车票贩子阶层的成因、倒票规律、对旅客心理的影响及洞察其未来发展走向，是我们调查的初衷。火车票贩子之间，是否应该有一个自由竞争的市场？火车票贩子阶层的存在是否合理？如若不合理，应采取怎样的良策给予治理？这些都是促使我们进行深入研究的原因。

初步调查

2005年“五一”黄金周即将来临之际，我们对火车票贩子的调查开始了。

据央视“经济半小时”2005年1月31日报道：“今年春运期间，铁路公安部门曾在全国100个大型火车站和部分重点列车上，全面调查旅客车票来源。根据铁路警方对306 647名旅客的票源调查，其中有2.5%的旅客购买了高价票。如果按这个比例计算，从今年1月25日到3月5日，40天的春运，铁路运送的旅客将达1.45亿人次，那么购买高价票的人数就将在360多万人。如果一张票加价50元的话，那么春运期间，就有近2亿元落入火车票贩子的腰包。显然，近2亿元的巨额利润是火车票贩子团伙明知政府严厉打击却又敢顶风而上的原动力。"

这个报道令我们既惊讶又不解：惊讶的是，一个春运，就有近2亿元落入火车票贩子的腰包，这比抢银行还吓人；不解的是，一百名旅客里，有两三个人买高价票，比我们想象的要少。

我们决定自己上火车，用我们的方式弄清楚到底有多少旅客买了高价票。我们选择暑运、"十一"黄金周和倒票淡季这三个时期上车，对卧铺车厢的旅客进行了调查。

非常巧合的是，就在我们上车调查期间，北京铁路警方为了有根有据地打击火车票贩子，针对候车室里的近6 000名旅客进行了票源调查。他们的调查结果是：平均约2.3%的旅客买高价票。旅客加价金额最低5元，最高70元，其中以加价20元～30元者居多。这个数字与年初那次铁道部组织的调查结果几乎一致。

而我们上车调查的数据却与铁道部警察和北京铁路警方的调查数据有很大差距。我们的调查数据显示：旅客购买高价票的比例最高达到了73.7%！仅凭这个调查数据，我们认为就有进行深入调研的价值和意义。

暑运期间，我们于2005年7月22日在T195次北京–青岛的列车上进行了调查。接受调查的175位旅客中，共有101位购买了高价票，占57.7%。"十一"黄金周开始前夕，我们于2005年9月30日在T265次北京–牡丹江的列车上进行了调查。接受调查的175位旅客中，共有129位购买了高价票，占73.7%。倒票淡季期间，我们于2005年9月22日在T107次北京–吉安的列车上进行了调查。接受调查的175位旅客中，共有56位购买了高价票，占32%。

随后，我们对每张高价票的加价金额进行了统计分析：30.5%的旅客加价30元，14.8%的旅客加价100元，12.9%的旅客加价50元，7.4%的旅客加价150元。买高价票的旅客中，票价最低被加价5元，最高被加价250元。

如果以每张票平均加价50元计算的话，那么，仅仅接受调查的525名旅客，便有27 250元流进了火车票贩子的腰包。

北京西站每年的客流量是全国最大的，在春运高峰期，这里一天就要送走13万名旅客。就算在倒票淡季，以最低加价比例32%来算，每张票加50元的话，那么，

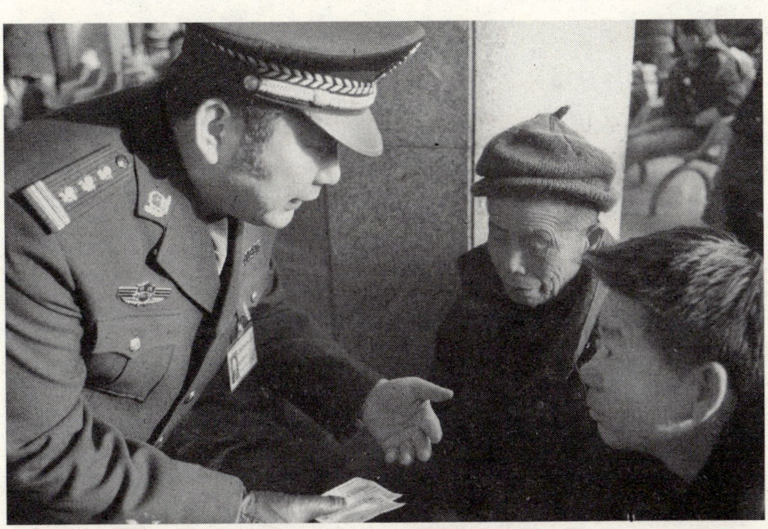

针对票贩子倒票行为日趋隐蔽的特点，铁道部公安局自2005年1月22日起，在全国确定的100个大站和部分重点列车开展了旅客车票来源调查行动，对抽查旅客的购票来源进行访问，从中发现倒票线索，使打击票贩子行动更加具有针对性。这是北京站公安段副段长杜晓卫（左一）在北京站候车室内对候车旅客进行车票来源调查。（李涛/摄，图片来源：新华社）

2005年1月10日，北京铁路公安机关在北京西站召开打击倒票不法活动公开处理大会。会上宣布了对倒卖火车票的21名违法犯罪嫌疑人依法予以拘留的决定。从2004年12月份以来，北京铁路公安机关共清理抓获票贩子200多人。
（唐召明/摄，图片来源：新华社）

北京西站这一天之内就有208万余的人民币流向了火车票贩子的腰包！

那么，火车票贩子从哪儿拿票呢？

根据我们的调查，火车票贩子手中的票通常从以下几个渠道获得：一是通过铁路局内部职工获得，二是通过代理的方式获得，三是通过雇用大量流动人员排队，抢购窗口车票。第三种渠道获得车票的成本高，耗时长，又存在相当的风险，是火车票贩子们不得已的下策。除此之外，火车票贩子们还另有特殊渠道：那些专门留出来的票的使用率通常不高，于是剩下的就通过各种渠道流到火车票贩子手中，由他们加价后，流向旅客手中。

正因为火车票贩子有获得票源的渠道，广大旅客的利益才受到损失。因此，仅仅对火车票贩子进行暂时的处罚，显然还不足以伤害到围绕着春运、“五一”、暑运、“十一”四个黄金期的车票而形成的小集团的利益。倒卖火车票不可能是单独的个体行为，其背后必然存在着一个非法的利益联合体。说到底，这是尚未彻底改革的体制流弊导致的，中国航空业、电信业都已有了巨大改革，那么作为国家垄断行业的铁路业，是否也应该展开相应的改革？

无根环境和临时堡垒

上世纪80年代末，中国走上了社会结构转型之路，以农民阶级、工人阶级、知识分子来划分的单一的阶级阶层局面被迅速打破，取而代之的是形形色色来不及确定的众多阶级阶层。这种深刻的变化，刷新了整个中国社会的政治、经济利益格局。火车票贩子阶层就是在这样一个资源整合、利益重新分配的时代大背景下出现的。

我们调查中涉及的火车票贩子大致可分四类：第一类是在原籍失去土地的农民，第二类是下岗或失业的职工，第三类是有前科的逃犯、吸毒者或刑满释放的无业人员，第四类是其他闲杂人员。这个特殊人群具有流动性大、无户籍、低学历、无固定收入、去留无计划、无责任、对文明城市消极抵触等多种特性。

受大时代背景的影响，火车票贩子们远离故土，割舍的不仅是乡土、乡亲、乡情，他们身后积淀千年的地域文化也随之断裂。他们来到北京，一方面破坏性地捞取不义之财，一方面又在千方百计地寻找立身之地，他们也想做北京城里的新主人。

调查过程中，我们将资料相对完整的320名火车票贩子的档案进行整理和归纳，并就其原籍、文化程度、性别、年龄等基本元素加以比较和分析。

原籍——

320名火车票贩子的原籍涉及22个省、市、自治区。

火车票贩子们的原籍所在地虽然分散，但总体上有规律可循：东北三省的人约占总倒票人员的1/3，有27.8%（其中，黑龙江籍占17.8%，辽宁籍占5.6%，吉林籍占4.4%）；河南籍排序第二，有19.7%；河北籍排位第三，有10.9%；安徽籍排位第四，有5.9%；排序第五的是内蒙古籍，有4.1%。以下依次排列下来是：山东籍、北京籍、陕西籍、湖北籍、重庆籍、山西籍、四川籍、宁夏籍、江西籍、新疆籍、贵州籍、天津籍等等。

从排列顺序可以看出，社会转型时期，东北老工业基地受到的冲击和影响最大，下岗职工较多。我们在调查中发现，1996年之前，黑龙江某林业局曾经有五六十名下岗工人在北京站从事倒票活动，挣到钱之后，他们大都分散到昌平、高碑店一带做生意，至今还有五六个妇女长期在北京站倒票。同时也发现，像人口密集的中东部农业大省河南、河北、安徽，失去土地后流动而来的农民较多。

文化程度——

火车票贩子们的文化程度结构如下：文盲约占6.3%，小学学历约占21.3%，初中学历约占50%，高中、中专学历约占21.3%，大专及大专以上学历约占1.1%。

约80%的火车票贩子只有初中及初中以下文化程度，足以说明这支倒票大军的整体文化素质低下。流离失所的农民、生活无着落的下岗工人以及刑满释放人员汇集到北京两大火车站，事实上已经成为北京社会和经济发展的一种潜在风险。火车票贩子们流落异乡，他们进入的是一个陌生的环境，没有亲朋好友的监督，没有单位的约束，给他们压力的只有生存负担，而违法之后的心理负担并不沉重。当克服了第一次被抓的羞愧感之后，再被抓时羞愧感已经渐渐淡化。我们在调查中发现，几乎所有的火车票贩子都受到过铁路警方不同程度的打击处理，因倒票被处理十几次甚至几十次也不足为奇。比如火车票贩子“二人转”，小学毕业，有过三次离婚的经历和吸毒十年的经历，她还教唆两个儿子倒票，即使公安机关抓她一百次，她也无所谓，她不需要对任何人的面子负责。

火车票贩子的文化程度越低，其法律意识就越淡薄，违法的频率也就越高。

性别——

仅从调查数据上看，320名火车票贩子中，男性占79.7%，女性占20.3%。但实际上，女性所占比例应该远不是这个数字，应该与男性大体持平，甚至比男性比例还略高一些。数据落差大的原因，是由于女性火车票贩子基本不在警察抓捕之列，因为她们永远处于怀孕、哺乳或带孩子的状态。因此，尽管我们在调查中与女火车票贩子们接触很多，但按国务院颁布的处罚条例，我们并没有把她们算作严格意义上的火车票贩子。

据她们说，在家种地不可能见世面，也挣不到钱，还得与厮守在一起的公婆闹矛盾，出来混就不用受公婆的气了，也不用受种地之苦累了。就女性打工者而言，无论卖菜、卖服装、当服务员还是当清洁工，挣钱都没有倒票来得快。倒票最大的风险是被警察抓走，然而，她们早就发现，法律保护怀孕、哺乳期的妇女，于是，她们很轻松地拿起这个法律武器保护自己，干着违法的事却不被法律追究。多怀几次孕，多生几个孩子算什么？反正女人天生要干这个事。倒票行业对妇女的“优惠性”，对其他打工妹是个刺激，对家乡的姐妹也是个刺激，于是，倒票队伍中的女性比例越来越高。

火车票贩子年龄分组情况——

320名火车票贩子中，30岁～40岁的人群比例最高，约占到40.6%；其次是20岁～30岁的人群，约占到35.9%；接着是40岁～50岁的人群，约占到15.3%；10岁～20岁的人群，约占到5.6%；50岁～60岁的人群，约占到0.9%；60岁～70岁的人群也是约占到0.9%；70岁～80岁的人群约占到0.3%。

我们访谈的火车票贩子当中，年龄最小的14岁，最大的77岁。那个14岁的小火车票贩子就出生在北京站，他的成长环境就是北京站的倒票环境。他的父母上世纪80年代末就来到北京站倒票，因此他是真正的第一代倒票者的后代。类似的情况还很多。比如一个绰号叫“小欧巴”的私生子，今年已经20多岁，他自己也说不清父母是谁，常常有人开玩笑帮他指认父母。他当然也以倒票为生，是火车票贩子队伍中的“小老泡”。他在北京站泡大、耗大，哪个角落都是他的家，又都不是他的家。我们几次见到他时，他都忙着拿票，开一辆时尚的大摩托。暑运期间，警察又被“小欧巴”骗了一次。那次，警察把他抓了起来，要拘留15天，他苦苦哀求警察，说媳妇怀孕八个月，家里没人照顾。警察把他放了后才知道，“小欧巴”说的全是假话。他过一段时间又会冒出来，可到那时又没有理由拘留他了。在北京站和北京西站长大的“小欧巴”们，虽然没上过学，却早已练就了对付警察的种种策略。他们社会经验丰富，即使不倒票，改行做其他生意，也游刃有余。在涌入京城的务工队伍里，如果说“留守孩子”问题已经成为社会问题，那么在无根环境里长大的“无根孩子”的问题正浮出水面。

倒票队伍从四面八方涌入京城后，陌生的环境使得他们以地域为单位，以乡音为联系，组成一个个临时堡垒，以抵御在无根环境里所遭遇的恐慌、孤独和寂寞感。流徙他乡、寄人篱下、居无定所的经历认同感，使火车票贩子之间获得的一丝丝温暖，都足以让他们背叛曾经的感情，他们之间的性乱问题向来都很普遍，他们的逻辑是，挣了钱就要吃喝玩乐，赌博、找个人睡睡觉算什么？相对北京这座壁垒森严的大城堡，置身于无根环境里的一个个小堡垒，他们找到了取乐的方式。然而不到十年，恶果已凸显：一批超生孩子、黑户孩子、私生孩子落地了。这既是他们泄欲后的负担，也是他们大迁徙过程中的附属品、“战利品”。火车票贩子“锅底”跟妻子已有两个儿子，倒票挣钱后，在郊区买了一套房子让妻儿住，自己则长期跟另一个倒票的女人同居。这个女人本已有一个孩子，又为“锅底”生下一个男孩。火车票贩子“老菊花”，跟丈夫离婚时已有一个男孩，再婚后，又生下两个孩子。火车票贩子“大娘们儿”，离婚三次，每嫁一个老公生一个孩子。这些火车票贩子真正是结婚离婚自由、生孩子自由、同居自由，第二居住地的政府管不了，也管不过来。

火车票贩子们在北京两大站创立和组建了一个独特环境里的社会秩序。因为从事着同样的违法行为，他们到北京后的经历和心理大多相似，他们具有类型群体的特征。这个类型群体自身就是一个小社会。他们之间以经济实力为根本依据，自成经济分层。这个小社会里贫富差距逐渐拉大，最高层的火车票贩子与底层的“扒皮”差距很大：一个高级火车票贩子月收入与一个“扒皮”的相比，低的时候是 3 到 5 倍，高的时候是 5 到 10 倍。北京站的“老菊花”、“黑土豆”、“狗尾巴草”，北京西站的“锅底”、“小细腰”、“麻杆儿”，这些有门路拿票的大火车票贩子，旺季时，每天的收入在 1 000 元～ 3 000 元之间，淡季的收入，每天也在 100 元～ 1 000 元之间。而北京站的“绿豆眼”、“白毛”、“蛤蟆”，北京西站的“倭瓜”、“铁公鸡”等，这些专门干“扒皮”的，旺季时每天的收入在 200 元～ 600 元之间，淡季时每天的收入在 30 元～ 100 元之间。

虽然火车票贩子们的经济实力差距很大，但没有固定的“票霸”，只有地盘划分。他们中的大多数长期寄生在两大站，相互之间即便不来往，也混了个脸熟。每当有生面孔进入他们约定俗成的地盘时，他们便会联合起来把生面孔打走。为了自己的利益，他们养成了给警方写检举信的习惯。他们容不得某个火车票贩子生意太火，总会想办法挤垮对手。一有机会，他们就当叛徒，借警方的力量置对方于死地。他们之间不存在信誉问题，相互之间的最高评价也就是某某还算“仗义”。他们也有合作的时刻，那就是在倒票旺季，一旦谁手里拿着紧俏票，他们之间便不会分“河南帮”还是“东北帮”，只要拿票的人喊出归票的价，他们都抢着卖票，争抢发财的机会。当他们的共同利益与外界（主要是警察）发生矛盾时，他们能一致对外；内部利益发生矛盾时，他们又会自相残杀。这是一群无视大社会伦理道德的人，长期非法掠夺他人收入并屡屡得手，使得他们的掠夺思维成为定式，道德底线一点点消失殆尽。由于大社会对这个小社会的歧视，这个临时组建起来的小社会本能地与大社会拉开了距离。

火车票贩子们虽然挣钱容易，但最大的代价是失去尊严。即便如此，他们从内心深处还是看不起下岗、吃低保的本地人，因为那些本地人的收入和社会地位都是往下走的，而他们的社会位置虽然也很低，但与他们进入北京城之前相比，收入高了，眼界开阔了，接触的人次多了，态势上是往上走的。他们更容易满足，尽管他们仍能感到一种社会的排斥，他们心理上与这个城市有距离，但他们还是把北京当成了自己的家。十几年来，他们从未放弃过积极地向北京城渗透，如果认为这个群体只是临时性的、流动性的、季节性的，毫无疑问是一个误区。这个特殊人群事实上已经是北京城的一部分，他们凭借自己的努力改变了社会位置，将非法收入用于为下一代换取市民资格。在我们的调查中，几乎所有挣到钱的火车票贩子，都在花钱为子女买北京的城镇户口。因此，政府在拟订城市发展规划时，把火车票贩子们的子女也当做未来的市民对待、规范，对协调城市发展是大有裨益的。

旅客的反对和趋同心理并存

很多旅客看到我们针对火车票贩子的调查问卷时，情绪起伏较大，有的甚至激愤地拒绝接受问卷调查。他们认为此举毫无意义，根本改变不了旅客们被迫买高价票的事实。他们认为，铁道部门和铁路警方很清楚票贩子作乱的现状，只是充耳不闻罢了。有的旅客在问卷上写出N个加大加粗的问号或感叹号。还有的旅客在“如何看待火车票贩子现象”一栏，公然写出“枪毙之”。但还有部分旅客对买高价票现象持默认态度，他们希望国家也默认这种高价票市场空间的存在，与其扭扭捏捏，不如索性公开化，这样对旅客的利益反而是一种保障。划出一个火车票高价区，指定一个加价范围，想当火车票贩子的人每月按交易额上税，公安机关只需维持治安秩序就行了，国家、旅客、火车票贩子、警察大家都轻松，何乐而不为?

我们对旅客获得车票的途径做了汇总，分别是车站售票窗口与代售点、宾馆酒店与旅行社、车站熟人关系、火车票贩子、其他途径。

我们三次上车调查，从问卷中“您本次乘坐的火车，车票是从哪里买的”一栏获得如下统计数据——

暑运期间，2005年7月22日T195次北京-青岛的列车上：

20.9%的旅客从车站售票窗口及代售点买到票。

40.1%的旅客从宾馆酒店及旅行社买到票。

23.8%的旅客通过车站熟人关系买到票（许多旅客反映，着急买不到票时，才找车站熟人。实际上，与其从车站熟人处拿平价票，还不如从火车票贩子手里买高价票。因为火车票贩子的票是有价钱的，可以讨价还价，愿买愿卖，不欠人情，但对于熟人的回报则是无法准确量化的。火车票贩子靠吃铁路生存，相当多的铁路工作人员更是靠铁路吃铁路，有这两方面的力量合起来吃铁路，旅客出行获得公平的权益更艰难了）。

14.5%的旅客从火车票贩子手里买高价票。正是这个群体对火车票贩子的认同，导致了高价票市场的兴旺。

0.6%的旅客从其他渠道获得车票。

“十一”黄金周期间，2005年9月30日T265次北京-牡丹江的列车上：

38.6%的旅客从车站售票窗口及代售点买到票。

8.2%的旅客从宾馆酒店及旅行社买到票。

29.8%的旅客通过车站熟人关系买到票。

22.2%的旅客从火车票贩子手里买高价票。

1.2%的旅客从其他渠道获得车票。

倒票淡季期间，2005年9月22日T107次北京-吉安的列车上：

64%的旅客从车站售票窗口及代售点买到票。

23.8%的旅客从宾馆酒店及旅行社买到票。

8.7%的旅客通过车站熟人关系买到票。

1.7%的旅客从火车票贩子手里买高价票。

1.7%的旅客从其他渠道获得车票。

不难发现，旅客购票情况有规律可循：越是出行旺季，旅客通过车站熟人关系和从火车票贩子手中买票的比率就越高，这两个比率加起来，甚至达到了半数左右；淡季时，旅客多从车站售票窗口和代售点购票，留给火车票贩子的空间就很小了。

另外，我们从问卷中还获得一个整体数据：69.9%的旅客没有遭遇过火车票贩子；23.7%的旅客偶尔与火车票贩子打交道；6.4%的旅客出行，车票主要靠火车票贩子来解决。和火车票贩子接触过的旅客占到了30%。他们虽然通过火车票贩子获得了车票，但他们对火车票贩子的态度并不是赞同的，更多的是反对。

铁路警方的话语权

我们的调查工作始终围绕火车票贩子、旅客和铁路警方这三个要素展开。火车票贩子与旅客之间可以是对立关系，也可以是合作关系；火车票贩子与铁路警方之间应该是对立关系；铁路警方与旅客之间是保护与被保护关系。这样看来，这三者之间从权势上的排序应该是铁路警方、旅客和火车票贩子，但是调查数据却出乎我们的预料。

我们在问卷中提出："您认为谁应该是打击火车票贩子的主体？"结果是：认为是铁路警方的占8.4%；认为是地方警察的占1.3%；认为是铁路和地方联手的占35.3%；认为是综合治理力量的占54.5%；认为是其他力量的占0.4%。很明显，铁路警方作为打击火车票贩子的主体资格受到了旅客的质疑，旅客认为，打击火车票贩子这一任务，是要依靠综合治理力量，至少也得依靠铁路和地方联手的力量。

铁路警方的权威性在旅客心中受到质疑，铁路警方本应传递给旅客的信任感和安全感产生失效的危机。

每逢火车票贩子兴盛时节，也就是铁路警方陷入被动、尴尬之时。与火车票贩子对立的铁路警方，因受到法律法规的限制，打击处理火车票贩子的力度无形中被削弱，复杂的执行过程中时常凸显出并无话语权的尴尬。

针对倒票的违法行为，铁路警方一直沿用国务院颁布的《治安管理处罚条例》第二十四条第二项中的相关规定。但对于“扒皮”、“扎蛤蟆”、叫卖火车票等违法行为，铁路警方只能够按照第十九条第二项扰乱车站秩序这一笼统的规定进行处罚。尽管铁路警方每年都会处理很多火车票贩子，但火车票贩子仍然走了一批又来一批，一半以上卷土重来。

这足以说明，部分法律法规相对于社会转型和变迁时期的需要而滞后了。

1997 年新《刑法》修改之前，对倒卖有价证券者，均按投机倒把罪处理；1997 年《刑法》修改后，第二百二十七条第二款规定，对倒卖车票的犯罪处以三年以下有期徒刑。在实际司法实践中，法院对倒卖车票的犯罪，是以被告人是否全额缴纳罚金为量刑依据，如果被告人缴足全额罚金，刑期会在一年以内，或判处拘役。新《刑法》量刑比较低，对倒票者判刑一般不超过三年。从执法机关的角度来说，把一个票贩子判刑半年，不如劳教一年半有效。火车票贩子不在乎是被劳教还是被判刑，只在乎被关押时间的长短。判刑和劳教之间的区别无形中被弱化，严肃的法律法规遭到戏谑。

无论铁路警方还是火车票贩子，这些年都在观望国家对治理火车票贩子问题的态度。在长期的对峙中，公安部法制局历经八年之久的社会调查，反复修改了《治安管理处罚法》，将提案送交全国人大后，终于在 2005 年 8 月 28 日第十届全国人民代表大会常务委员会第十七次会议上获得通过，并将于 2006 年 3 月 1 日实施。然而，接受了公安部组织的《治安管理处罚法》培训之后，部分铁路基层警察情绪有些受挫。因为针对倒卖有价证券者，罚款力度虽然加大了，但实际处理力度反而小了。罚款从过去的 200 元加到 500 元以下，更多了；条例从过去的 60 多条增加到 119 条，更细了；然而治安拘留，过去可以到 15 天，现在则是 5 天以上，10 天以下；合并执行的时间，过去是无限期，现在不能超过 20 天。这种处罚理念体现的是罚款多了，限制自由的时间少了，似乎更人性化，但这很有可能导致火车票贩子更加不在乎，更加肆无忌惮地从事倒票。如果新法规的出台反而成了纵容火车票贩子存在的“保护伞”，使得铁路警方更加尴尬无奈，岂不具有嘲讽意味？

我们在调查中得知，火车票贩子中的“老泡”们，在是否准备转行的问题上，考虑最多的是国家针对他们的行为将怎样立法。正如火车票贩子“老菊花”和“黑土豆”所言：“如果把退票口接票的人抓一个判三年，把拿票的人抓一个判三年，那么，北京站的火车票贩子立马都消失了，没人愿意再干这一行。”因为坐三年牢的代价，可以使他倒票十几年的辛苦努力全部化为泡影。而即将实施的法规，比原来的还宽松，他们中的大多数只会干得更疯。

就此问题，我们再次与火车票贩子们交流。他们知道了新法规出台的事后，都有些幸灾乐祸。“老菊花”说：“制定法律的人是明白人，虽然条文里没直接说允许我们倒票，但就是这个意思，我们也得吃饭吧？至于罚款，那就罚呗。这警察也不容易，怎么着也给他们几个钱花。”她把新法规误解成对火车票贩子的“默许存在”。

部分铁路基层警察认为，国家对特殊地区的特殊人群，应该制定特殊的法律法规。比如中国的特殊地区是北京，北京的特殊地区是天安门、火车站、飞机场等场所，在这些特殊地区出现的特殊治安问题应加大处罚力度，才能有效地遏制犯罪势头，否则肯定会出现“抓了放，放了抓”的徒劳局面。

过去每逢“五一”、“十一”及重大活动日，上级要检查火车站，铁路警察平均一天能送出去四五车流动人口及火车票贩子，把他们送到北京郊区的鹰山嘴沙石厂收容站，还有昌平的收容站，十天半月后，凑够一车厢，把他们分批遣送回家。2003年以后，取消了收容，火车票贩子们在外地与火车站之间的流动畅通无阻，警察只能以一当百地与他们周旋。还有些票贩子，一旦被警方抓进去，立刻声称家里有孩子，家人听到消息后，多半会立即把孩子送过去，放下就走，警察要么帮着看孩子，要么放人。

新法第二十一条规定：“怀孕或者哺乳自己不满一周岁婴儿的，依照本法应当给予行政拘留处罚的，不执行行政拘留处罚。”一些被访问的老警察说，他们每人差不多都遇见过一个妇女从没怀孕到怀孕再到抱着孩子来倒票的情况，甚至在第一个孩子长大上学后，她又怀上第二个孩子，在这漫长的时期里，谁也不能碰她，怕碰坏了，她因此有了充分的资格倒票。

铁路警方面对挡不住的倒票大军，渐渐陷入无计可施的境地，能够显示他们威力的，恐怕就是在车站广场频频举行的公开处理火车票贩子的活动，以获得震慑作用。在我们调查期间，北京铁路警方九次公开处理火车票贩子，警方耗资耗力多少且不论，那些为买不到票而心急如焚的旅客们是怎样看待这一行为的呢？

在我们的问卷调查里，46.9% 的旅客表示赞成；3% 的旅客反对，认为这是侮辱人格；50.1% 的旅客表示这是形式主义走过场，没什么效果。

《中华人民共和国治安管理处罚法》第九十一条规定："治安管理处罚由县级以下人民政府公安机关决定；其中警告、五百元以下的罚款可以由公安派出所决定。"这一条法规的出台，对北京铁路警方的压力很大，如果 2006 年 3 月 1 日前这支队伍不能转为国家公务员（现在属企业公安），就会没有执法权，比如北京铁路警方要想拘留某个票贩子，就只能到所属的公安分局去批。企业公安的处罚权在哪儿？

倒卖火车票违法行为的存在，源于铁路运能与旅客出行需求之间的矛盾。打击倒票违法行为也成为铁路警方的一项最为重要的工作内容，但在打击的过程中，铁路警方遇到的最大难题还是缺少法律的支持。铁路警方的话语权究竟是如何丧失的？应该怎样失而复得？恐怕很值得我们反省和深思。

（选自 2006 年第 4 期《中国作家》，有删节，作者：张西、涂骏）

后记

上世纪末，文汇出版社曾出版了18卷本的《20世纪中国纪实文学文库》，在读者中产生了广泛而深远的影响。现在推出的《21世纪中国纪实文学大系》正是上世纪“文库”的延续，是对21世纪中国客观、真实的记录。由于某些原因，我们在这套丛书的编辑思路及框架设计上作了如下调整：

一、为了使记录更加及时、更为精准，决定以“一年一部”的节奏，每年出版一部记录上一年重要事件及相关人物的“年编”，力求内容齐全，文字准确真实。

二、考虑到《20世纪中国纪实文学文库》收尾在1999年，本套丛书特将2000年一并收入，以弥补上世纪“文库”之不足，体现内容的完整性。

三、为了凸显文学价值，每一部年编都对当年中国纪实文学的新特征作了梳理和评析，并力图作出前瞻性的研究。这样，每一部年编在“一书一述”的基础上，又增加了“一书一评”的内容，其兼具“史料”和“文学”双重价值便成为可能。

在本套丛书的选编过程中，著名文学理论家钱谷融教授不顾九十多岁的高龄，欣然应允担当本丛书的顾问；著名文学评论家杨扬教授，则为本套丛书的编辑、出版提出了诸多建设性意见，并花费了大量时间阅读文本，带领他的团队撰写了一篇又一篇有关纪实文学的评论文章；上海市新闻出版局的阚宁辉副局长和许乃青处长对本套丛书的编辑、出版作了许多重要指导，并给予了很大的鼓励；新华社上海分社副社长叶国标、图片中心副主任金丽莉为本套丛书的图片提供给予了巨大的支持；文汇新民联合报业集团信息中心的姚高东主任和图片中心的高峰主任，则为本套丛书图片的选择提供了有益的建议……在此，对于每一位对本套丛书的编辑、出版予以帮助的前辈、领导和朋友，我们谨表示深深的谢意！

今后，我们每年都会编辑、出版一部《21世纪中国纪实文学大系》的年编，我们将加倍努力，及时推出能够让读者朋友喜爱的读本，为中国的出版事业贡献出我们的绵薄之力。

（编　者）

致作者

编选者在编选本书时，已经获得部分作者授权，谨在此表示衷心的感谢。

同时，因时间仓促，作品来源辗转，故仍有部分作者未能取得联系。在此，我们深表歉意。请未取得联系的作者及时与我社联系，我们将按照国家有关规定支付稿酬，并奉上样书。

文汇出版社

2012 年 8 月 18 日

联系地址：上海市威海路 755 号 18 楼
邮　　编：200041
联系电话：021-52921234 转总编办

图书在版编目（CIP）数据

21世纪中国纪实文学大系. 2005卷：民生问题/桂国强主编. —上海：文汇出版社，2012.9

ISBN 978-7-5496-0607-8

Ⅰ. ①2… Ⅱ. ①桂… Ⅲ. ①纪实文学—作品集—中国—当代 Ⅳ. ①I25

中国版本图书馆CIP数据核字（2012）第178896号

21世纪中国纪实文学大系（2005卷：民生问题）

丛书主编 / 桂国强
责任编辑 / 陈润华　曹　立
特约编辑 / 江林新
装帧设计 / 周夏萍

出版发行 / 文匯出版社
上海市威海路755号（邮政编码200041）
经　　销 / 全国新华书店
照　　排 / 南京展望文化发展有限公司
印刷装订 / 上海宝山译文印刷厂
版　　次 / 2012年9月第1版
印　　次 / 2012年9月第1次印刷
开　　本 / 720×960　1/16
字　　数 / 250千
印　　张 / 18.75

ISBN 978-7-5496-0607-8
定　　价 / 32.00元